Linguagem e mente

Noam Chomsky

Linguagem e mente

Terceira edição

Tradução
Roberto Leal Ferreira

editora
unesp

Cambridge University Press, New York.

Fundação Editora da UNESP (FEU)
Praça da Sé, 108
01001-900 – São Paulo – SP
Tel.: (0xx11) 3242-7171
Fax: (0xx11) 3242-7172
www.editoraunesp.com.br
www.livrariaunesp.com.br
atendimento.editora@unesp.br

CIP – Brasil. Catalogação na fonte
Sindicato Nacional dos Editores de Livros, RJ

C474L
Chomsky, Noam, 1928-
Linguagem e mente / Noam Chomsky; tradução Roberto Leal Ferreira. - São Paulo: Editora UNESP, 2009.
344p.

Tradução de: Language and mind, 3rd ed.
Inclui bibliografia e índice
ISBN 978-85-7139-942-6
1. Psicolinguística. 2. Pensamento. I. Título

09-3180. CDD: 401.9
CDU: 81'23

Editora afiliada:

Asociación de Editoriales Universitarias de América Latina y el Caribe

Associação Brasileira de Editoras Universitárias

Sumário

Prefácio à terceira edição

Os primeiros seis capítulos que se seguem são do fim da década de 1960, em sua maioria baseados em conferências para o público universitário em geral, portanto relativamente informais. O capítulo final é de 2004, baseado numa conferência para o grande público. Este ensaio recente examina a "abordagem biolinguística" que tem guiado este trabalho desde as origens, meio século atrás, alguns dos importantes desenvolvimentos das últimas décadas e o modo como a abordagem geral se mostra atualmente – ao menos para mim.

A abordagem dominante sobre questões de linguagem e mente, na década de 1950, era a das ciências do comportamento. Como o termo indica, o objeto de pesquisa era tomado do comportamento, ou, no caso da linguística, dos produtos do comportamento: talvez um *corpus* obtido a partir de informantes pelas técnicas de elicitação ensinadas nos cursos de métodos de campo. A teoria linguística consistia em procedimentos de análise, sobretudo segmentação e classificação, concebidos para organizar um corpo de material linguístico, guiados por suposições limitadas acerca das propriedades estruturais e de seu arranjo. O preeminente linguista Martin Joos pouco exagerava, numa exposição de 1955, quando identificou a "direção decisiva" da linguística estrutural contemporânea como a decisão de que a linguística pode ser "descrita sem qualquer esquema preexistente do que a linguagem deva ser".[1] As abordagens predominantes nas ciências do comportamento, em geral, não eram muito diferentes. Naturalmente, ninguém aceitava a noção incoerente de uma "lousa em branco". Mas era comum supor que, para além de uma delimitação inicial de propriedades detectadas no meio ambiente (um "espaço de qualidade", no quadro conceitual do muito influente filósofo W. V. O. Quine), os mecanismos de aprendizagem geral deviam bastar para dar conta do que os organismos, inclusive os humanos, sabem e fazem. Não se esperava que a dotação genética, nesses campos, pudesse ir muito além de algo assim.

A emergente abordagem biolinguística adotou um posicionamento diferente. Aceitou que o objeto de investigação fosse, não o comportamento e seus produtos, mas os sistemas cognitivos internos que entram em ação e interpretação e, para além disso, a base em nossa natureza biológica fixa para o crescimento e o desenvolvimento desses sistemas internos. Desse ponto de vista, o tema central de interesse é o que Juan Huarte, no século XVI, considerava a propriedade essencial da inteligência humana: a capacidade da mente humana de "gerar dentro de si, por sua própria potência, os princípios sobre os quais repousa o conhecimento",[2] ideias essas que foram desenvolvidas de maneiras importantes nas tradições filosófico-científicas dos anos subsequentes. Quanto à linguagem, "os princípios sobre os quais repousa o conhecimento" são os da linguagem interiorizada (*Língua-I*) que uma pessoa adquiriu. Tendo adquirido

1 Capítulo 3, nota 12. Joos referia-se explicitamente à "tradição boasiana" do estruturalismo americano, e fez só algumas poucas – um tanto depreciativas – observações sobre o estruturalismo europeu. Mas as observações podem prolongar-se no tempo, sem muitas mudanças.

2 Capítulo 1, p.38-41.

esses princípios, Jones dispõe de ampla gama de conhecimentos, por exemplo, que *glink* mas não *glnik* é um possível item lexical da língua inglesa; que a frase inglesa *John is too angry to talk to (Mary)* [John está bravo demais para falar (com Mary)] significa que John é com quem se deve falar (se *Mary* estiver faltando), mas John é quem efetua a fala (se *Mary* estiver presente); que, também em inglês, *him* pode ser usado para referir-se a John, na sentença inglesa *I wonder who John expects to see him* [Fico imaginando quem John espera que o veja], mas não se for omitido *I wonder who*; que se John pintou a casa de marrom, então ele espalhou a tinta sobre a superfície exterior, embora pudesse pintar a casa de marrom na parte de dentro; que, quando se diz em inglês que *John climbed the mountain* [John escalou a montanha], infere-se que ele subiu, embora em inglês se possa dizer que ele *climbed down* [desceu] a montanha; que livros são, em certo sentido, simultaneamente abstratos e concretos, como em *John memorizou e em seguida queimou o livro*; e assim por diante, ilimitadamente. "O poder de gerar" os princípios da língua-I sobre os quais repousam os casos particulares do conhecimento é entendido como o componente da dotação genética que dá conta de seu crescimento e desenvolvimento.

A linguística, assim concebida, procura descobrir teorias verdadeiras de línguas-I particulares (*gramáticas*) e, num nível mais profundo, a teoria da base genética para a aquisição da linguagem (*gramática universal, GU*, adaptando um termo tradicional a um novo uso). Supõe-se que outros sistemas cognitivos devam ser concebidos de modo semelhante, cada qual com seus próprios princípios e poderes de gerá-los.

Nesse quadro, os sistemas cognitivos são entendidos, com efeito, como órgãos do corpo, sobretudo o cérebro, a ser investigado da mesma maneira como outros subcomponentes com propriedades distintas que interagem na vida do organismo: os sistemas de visão, de planejamento motor, de circulação do sangue etc. Juntamente com seu papel no comportamento, os "órgãos cognitivos" participam de atividades tradicionalmente consideradas mentais: pensamento, planejamento, interpretação, avaliação, e assim por diante. O termo "mental" aqui é informal e descritivo, da mesma forma como termos descritivos frouxos, como "químico", "elétrico", "óptico" e outros usados para concentrar a atenção, em determinados aspectos do mundo que parecem ter um caráter integrado e que vale a pena abstrair para investigações especiais, mas sem nenhuma ilusão de atingirem as articulações da natureza. O comportamento e seus produtos – como textos – fornecem dados que podem ser úteis como provas na determinação da natureza e das origens dos sistemas cognitivos, mas não têm um estatuto privilegiado em tais pesquisas, exatamente como no caso de outros órgãos do corpo.

A mudança geral de perspectiva é às vezes chamada "revolução cognitiva" da década de 1950. No entanto, por razões examinadas nos primeiros ensaios que se seguem, julgo que ela pode ser considerada com mais propriedade uma renovação e um desenvolvimento ulterior da revolução cognitiva do século XVII. A partir da década de 1950, muitas questões tradicionais foram revividas – lamentavelmente, sem o reconhecimento da tradição, que fora amplamente esquecida ou descaracterizada. Também foi revivida a ideia que se fora cristalizando, ao longo do século XVIII, de que as propriedades "chamadas mentais" são o resultado de "uma estrutura orgânica tal como a do cérebro" (Joseph Priestley, químico-filósofo). Esse desenvolvimento da "sugestão de Locke", como é conhecido na literatura acadêmica, era um concomitante natural, virtualmente inevitável, da revolução newtoniana, que efetivamente demoliu a única noção significativa de "corpo" ou "físico". A conclusão básica foi bem compreendida pelo século XIX. Darwin perguntou retoricamente por que o "pensamento, sendo uma secreção do cérebro", deveria ser considerado "mais maravilhoso do que a gravidade, propriedade da matéria". Em sua clássica história do materialismo, escrita no século XIX, Friedrich Lange observa que os cientistas "nos acostumaram à noção abstrata de forças, ou antes a uma noção suspensa numa mística penumbra entre a abstração e a compreensão concreta", uma "virada" na história do materialismo que leva os restos sobreviventes da doutrina para longe das ideias e preocupações dos "genuínos materialistas" do século XVIII, e lhes retira significação. Não devem ser de especial interesse no estudo de aspectos do mundo "chamado mental".

Talvez valha a pena observar que essa compreensão tradicional ainda seja considerada muito controversa, e sua repetição, quase com praticamente as mesmas palavras, costuma ser proposta como uma "hipótese ousada" ou uma "nova ideia radical" no estudo das áreas de saber "chamadas mentais".[3]

Outra característica significativa da revolução cognitiva original foi o reconhecimento de que as propriedades do mundo chamado mental envolvem capacidades ilimitadas de um órgão finito e limitado, o "uso infinito de meios finitos", nas palavras de Wilhelm von Humboldt. A doutrina estava no centro do conceito cartesiano de mente. Fornecia o critério básico para lidar com o problema das "outras mentes" – determinar se uma criatura tem uma mente como a nossa. Descartes e seus seguidores concentraram-se no uso da linguagem como a mais clara ilustração disso. Num espírito bastante semelhante, Hume, mais tarde, reconheceu que nossos juízos morais são ilimitados em alcance e devem fundamentar-se em princípios gerais que são parte de nossa natureza – determinados geneticamente, em termos atuais. Essa observação coloca o problema de Huarte num campo diferente e é atualmente tema de intrigantes pesquisas empíricas e análises conceituais.

Por volta de meados do século XX, tornou-se possível enfrentar problemas como esses de um modo mais substantivo do que em épocas anteriores. Havia na época uma compreensão

3 Para obter exemplo e discussão, ver meu livro *New Horizons in the Study of Language and Mind* (Cambridge, 2000).

geral clara dos sistemas gerativos finitos com escopo ilimitado, que poderia ser prontamente adaptada à reestruturação e à investigação de questões tradicionais, necessariamente deixadas na obscuridade. Outro fator influente na renovação da revolução cognitiva foi o trabalho de etologistas e psicólogos comparativos, que na época acabavam de se tornar mais acessíveis, com seu interesse pelas "hipóteses operacionais inatas presentes nos organismos subumanos," e pelo "*a priori* humano" que devia ter o mesmíssimo caráter.[4] Também esse quadro podia ser adaptado ao estudo dos órgãos cognitivos humanos e à sua natureza determinada geneticamente, que constrói a experiência – a *Umwelt* do organismo, na terminologia etológica – e guia a trajetória geral de desenvolvimento, como em todos os outros aspectos do crescimento dos organismos.

Nesse ínterim, os esforços para precisar e aguçar as abordagens procedimentais depararam com graves dificuldades, que revelaram o que parecem ser inadequações intrínsecas. Um problema básico é que até mesmo os mais simples elementos do discurso não são detectáveis por procedimentos de segmentação e classificação. Eles não possuem a necessária propriedade de "contas no colar" para que tais procedimentos funcionem, e muitas vezes não podem ser localizados em alguma parte identificável do evento físico que corresponde à expressão mente-interna em que esses elementos operam. Tornou-se cada vez mais claro que mesmo as unidades mais simples – morfemas, itens lexicais elementares, nesse caso até segmentos fonológicos – só podem ser identificadas por seu papel nos procedimentos gerativos que formam as expressões linguísticas. Essas expressões, por sua vez, podem ser vistas como "instruções" para outros sistemas da mente/corpo que são usados para operações mentais, bem como para a produção de enunciados e para a interpretação de sinais externos. Mais geralmente, o estudo dos postulados

4 Konrad Lorenz; capítulo 3, p.164-7, a seguir.

mecanismos de aprendizagem e controle do comportamento nas ciências do comportamento revelaram insuficiências fundamentais e, mesmo no núcleo das disciplinas, foram surgindo sérias dúvidas quanto à viabilidade de todo o empreendimento, além de quanto à sua utilidade para o planejamento de experiências que possam ser úteis para algum outro propósito.

Para o estudo da linguagem, uma conclusão natural parecia ser que a língua-I em questão tem mais ou menos o caráter de uma teoria científica: um sistema integrado de regras e princípios, a partir do qual podem ser derivadas as expressões da língua, cada um dos quais uma coleção de instruções para o pensamento e para a ação. A criança deve de algum modo escolher a língua-I no fluxo da experiência. O problema parecia ser semelhante ao que Charles Sanders Peirce chamara *abdução*, ao considerar o problema da descoberta científica.[5] E, como no caso das ciências, a tarefa é impossível sem o que Peirce chamou "limite para as hipóteses admissíveis", o qual permite que apenas certas teorias sejam admitidas, mas não outras infinitamente numerosas, compatíveis com os dados relevantes. No caso da linguagem, revelou-se que a dotação genética da faculdade da linguagem deve impor um formato para os sistemas de regras que seja suficientemente restritivo para que as línguas-I candidatas sejam "dispersas" e só um pequeno número delas possa ser considerado ao longo da aquisição da linguagem. Em trabalho posterior na área das ciências cognitivas, tais abordagens são muitas vezes chamadas concepções "teoria da teoria".[6] Como a abdução, e aliás todo aspecto de crescimento e desenvolvimento, a aquisição da linguagem enfrenta um problema de *pobreza de estímulo*. A observação geral é tão transparente que fora das

---

5 Ver Capítulo 3, p.159-160, a seguir.

6 Os defensores dessas abordagens discordam, mas erradamente, creio eu. Ver L. Antony e N. Hornstein, *Chomsky and his Critics* (Blackwell, 2003), capítulo 10, e réplica.

ciências cognitivas o fenômeno omnipresente não parece sequer ser digno de um nome: ninguém fala do problema de pobreza de estímulo no caso de um embrião que de algum modo deva tornar-se um verme ou um gato, dado o ambiente nutricional, ou em algum aspecto do desenvolvimento pós-natal, digamos durante a puberdade.

Nestes ensaios da década de 1960, a seguir reimpressos, a natureza e a aquisição da linguagem apresentadas e discutidas adotam o quadro geral acima esboçado. "O mais difícil problema teórico da linguística" era, portanto, considerado o da "descoberta dos princípios da gramática gerativa", que "determinam a escolha das hipóteses" – ou seja, restringem as línguas-I acessíveis. Também se reconhecia, porém, que, tanto no caso da linguagem como no de outros organismos biológicos, aparece no horizonte um problema ainda mais desafiador: descobrir "as leis que determinam a mutação bem-sucedida possível e a natureza dos organismos complexos", totalmente à parte dos órgãos cognitivos particulares ou de outros sistemas orgânicos sob investigação.[7] Como já se ressaltou alguns anos atrás:

> certamente não há razão hoje para levar a sério uma posição que atribui inteiramente uma realização humana complexa a meses (ou no máximo anos) de experiência [como nas ciências do comportamento], em vez de a milhões de anos de evolução [como no estudo da dotação biológica específica, GU, no caso da linguagem] ou a princípios de organização neural que possam ser mais profundamente fundados na lei física[8]

– um "terceiro fator" no crescimento e no desenvolvimento, independentemente de órgãos e possivelmente de organismos. A investigação do terceiro fator parecia distante demais

7 p.103-4; 162.
8 Chomsky, *Aspects of the Theory of Syntax* (Cambridge, Mass: MIT Press, 1965), p.59.

da investigação, para merecer muita atenção, e foi, portanto, apenas mencionada, embora, na verdade, mesmo alguns dos trabalhos iniciais - por exemplo, sobre a eliminação da redundância nos sistemas de regras - tenham sido implicitamente guiados por tais preocupações.

Nos anos seguintes, os temas sob investigação se ampliaram de modo considerável, não só nas áreas relacionadas com a linguagem, mas nas ciências cognitivas em geral. No início da década de 1980, uma substancial mudança de perspectiva na linguística reestruturou razoavelmente as questões básicas, abandonando inteiramente a concepção do formato de teoria linguística em favor de uma abordagem que buscava limitar as línguas-I acessíveis a um conjunto finito, salvo as escolhas léxicas (estas restritas em demasia). Essa abordagem de tipo *Princípios e Parâmetros* pode ou não se revelar justificada; nunca se sabe. Mas, como programa de pesquisa, tem sido muito bem-sucedida, provocando uma explosão de investigações empíricas numa gama muito ampla de línguas tipologicamente diversificadas, propondo novas questões teóricas que dificilmente poderiam ter sido formuladas antes, muitas vezes também fornecendo respostas pelo menos parciais, ao mesmo tempo que também revitaliza as áreas afins da aquisição e do processamento da linguagem. Outra consequência é que ela removeu algumas barreiras conceituais básicas à investigação séria de questões mais profundas sobre o "terceiro fator". Tais temas são examinados na conferência que encerra esta coletânea. Abrem eles possibilidades que, pelo menos na minha perspectiva pessoal, sugerem novos e entusiasmantes desafios para o estudo da linguagem, em particular, e para os problemas sobre a mente, em geral.

Prefácio à segunda edição

Os seis capítulos que se seguem dividem-se em dois grupos. Os três primeiros constituem a monografia *Linguagem e mente*, publicada em 1968. Como explica o prefácio a *Linguagem e mente*, reimpresso a seguir, os três ensaios sobre as contribuições linguísticas ao estudo da mente (passado, presente e futuro) baseiam-se nas conferências Beckman, pronunciadas para um público universitário geral, na Universidade da Califórnia, em Berkeley, em janeiro de 1967. Esses ensaios constituem uma unidade distinta dos três capítulos que se seguem a eles.

O Capítulo 4, "Forma e significado nas línguas naturais", é o texto aproximado de uma conferência bastante informal, ministrada em janeiro de 1969, no Gustavus Adolphus College de Minnesota, para um público formado em grande parte por estudantes e professores secundários e de graduação. Examina algumas das noções básicas apresentadas em *Linguagem e mente* e outras obras e, além disso, apresenta alguns trabalhos posteriores sobre a interpretação semântica das estruturas sintáticas. Creio que esse material revele algumas das limitações e insuficiências da teoria anterior e sugira uma direção em que essa teoria deva ser revista. Mais investigações técnicas sobre tal matéria e outras relacionadas aparecem em monografias minhas – *Semântica na Gramática Gerativa* e *Condições sobre Regras* – a serem publicadas pela editora Mouton and Co., Haia, em 1972.

O Capítulo 5 é um estudo consideravelmente mais técnico, que explora com alguma minúcia um material que é pressuposto ou desenvolvido apenas de modo informal, em *Linguagem e mente*. O público visado, neste caso, consistia principalmente em psicólogos e psicolinguistas. Esse capítulo, publicado originalmente como um apêndice ao livro *Biological Foundations of Language* [Fundações biológicas da linguagem], de Eric Lenneberg, é uma tentativa de dar uma apresentação concisa e sistemática da teoria da gramática transformacional-gerativa e de explorar sua potencial significação para a psicologia humana. As monografias acima citadas levam adiante a investigação técnica, em parte, em direções brevemente indicadas nesse capítulo, que foi na verdade escrito em 1965 e é, portanto, o mais antigo dos ensaios aqui reunidos.

O Capítulo 6 dirigia-se a um público bastante diferente, o dos filósofos profissionais. Foi uma contribuição a um simpósio sobre linguística e filosofia patrocinado pela Universidade de Nova York, em abril de 1968. O propósito dessa conferência era o de explorar os pontos de contato entre a linguística contemporânea e a filosofia – em particular, a epistemologia e a filosofia da mente. Sugeria que o trabalho atual na área de linguística tem interessantes perspectivas a oferecer sobre a natureza do conhecimento humano, o fundamento de sua aquisição e as maneiras como é caracteristicamente usado. Em parte, esse ensaio trata do debate que se travou sobre essas questões; em parte, das próprias questões.

Há certo grau de redundância nesses ensaios. Os Capítulos 4, 5 e 6 são, cada um deles, mais ou menos independentes. Cada um deles pressupõe muito pouca coisa e, portanto, algumas das seções expositivas se interseccionam, interseccionando-se também com os capítulos que constituem *Linguagem e mente*.

Espero que as formulações um tanto variáveis dos pontos básicos possam mostrar-se úteis. Na verdade, mesmo os mais simples e mais básicos pontos discutidos nesses ensaios têm sido amplamente mal interpretados. Por exemplo, tem havido uma tendência na discussão popular de se confundir "estrutura profunda" com "gramática gerativa" ou com "gramática universal". E muitos linguistas profissionais têm repetidamente confundido o que chamo aqui "o aspecto criativo do uso da linguagem" com a propriedade recursiva das gramáticas gerativas, algo muito diferente. Na esperança de que questões como essas sejam esclarecidas, não eliminei as redundâncias, ao reunir estes ensaios.

Os Capítulos 4 a 6 estendem e ampliam as ideias e o material discutido nas conferências Beckman. Todos esses ensaios se preocupam sobretudo com a área de intersecção entre a Linguística, a Filosofia e a Psicologia. Seu propósito primário é o de mostrar como o estudo um tanto técnico da estrutura da linguagem pode contribuir para o entendimento da inteligência humana. Creio, e tento mostrá-lo nestes ensaios, que o estudo da estrutura da linguagem revele propriedades da mente que subjazem ao exercício das capacidades mentais humanas nas atividades normais, como o uso da linguagem de maneira comum, livre e criativa.

À custa de uma redundância final, gostaria de sublinhar aqui as observações do prefácio a *Linguagem e mente* acerca das chamadas "ciências do comportamento". Há atualmente muita discussão – e, não raro, reivindicações um tanto extravagantes – acerca das implicações das ciências do comportamento nos negócios humanos. É importante ter em mente que há poucas hipóteses empíricas não triviais relativas à questão de como os seres humanos se comportam e por que agem como agem, sob circunstâncias normais. O leitor que fizer o útil exercício de pesquisar a literatura irá descobrir, creio eu, não só que há pouco conhecimento científico significativo nesse campo, mas também que as ciências do comportamento têm costumado insistir em certas restrições metodológicas arbitrárias, que tornam virtualmente impossível alcançar-se um conhecimento científico de caráter não trivial.

Podemos começar a ver como o conhecimento humano e os sistemas de crenças poderiam ser adquiridos, em certas áreas. O caso da linguagem é particularmente interessante, porque a linguagem desempenha um papel essencial no pensamento e na interação humana, e porque, neste caso, podemos começar a descrever o sistema de conhecimento que é alcançado e a formular algumas hipóteses plausíveis acerca das capacidades humanas intrínsecas que tornam essa façanha possível. Esses lampejos de entendimento são interessantes em si mesmos e sugestivos igualmente para outros estudos. Podemos estar razoavelmente certos de que a investigação das relações diretas entre a experiência e a ação, entre os estímulos e as respostas, será em geral uma busca vã. Em todos os casos, salvo os mais elementares, o que uma pessoa faz depende em ampla medida do que sabe, crê e antecipa. Um estudo do comportamento humano que não se baseie numa formulação pelo menos provisória dos sistemas relevantes de conhecimento e crença está fadado à trivialidade e à irrelevância. O estudo da aprendizagem humana só pode começar, de modo sério, quando for apresentada tal formulação provisória dos sistemas de conhecimento e crença. Podemos, então, perguntar como esses sistemas são adquiridos, tendo em vista os dados da experiência. Analogamente, o estudo do comportamento humano não pode ser realizado com seriedade, a menos que estejamos em condições de perguntar como o que uma pessoa faz se relaciona com o que ela sabe, crê e espera. Só quando tivermos formulado algumas hipóteses provisórias sobre o que é aprendido poderemos efetuar um estudo sério da aprendizagem humana; só quando tivermos formulado algumas hipóteses provisórias sobre o que tiver sido aprendido – o que é sabido e crido – poderemos voltar-nos seriamente para a investigação do comportamento. No caso da linguagem, podemos apresentar algumas formulações provisórias mas um tanto minuciosas e complexas acerca do que é sabido, o que foi aprendido pelo falante-ouvinte normal. Por essa razão, o estudo da linguagem parece-me de especial interesse para o estudo da aprendizagem e do comportamento humanos.

Todavia, deve-se ressaltar que a linguagem pode ser um caso um tanto especial. O conhecimento da língua normalmente é obtido mediante uma breve exposição, e o caráter do conhecimento adquirido pode ser amplamente predeterminado. Era de esperar que a linguagem humana devesse refletir diretamente as características das capacidades intelectuais humanas, que a linguagem devesse ser um "espelho da mente" direto, de um modo que outros sistemas de conhecimento e crença não poderiam ser. Além disso, mesmo se fôssemos capazes de dar conta da aquisição da linguagem pelo método discutido nestes ensaios, ainda nos restaria o problema de explicar o uso normal do conhecimento adquirido. Mas esse problema é, por enquanto, totalmente intratável. Fica para além do escopo da investigação científica. Seria completamente irracional, é claro, alegar que certos fenômenos e certos problemas não existem, apenas porque ficam além do escopo da investigação científica – no presente momento e talvez intrinsecamente, por causa do alcance da inteligência humana, que, afinal, é ela mesma estruturada e limitada de maneira desconhecida, em cada pormenor. Dado o caráter primitivo do estudo do homem e da sociedade e de sua falta generalizada de substância intelectual, podemos apenas especular sobre os fatores essenciais e básicos que fazem parte do comportamento humano, e seria completamente irresponsável afirmar o contrário. A especulação acerca dessas matérias é totalmente legítima, e até mesmo essencial. Deveria ser guiada, quando possível, pelo conhecimento existente, fragmentário e limitado. Porém, a especulação deve ser claramente rotulada como tal e distinguida claramente das conquistas da investigação científica. Esse é um ponto de considerável importância numa sociedade que tende a confiar na competência profissional e nos juízos profissionais. Desse aspecto, o cientista, em particular, tem uma responsabilidade para com o público.

Massachusetts Institute of Technology

Prefácio à primeira edição

Os três capítulos deste livro são, de certo modo, versões um pouco modificadas de três conferências, as conferências Beckman, que proferi na Universidade da Califórnia, em Berkeley, em janeiro de 1967. A primeira delas é uma tentativa de avaliar as contribuições passadas ao estudo da mente que se basearam em pesquisas e especulações acerca da natureza da linguagem. O segundo é dedicado aos desenvolvimentos contemporâneos, na área da linguística, que tenham alguma influência sobre o estudo da mente. O terceiro é uma discussão altamente especulativa sobre as direções que o estudo da linguagem e da mente podem tomar, nos próximos anos. As três conferências, portanto, se referem ao passado, ao presente e ao futuro.

Dado o estado da pesquisa na história da linguística, mesmo a tentativa de avaliar as contribuições passadas deve ser vista como amplamente provisória. A linguística moderna compartilha a ilusão – esse é o termo preciso, creio eu – de que as modernas "ciências do comportamento" tenham, de algum modo essencial, conseguido a transição da "especulação" para a "ciência" e que o trabalho anterior pode ser tranquilamente entregue aos antiquários. Evidentemente, qualquer pessoa racional defenderá a análise rigorosa e a experiência cuidadosa; mas, em grau considerável, penso eu, as "ciências do comportamento" estão meramente macaqueando as características superficiais das ciências naturais; a maior parte de seu caráter científico foi alcançada por meio de uma limitação da matéria e de uma concentração em questões um tanto periféricas. Tal estreitamento do foco pode ser justificado, se levar a conquistas de significado intelectual real, mas, nesse caso, acho que seria muito difícil mostrar que a redução do escopo tenha levado a resultados profundos e significativos. Além disso, tem havido uma tendência natural mas infeliz de se "extrapolar" da minúscula quantidade de conhecimento que foi obtido com um cuidadoso trabalho experimental e com um rigoroso processamento de dados para questões de significação muito mais ampla e de grande interesse social. Esse é um assunto sério. Os especialistas têm a responsabilidade de tornar claros os reais limites de sua compreensão e dos resultados que obtiveram até o momento, e uma análise cuidadosa desses limites demonstrará, creio eu, que em praticamente todos os campos das ciências sociais e do comportamento os resultados alcançados não permitem tal "extrapolação". Acredito que tal análise também mostrará que as contribuições do pensamento e da especulação anteriores não podem ser tranquilamente desdenhadas, porque em ampla medida elas fornecem hoje uma base indispensável para o trabalho sério. Não tento aqui justificar esse ponto de vista em geral, mas apenas afirmar que é esse o ponto de vista subjacente às conferências que se seguem.

Na segunda conferência, não tentei fazer uma apresentação sistemática do que foi alcançado na pesquisa linguística; em vez disso, concentrei-me nos problemas que estão na fronteira da pesquisa e que ainda resistem à solução. Boa parte do material dessa conferência deve aparecer num capítulo intitulado "Problemas da explicação em linguística", no livro *Explanations in Psychology*, organizado por R. Borger e F. Cioffi (New York: Cambridge University Press, 1967), juntamente com interessantes comentários críticos de Max Black. As conferências 1 e 3 valem-se de algum material de outra conferência, feita na Universidade de Chicago, em abril de 1966, publicada no livro *Changing Perspectives on Man*, organizado por B. Rothblatt (Chicago: University of Chicago Press, 1968). Parte da primeira conferência foi publicada no *Columbia University Forum*, primavera de 1968 (v.XI, n.1), enquanto parte da terceira conferência aparecerá no número do outono de 1968 (v.XI, n.3).

Gostaria de expressar meus agradecimentos aos membros dos corpos docente e discente de Berkeley, por muitos comentários e reações úteis e, de modo mais geral, pelo rico e estimulante clima intelectual em que tive o privilégio de passar vários meses, pouco antes dessas conferências. Estou também em dívida com John Ross e Morris Halle, pelos tão valiosos comentários e sugestões.

1
Contribuições linguísticas ao estudo da mente: passado

Nestas conferências, gostaria de concentrar a atenção na questão: que contribuição pode o estudo da linguagem dar à compreensão da natureza humana? Em uma ou outra manifestação, essa questão abre seu caminho pelo pensamento ocidental moderno. Numa época menos tímida e menos compartimentada que a nossa, a natureza da linguagem, as maneiras como a linguagem espelha os processos mentais humanos ou molda o fluxo e o caráter do pensamento – esses eram temas do estudo e da especulação dos eruditos e dos amadores de talento com ampla variedade de interesses, pontos de vista e formações intelectuais. E, nos séculos XIX e XX, enquanto a linguística, a filosofia e a psicologia tentaram com dificuldade seguir seus caminhos separados, os problemas clássicos da linguagem e da mente inevitavelmente reapareceram e serviram para ligar esses campos divergentes e para dar direção e significação a seus esforços. Houve, na década passada, sinais de que a separação um tanto artificial entre as disciplinas pode estar chegando ao fim. Já não é um ponto de honra para cada uma delas demonstrar sua absoluta independência em relação às demais, e surgiram novos interesses que permitem aos problemas clássicos serem formulados de maneiras novas e por vezes sugestivas – por exemplo, em função das novas perspectivas proporcionadas pela cibernética e pelas ciências da comunicação, e contra o pano de fundo dos desenvolvimentos da psicologia comparativa e fisiológica, que desafiam vetustas convicções e livram a imaginação científica de certos entraves que se haviam tornado parte tão familiar do ambiente intelectual que estavam quase além da consciência. Tudo isso é muito animador. Acho que há mais fermento saudável na psicologia cognitiva – e no ramo particular da psicologia cognitiva conhecido como linguística – do que houve em muitos anos. E um dos mais animadores sinais é que o ceticismo em relação às ortodoxias do passado recente é acompanhado por uma consciência das tentações e dos perigos da ortodoxia prematura, consciência essa que, se persistir, pode impedir o surgimento de um dogma novo e embrutecedor.

É fácil enganar-se, ao se avaliar a cena presente; parece-me, porém, que o declínio do dogmatismo e a decorrente busca de novas abordagens para os velhos e muitas vezes intratáveis problemas são bastante indubitáveis, não apenas na linguística, mas em todas as disciplinas ligadas ao estudo da mente. Lembro-me claramente de minha própria sensação de mal-estar, quando estudante, diante do fato de que, ao que parecia, os problemas básicos da área estavam resolvidos e o que faltava era aguçar e melhorar as técnicas de análise linguística, razoavelmente bem compreendidas, e aplicá-las a uma gama mais ampla de materiais linguísticos. Nos anos do pós-guerra, essa era uma atitude predominante, nos mais ativos centros de pesquisa. Lembro-me de ouvir de um importante linguista e antropólogo, em 1953, que não tinha intenção de trabalhar com uma vasta coleção de materiais que reunira, porque em poucos anos certamente seria possível programar um computador para construir uma gramática a partir de um amplo corpo de dados, por meio de técnicas já razoavelmente bem formalizadas. Na época, aquela não parecia uma atitude pouco razoável, embora as perspectivas fossem tristes para quem sentisse, ou pelo menos esperasse, que os recursos da inteligência humana fossem um pouco mais profundos do que esses procedimentos e técnicas podiam revelar. Analogamente, havia um declínio impressionante nos estudos dos métodos linguísticos, no começo da década de 1950, pois as cabeças teóricas mais ativas se voltaram para o problema de como um corpo de técnicas essencialmente fechado podia ser aplicado a um novo campo – digamos, à análise do discurso corretamente construído ou a outros fenômenos culturais para além da linguagem. Cheguei a Harvard como um estudante de graduação pouco depois de B. F. Skinner ter dado suas Conferências William James, que seriam mais tarde publicadas em seu livro *Verbal Behavior* [Comportamento verbal]. Entre as pessoas ativas na pesquisa, nos campos da filosofia ou psicologia da linguagem, havia na época poucas dúvidas de que, embora faltassem detalhes, e embora as coisas pudessem não ser assim tão simples, um quadro behaviorista do tipo do que Skinner esboçara se mostraria bastante adequado para acomodar a totalidade do uso da linguagem. Havia poucas razões para questionar a convicção de Leonard Bloomfield, Bertrand Russell e os linguistas, psicólogos e filósofos positivistas, em geral, de que o quadro da psicologia do estímulo-resposta logo seria a tal ponto ampliado que forneceria uma explicação satisfatória para as mais misteriosas capacidades humanas. As almas mais radicais sentiram que talvez, para fazer plena justiça a essas capacidades, devessem ser postulados *s*'s e *r*'s minúsculos dentro do cérebro, junto com *S*'s e *R*'s maiúsculos, que estivessem abertos à inspeção imediata, mas essa extensão não era incoerente com o quadro geral.

As opiniões críticas, mesmo as de prestígio considerável, simplesmente não eram ouvidas. Por exemplo, Karl Lashley fez uma brilhante crítica do quadro de ideias dominante em 1948, alegando que, subjacente ao uso da linguagem – e a todo comportamento organizado –, deve haver algum tipo de mecanismos abstratos que não são analisáveis em termos de associação e que não poderiam ter-se desenvolvido por tão simples meios. Contudo, seus argumentos e propostas, ainda que sólidos e lúcidos, não tiveram absolutamente nenhum efeito, no desenvolvimento do campo, passando despercebidos mesmo em sua própria universidade (Harvard), na época o principal centro de pesquisa psicolinguística. Dez anos mais tarde, a contribuição de Lashley começou a ser apreciada, mas apenas depois que seus resultados já haviam sido obtidos independentemente, em outro contexto.

Os avanços tecnológicos da década de 1940 simplesmente reforçaram a euforia geral. Os computadores estavam no horizonte, e sua iminente chegada fortaleceu a crença de que bastaria obter uma compreensão teórica dos mais simples e mais superficialmente óbvios fenômenos – tudo o mais acabaria simplesmente se revelando "mais do mesmo", uma complexidade aparente que seria desemaranhada pelas maravilhas eletrônicas. O espectrógrafo de som, desenvolvido durante a guerra, oferecia uma promessa semelhante para a análise física dos sons da fala. As conferências interdisciplinares, do início da década de 1950, sobre análise da fala constituem hoje uma leitura interessante. Poucos havia tão ignorantes que questionassem a possibilidade, na verdade a iminência, de uma solução final para o problema de se converter a fala em escrita com a técnica de engenharia disponível. E, poucos anos depois, descobriu-se com alegria que a máquina de traduzir e a abstração automática também estavam para chegar. Para aqueles que buscavam uma formulação mais matemática dos processos básicos, havia a recém-desenvolvida teoria matemática da comunicação, que, como se acreditava amplamente, no começo da década de 1950, fornecera um conceito fundamental – o conceito de "informação" – que iria unificar as ciências sociais e do comportamento, permitindo o desenvolvimento de uma sólida e satisfatória teoria do comportamento humano sobre bases probabilistas. Mais ou menos na mesma época, a teoria dos autômatos desenvolveu-se como um estudo independente, fazendo uso de noções matemáticas intimamente correlacionadas. E foi vinculada imediata – e muito corretamente – a explorações anteriores da teoria das redes neurais. Havia quem – John von Neumann, por exemplo – percebesse que todo esse desenvolvimento era duvidoso e pouco firme, e provavelmente bastante equivocado, mas tais escrúpulos não conseguiram dissipar a sensação de que a matemática, a tecnologia, a linguística e a psicologia behavioristas estivessem convergindo para um ponto de vista muito simples, muito claro e totalmente adequado para proporcionar uma compreensão básica do que a tradição deixara envolto em mistério.

Nos Estados Unidos, pelo menos, poucos vestígios há atualmente das ilusões dos anos do imediato pós-guerra. Se considerarmos o estatuto atual da metodologia da linguística estrutural, da psicolinguística do estímulo-resposta (estendida ou não à "teoria da mediação") ou dos modelos probabilísticos ou ligados à teoria dos autômatos para o uso da linguagem, descobriremos que em cada caso ocorreu um desenvolvimento paralelo: uma análise cuidadosa mostrou que, à medida que o sistema de conceitos e princípios proposto fosse precisado, podia-se demonstrar que era fundamentalmente inadequado. Os tipos de estruturas realizáveis em termos dessas estruturas não são, simplesmente, os que nos vemos obrigados a postular como subjacentes ao uso da linguagem, se queremos satisfazer determinadas condições empíricas de adequação. E, além disso, o tipo de falha e de inadequação é tal que deixa poucas razões para se acreditar que essas abordagens estejam no caminho certo. Ou seja, em cada caso se argumentou – de modo muito persuasivo, em minha opinião – que a abordagem é não apenas inadequada como mal orientada sob aspectos básicos e importantes. Creio que se tornou bastante claro que, se um dia tivermos de entender como a linguagem é usada ou adquirida, deveremos abstrair para estudo separado e independente um sistema cognitivo, um sistema de conhecimento e crença, que se desenvolva na primeira infância e interaja com muitos outros fatores, para determinar os tipos de comportamento que observamos; para introduzir um termo técnico, devemos isolar e estudar o sistema de *competência linguística* que subjaz ao comportamento, mas que não é realizado de nenhuma maneira direta ou simples, no comportamento. E esse sistema de competência linguística é qualitativamente diferente de tudo que possa ser descrito em termos dos métodos taxionômicos da linguística estrutural, dos conceitos da psicologia do estímulo e resposta ou das noções desenvolvidas na teoria matemática da comunicação ou na teoria dos autômatos simples. As teorias e modelos construídos para descrever fenômenos simples e imediatamente dados não podem incorporar o sistema real de competência linguística; a "extrapolação" de simples descrições não pode abordar a realidade da competência linguística; as estruturas mentais não são "mais do mesmo", mas são qualitativamente diferentes das redes e das estruturas complexas que podem ser desenvolvidas por elaboração dos conceitos que pareciam tão promissores para tantos cientistas, há apenas alguns anos. O que está envolvido não é um problema de grau de complexidade, mas sim de qualidade de complexidade. Não há, portanto, razão para esperar que a tecnologia disponível possa proporcionar perspectivas significativas ou compreensão ou resultados úteis; ela tem visivelmente falhado nisso e, na verdade, um apreciável investimento de tempo, energia e dinheiro no uso de computadores para a pesquisa linguística – apreciável de acordo com os padrões das disciplinas modestas, como a linguística – não tem proporcionado nenhum avanço significativo em nossa compreensão do uso ou da natureza da linguagem. Esses juízos são severos, mas acho que são defensáveis. Além disso, não são questionados pelos pesquisadores linguísticos ou psicolinguísticos ativos.

Ao mesmo tempo, houve avanços significativos, creio, em nossa compreensão da natureza da competência linguística e de algumas das maneiras como esta é posta em uso, mas esses avanços, tais como são, procederam de suposições muito diferentes das que eram tão entusiasticamente propostas, na época que vim discutindo. E, em acréscimo, esses avanços não estreitaram o intervalo entre o que é conhecido e o que se pode ver que fica além do escopo da compreensão e da técnica atuais; mais exatamente, cada avanço tornou claro que esses horizontes intelectuais estão muito mais distantes do que se imaginava até o momento. Por fim, ficou razoavelmente claro, a meu ver, que as suposições e as abordagens que atualmente se mostram produtivas têm um sabor claramente tradicional; em geral, uma tradição muito desdenhada vem sendo amplamente revitalizada nos últimos anos, e suas contribuições têm recebido uma atenção séria e, acredito eu, merecida. Do reconhecimento desses fatos decorre a geral e muito salutar atitude de ceticismo a que me referi anteriormente.

Em suma, parece-me muito apropriado, neste momento do desenvolvimento da linguística e da psicologia, em geral, voltar outra vez às questões clássicas e perguntar que novas perspectivas foram alcançadas com respeito a elas e como os problemas clássicos podem orientar a pesquisa e o estudo contemporâneos.

Quando nos voltamos para a história do estudo e da especulação acerca da natureza da mente e, de modo mais específico, da natureza da linguagem humana, nossa atenção muito naturalmente se concentra no século XVII, "o século do gênio", em que as fundações da ciência moderna foram solidamente estabelecidas e os problemas que ainda nos confundem foram formulados com clareza e perspicácia notáveis. Há muitos aspectos longe de serem superficiais em que o clima intelectual de hoje se assemelha ao da Europa Ocidental do século XVII. Um deles, especialmente crucial no presente contexto, é o imenso interesse pelas potencialidades e pelas capacidades dos autômatos, um problema que intrigou a inteligência do século XVII tanto quanto a nossa. Mencionei acima que lentamente vem nascendo a consciência de que um intervalo significativo – mais exatamente, um abismo escancarado – separa o sistema de conceitos, do qual temos uma ideia razoavelmente clara, por um lado, e a natureza da inteligência humana, por outro. Tal consciência está na base da filosofia cartesiana. Descartes também, muito cedo em suas pesquisas, chegou à conclusão de que o estudo da mente nos faz deparar com um problema de qualidade de complexidade, não meramente de grau de complexidade. Sentiu ele ter demonstrado que o entendimento e a vontade, as duas propriedades fundamentais da mente humana, envolviam capacidades e princípios não realizáveis até mesmo pelos mais complexos autômatos.

É particularmente interessante rastrear o desenvolvimento desse argumento nas obras dos filósofos cartesianos menores e hoje bastante esquecidos, como Cordemoy, autor de um fascinante tratado que ampliava as poucas observações de Descartes acerca da linguagem, ou La Forge, autor de um longo e minucioso *Traité de l'esprit de l'homme* [Tratado do espírito do homem], que expressava, afirmava ele com alguma razão, o que provavelmente Descartes teria dito sobre o assunto, se tivesse vivido o bastante para ampliar sua teoria do homem para além da fisiologia. Podem-se discutir os pormenores desse argumento, e mostrar como foi entravado e distorcido por certos vestígios da doutrina escolástica – o quadro conceitual de substância e modo, por exemplo. Porém, a estrutura geral do argumento não é irracional; na verdade, é um tanto análoga ao argumento contra o quadro de ideias dos anos do imediato pós-guerra, a que aludi, no início desta conferência. Os cartesianos tentavam demonstrar que, quando a teoria do corpo físico é refinada, esclarecida e ampliada até seus últimos limites, continua sendo incapaz de dar conta de fatos que são óbvios à introspecção e também confirmados por nossa observação das ações de outros seres humanos. Em especial, não pode dar conta do uso normal da linguagem humana, como não consegue explicar as propriedades básicas do pensamento. Por conseguinte, torna-se necessário invocar um princípio completamente novo – em termos cartesianos, postular uma segunda substância, cuja essência é o pensamento, ao lado do corpo, com suas propriedades essenciais de extensão e movimento. Esse novo princípio tem um "aspecto criativo", que fica muito claramente evidente no que podemos chamar "o aspecto criativo do uso da linguagem", a capacidade especificamente humana de expressar novos pensamentos e de entender expressões inteiramente novas de pensamento, em quadro de uma "língua instituída", uma língua que é um produto cultural sujeito a leis e princípios em parte exclusivos dela e em parte reflexos das propriedades gerais da mente. Essas leis e princípios, afirma-se, não são formuláveis, mesmo nos termos da mais elaborada extensão dos conceitos próprios da análise do comportamento e da interação dos corpos físicos, e não são realizáveis nem sequer pelos mais complexos autômatos. Na verdade, Descartes argumentou que a única indicação segura de que outro corpo possua uma mente humana, de que não seja um mero autômato, é sua capacidade de usar normalmente a linguagem; e alegou que essa capacidade não pode ser detectada num animal ou num autômato que, sob outros aspectos, dá sinais de uma inteligência aparente que supera a humana, embora tal organismo ou máquina possa ser tão dotado, quanto um ser humano, dos órgãos fisiológicos necessários à produção da fala.

Voltarei a esse argumento e às maneiras como foi desenvolvido. Mas acho importante ressaltar que, com suas carências e deficiências, é um argumento que deve ser levado a sério. Não há absolutamente nada de absurdo na conclusão. Parece-me muito possível que, naquele preciso momento do desenvolvimento do pensamento ocidental, houvesse a possibilidade de nascer uma ciência da psicologia de um tipo que ainda não existe, uma psicologia que tem início com o problema de caracterizar os diversos sistemas humanos de conhecimento e crença, os conceitos em termos dos quais eles se organizam e os princípios subjacentes a eles, e que só então se volta para o estudo de como esses sistemas podem ter-se desenvolvido mediante uma combinação de estrutura inata e interação organismo-meio ambiente. Tal psicologia contrastaria muito agudamente com a abordagem da inteligência humana que começa por postular, *a priori*, certos mecanismos específicos que, afirma-se, *devem* ser os que subjazem à aquisição de todo conhecimento e crença. Retornarei a essa distinção, em uma conferência ulterior. Por enquanto, quero apenas ressaltar a razoabilidade da alternativa rejeitada e, além disso, sua coerência com a abordagem que se mostrou bem-sucedida, na revolução da física no século XVII.

Há paralelos, que talvez tenham sido inadequadamente apreciados, entre a postulação cartesiana de uma substância cuja essência é o pensamento e a aceitação pós-newtoniana de um princípio de atração como uma propriedade inata dos corpúsculos finais da matéria, um princípio ativo que governa os movimentos dos corpos. Talvez a contribuição de maior alcance da filosofia cartesiana para o pensamento moderno tenha sido sua rejeição da noção escolástica de forma substancial e qualidades reais, de todas aquelas "imagenzinhas tremulando pelo ar" a que Descartes se referia, com ironia. Com o exorcismo dessas qualidades ocultas, o palco estava montado para o nascimento de uma física da matéria em movimento e de uma psicologia que explorasse as propriedades da mente. Mas Newton argumentou que a física mecânica de Descartes não funcionava – o segundo livro dos *Principia* é dedicado em ampla medida a essa demonstração – e é necessário postular uma nova força para dar conta do movimento dos corpos. O postulado de uma força de atração que agisse à distância era incoerente com as ideias claras e distintas do senso comum, e não poderiam ser toleradas por um cartesiano ortodoxo – tal força era meramente mais uma qualidade oculta. Newton concordava plenamente, e tentou repetidas vezes encontrar uma explicação mecânica para a causa da gravidade. Rejeitou a ideia de que a gravidade fosse "essencial e inerente à matéria" e defendeu que "dizer que toda espécie de coisa é dotada de uma propriedade oculta específica (como a gravidade), pela qual age e produz efeitos manifestos, é nada dizer". Alguns historiadores da ciência sugeriram que Newton esperava, como Descartes, escrever uns *Princípios de filosofia*, porém o fato de não conseguir explicar a causa da gravidade em termos mecânicos fez que se limitasse aos *Princípios matemáticos de filosofia natural*. Assim, para o senso comum de Newton, bem como para os cartesianos, a física ainda não estava adequadamente fundamentada, pois postulava uma força mística capaz de ação à distância. Analogamente, a postulação feita por Descartes da mente como um princípio explicativo era inaceitável para o temperamento empirista. Mas o espantoso sucesso da física matemática venceu a partida contra essas objeções de senso comum, e o prestígio da nova física era tão alto que a psicologia especulativa do Iluminismo tinha como óbvia a necessidade de trabalhar dentro do quadro conceitual newtoniano, em vez de com a analogia newtoniana – algo muito diferente. A força oculta da gravidade era aceita como um elemento óbvio do mundo físico, que não exigia explicações, e tornou-se inconcebível que se pudesse ter de postular princípios inteiramente novos de funcionamento e organização fora do quadro do que logo se tornou o novo "senso comum". Em parte por essa razão, a busca de uma psicologia científica análoga que explorasse os princípios da mente, fossem eles quais fossem, não foi realizada com a profundidade que era na época, como agora, inteiramente possível.

Não quero deixar passar uma distinção fundamental entre o postulado da gravidade e o de uma *res cogitans*, qual seja, a enorme disparidade de poder das teorias explicativas que foram desenvolvidas. Acho, porém, que é instrutivo observar que as razões da insatisfação de Newton, Leibniz e dos cartesianos ortodoxos com a nova física eram impressionantemente semelhantes às razões pelas quais uma psicologia racionalista dualista logo seria rejeitada. Julgo correto dizer que o estudo das propriedades e da organização da mente foi prematuramente abandonado, em parte por motivos absolutamente falaciosos, assim como afirmar que há certa ironia na opinião comum de que seu abandono tenha sido causado pela gradual difusão de uma atitude "científica" mais geral.

Tenho tentado chamar atenção para algumas semelhanças entre o clima intelectual do século XVII e o de hoje. Acho esclarecedor rastrear, com minúcia um pouco maior, o curso específico de desenvolvimento da teoria linguística durante a época moderna, no contexto do estudo da mente e do comportamento em geral.[1]

Um bom lugar para se começar é com os escritos do médico espanhol Juan Huarte, que, no fim do século XVI, publicou um estudo traduzido em diversos idiomas sobre a natureza da inteligência humana. Ao longo de suas investigações, Huarte admira-se com o fato de que a palavra para "inteligência", *ingenio*, parece ter a mesma raiz latina que várias palavras com significado de "engendrar" ou "gerar". Isto, argumenta ele, fornece uma pista sobre a natureza da mente. Assim, "podemos discernir dois poderes geradores no homem, um em comum com os animais e as plantas, outro que participa da substância espiritual. O engenho (*ingenio*) é um poder gerador. O entendimento é uma faculdade gerativa". A etimologia de Huarte na realidade não é muito boa; a ideia, porém, é muito substancial.

Huarte prossegue distinguindo três níveis de inteligência. O mais baixo deles é o "engenho dócil", que satisfaz à máxima que ele, como Leibniz e muitos outros, atribui erradamente a Aristóteles, a saber, que nada há na mente que não seja simplesmente transmitido a ela pelos sentidos. O segundo nível mais alto, a inteligência humana normal, vai muito além da limitação empirista:

1 Para obter pormenores e discussões adicionais, ver o meu livro *Cartesian Linguistics* (New York: Harper & Row, 1966; edição brasileira *Linguística cartesiana*, tradução de Francisco M. Guimarães, Petrópolis: Vozes, 1972).

é capaz de "gerar dentro de si mesma, por seu próprio poder, os princípios em que se baseia o conhecimento". As mentes humanas normais são tais que, "assistidas só pelo sujeito, sem a ajuda de ninguém, produzirão mil conceitos de que nunca ouviram falar... inventando e dizendo coisas que nunca ouviram de seus mestres nem de nenhuma boca". Assim, a inteligência humana normal é capaz de adquirir conhecimento por seus próprios recursos internos, fazendo talvez uso dos dados dos sentidos, mas somente para prosseguir na construção de um sistema cognitivo segundo conceitos e princípios desenvolvidos por razões independentes; e é capaz de gerar novos pensamentos e de descobrir novas e adequadas maneiras de expressá-los, de um modo que transcende completamente qualquer treinamento ou experiência.

Huarte postula um terceiro tipo de engenho, "por meio do qual alguns, sem arte ou estudo, falam coisas tão sutis, surpreendentes e verdadeiras, nunca antes vistas, ouvidas, escritas, nem sequer pensadas". A referência aqui é à verdadeira criatividade, um exercício da imaginação criativa de um modo que vai além da inteligência normal e pode, percebeu ele, envolver "um misto de loucura".

Huarte sustenta que a distinção entre o engenho dócil, que satisfaz à máxima empirista, e a inteligência normal, com suas plenas capacidades gerativas, é a distinção entre o animal e o homem. Como médico, Huarte tinha muito interesse pela patologia. Nota ele, em particular, que a mais grave incapacidade que pode afligir um ser humano é uma deficiência no mais baixo dos três níveis, o engenho dócil, conforme aos princípios empiristas. Essa incapacidade, diz Huarte, "assemelha-se à dos eunucos, incapazes de geração". Nessas tristes circunstâncias, em que a inteligência apenas pode receber estímulos transmitidos pelos sentidos e associá-los uns com os outros, é obviamente impossível a verdadeira educação, pois faltam as ideias e os princípios que permitem o crescimento do conhecimento e do entendimento. Nesse caso, pois, "nem o estalo do chicote, nem gritos, nem método, nem exemplos, nem o tempo, nem a experiência, nem nada na natureza pode estimulá-lo suficientemente para dar à luz alguma coisa".

O quadro conceitual de Huarte é útil para se discutir a "teoria psicológica" na época seguinte. É típica do pensamento posterior sua referência ao uso da linguagem como um indício da inteligência humana, do que distingue o homem dos animais e, especificamente, sua ênfase na capacidade criativa da inteligência normal. Esses interesses dominaram a psicologia e a linguística racionalistas. Com o surgimento do romantismo, a atenção passou para o terceiro tipo de engenho, a verdadeira criatividade, embora a suposição racionalista de que a inteligência humana normal seja exclusivamente livre e criativa e fique além dos vínculos da explicação mecânica não fosse abandonada e desempenhasse um papel importante, na psicologia do romantismo e até em sua filosofia social.

Como já mencionei, a teoria racionalista da linguagem, que deveria revelar-se extremamente rica em ideias e realizações, desenvolveu-se em parte com base em um interesse pelo problema das outras mentes. Dedicou-se razoável quantidade de esforço à consideração da capacidade dos animais de obedecerem a ordens faladas, de expressarem seus estados emocionais, de comunicarem-se uns com os outros e até mesmo, aparentemente, de cooperarem para um objetivo comum; tudo isso, argumentava-se, podia ser explicado em "termos mecânicos", como essa noção era entendida na época – ou seja, pelo funcionamento de mecanismos fisiológicos, segundo os quais se poderiam formular as propriedades dos reflexos, condicionamento e reforço, associação etc. Os animais não carecem dos órgãos apropriados para a comunicação, nem estão simplesmente mais abaixo em alguma escala de "inteligência geral".

Na verdade, como o próprio Descartes observou muito corretamente, a linguagem é uma posse humana específica da espécie, e mesmo em níveis baixos de inteligência, em níveis patológicos, encontramos um domínio da linguagem que está totalmente fora do alcance de um macaco, que pode, sob outros aspectos, ultrapassar um ser humano imbecil na capacidade de resolver problemas e em outros comportamentos adaptativos. Voltarei mais adiante ao estatuto desta observação, à luz do que hoje se sabe acerca da comunicação animal. Há um elemento básico que falta aos animais, argumentava Descartes, como falta até mesmo ao mais complexo autômato que desenvolva completamente suas "estruturas intelectuais", em termos de condicionamento e associação – ou seja, o segundo tipo de engenho de Huarte, a capacidade gerativa que se revela no uso humano normal da linguagem como um livre instrumento de pensamento. Se, por uma experiência, nos convencermos de que outro organismo dá provas do uso normal e criativo da linguagem, devemos supor que ele, como nós, tenha uma mente e que o que ele faz está além das fronteiras da explicação mecânica, fora do quadro conceitual da psicologia do estímulo-resposta da época, que, em essência, não é significativamente diferente do atual, embora lhe falte precisão de técnica e alcance e confiabilidade de informação.

Não se deve pensar, aliás, que os únicos argumentos cartesianos para a hipótese animal-máquina fossem os que derivam da aparente incapacidade que os animais têm de manifestar o aspecto criativo do uso da linguagem. Havia também muitos outros – por exemplo, o medo natural de uma explosão populacional nos domínios do espírito, se cada mosquito tivesse uma alma. Ou o argumento do cardeal Melchior de Polignac, que defendia que a hipótese animal-máquina se seguia da suposição da bondade de Deus, uma vez que, como ele indicava, se pode ver "quão mais humana é a doutrina de que os animais não sofrem dor."[2] Ou há o argumento de Louis Racine, filho do dramaturgo, que ficou impressionado com a seguinte ideia:

2 Estes exemplos são tomados do excelente estudo de Leonora Cohen Rosenfeld, *From Beast-Machine to Man-Machine* (New York: Oxford University Press, 1941). As citações são suas paráfrases do original.

> Se os animais tivessem almas e fossem capazes de sentimentos, mostrar-se-iam insensíveis à afronta e à injustiça que Descartes lhes fez? Não se teriam eles erguido em fúria contra o chefe e a seita que tanto os degradou?

Deve-se acrescentar, creio, que Louis Racine era visto pelos contemporâneos como a prova viva de que um pai brilhante pode não ter um filho brilhante. Mas o fato é que a discussão da existência de outras mentes e, em contraste, a natureza mecânica dos animais voltava continuamente ao aspecto criativo do uso da linguagem, à afirmação de que – como formulada por outra figura menor do século XVII – "se os animais raciocinassem, seriam capazes de ter uma fala autêntica, com sua infinita variedade".

É importante entender quais exatamente as propriedades da linguagem que mais impressionavam a Descartes e seus seguidores. A discussão do que venho chamando "o aspecto criativo do uso da linguagem" gira em torno de três observações importantes. A primeira é a de que o uso normal da linguagem é inovador, no sentido de que boa parte do que dizemos, no curso do uso normal da linguagem, é completamente novo, não a repetição de algo que ouvimos antes e nem mesmo semelhante em padrão – em qualquer sentido útil dos termos "semelhante" e "padrão" (*pattern*) – a sentenças ou discursos que ouvimos no passado. Isso é um truísmo, mas um truísmo importante, muitas vezes ignorado e negado no período behaviorista da linguística a que me referi anteriormente, quando era quase universalmente afirmado que o conhecimento da linguagem que uma pessoa tem pode ser representado como um conjunto armazenado de padrões, superaprendido pela repetição constante e pelo treinamento minucioso, sendo a inovação no máximo uma questão de "analogia". O fato, porém, é que é certamente astronômico o número de sentenças em sua língua materna que uma pessoa entende imediatamente, sem sentir dificuldade ou estranheza; e que o número de padrões que subjazem a nosso uso normal da linguagem e que correspondem a sentenças dotadas de sentido e facilmente compreensíveis em nossa língua é algumas ordens de grandeza maior do que o número de segundos de uma vida. É nesse sentido que o uso normal da linguagem é inovador.

Na visão cartesiana, todavia, até mesmo o comportamento animal é potencialmente infinito em sua variedade, no sentido especial em que se pode dizer, com óbvia idealização, que as leituras de um taquímetro são potencialmente infinitas em variedade. Ou seja, se o comportamento animal é controlado por estímulos ou estados internos (incluindo este último os formados por condicionamento), então, na medida em que os estímulos variam dentro de um intervalo infinito, o mesmo se pode dizer do comportamento do animal. Mas o uso normal da linguagem não só é inovador e potencialmente infinito em escopo, mas igualmente livre do controle de estímulos detectáveis, sejam eles externos ou internos. É por causa dessa liberdade em relação ao controle dos estímulos que a linguagem pode servir como um instrumento de pensamento e de expressão livres, como acontece não só com os excepcionalmente dotados e talentosos, mas também, na verdade, com todo ser humano normal.

Mesmo assim, as propriedades de ser ilimitada e livre do controle dos estímulos, por si sós, não ultrapassam as fronteiras da explicação mecânica. E a discussão cartesiana dos limites da explicação mecânica, portanto, observou uma terceira propriedade do uso normal da linguagem, qual seja, sua coerência e sua "adequação à situação" – o que, evidentemente, é algo completamente diferente do controle pelos estímulos externos. Não podemos dizer de modo claro e definido em que consistem exatamente essa "adequação" e essa "coerência", mas não há dúvida de que se trata de conceitos significativos. Podemos distinguir o uso normal da linguagem dos delírios de um maníaco ou do *output* de um computador com um elemento aleatório.

A honestidade nos obriga a admitir que estamos hoje tão longe quanto Descartes estava há três séculos de entendermos exatamente o que permite ao ser humano falar de um modo inovador, livre do controle dos estímulos e também adequado e coerente. Esse é um problema sério, que o psicólogo e o biólogo devem enfim enfrentar e que não pode ser resolvido invocando-se o "hábito" ou o "condicionamento" ou a "seleção natural".

A análise cartesiana do problema das outras mentes, segundo o aspecto criativo do uso da linguagem e indicações semelhantes dos limites da explicação mecânica, não foi inteiramente satisfatória para a opinião da época – o *Dicionário* de Bayle, por exemplo, cita a incapacidade de dar uma prova satisfatória da existência de outras mentes como o elemento mais fraco da filosofia cartesiana – e houve uma longa e intrigante série de discussões e polêmicas a respeito dos problemas levantados por Descartes. Da perspectiva privilegiada de vários séculos passados, podemos ver que o debate foi inconclusivo. As propriedades do pensamento humano e da linguagem humana, ressaltadas pelos cartesianos, eram bastante reais; estavam na época, como estão hoje, além das fronteiras de qualquer tipo de explicação física bem compreendida. Nem a física, nem a biologia, nem a psicologia nos dão uma pista sobre como lidar com esses problemas.

Como no caso de outras questões intratáveis, é tentador ensaiar outra abordagem, que possa mostrar que o problema foi mal colocado, resultado de alguma confusão conceitual. Esta é uma linha de argumentação que tem sido seguida na filosofia contemporânea, contudo, a meu ver, sem êxito. É claro que os cartesianos entendiam, como Gilbert Ryle e outros críticos contemporâneos entendem, a diferença entre apresentar critérios para o comportamento inteligente, por um lado, e fornecer uma explicação da possibilidade desse comportamento, por outro; mas, diferentemente de Ryle, estavam interessados tanto no primeiro quanto no segundo problema. Como cientistas, não estavam satisfeitos com a formulação de testes experimentais que mostrassem ser criativo o comportamento de outro organismo, no sentido especial que acabamos de indicar; estavam também preocupados, e com boas razões, com o fato de que as capacidades indicadas por tais testes e critérios observacionais transcendem as capacidades dos corpos físicos como os entendiam, exatamente como estão além do alcance da explicação física tal como hoje a compreendemos. Decerto não há nada ilegítimo na tentativa de ir além da elaboração de testes observacionais e da coleta de evidências para a construção de uma explicação teórica do que é observado, e é exatamente isso que estava em jogo, na abordagem cartesiana do problema da mente. Como insistiram La Forge e outros, é necessário ir além do que se pode perceber ou "imaginar" (no sentido técnico clássico da palavra), se se espera entender a natureza do "esprit de l'homme", como Newton fez – com bom êxito – ao procurar entender a natureza do movimento planetário. Por outro lado, as propostas dos cartesianos eram elas próprias carentes de substância real; os fenômenos em questão não são explicados satisfatoriamente, atribuindo-os a um "princípio ativo" chamado "mente", cujas propriedades não são desenvolvidas de nenhum modo coerente ou compreensivo.

Parece-me que hoje a mais promissora abordagem é descrever os fenômenos da linguagem e da atividade mental o mais precisamente possível, tentar desenvolver um aparato teórico abstrato que, na medida do possível, dê conta desses fenômenos e revele os princípios de sua organização e funcionamento, sem tentar, por enquanto, relacionar as estruturas e os processos mentais postulados a quaisquer mecanismos fisiológicos ou interpretar a função mental em função de "causas físicas". Só podemos deixar aberta para o futuro a questão de como essas estruturas e processos abstratos são entendidos ou explicados, em termos concretos, possivelmente em termos que não estão no âmbito dos processos físicos tais como hoje interpretados – uma conclusão que, se correta, não deve surpreender ninguém.

Essa filosofia racionalista da linguagem misturou-se com vários outros desenvolvimentos independentes, no século XVII, levando à primeira teoria geral significativa da estrutura linguística, a saber, o ponto de vista geral que veio a ser conhecido como gramática "filosófica" ou "universal". Infelizmente, a gramática filosófica é muito mal conhecida hoje. Há poucos estudos técnicos ou acadêmicos, os quais ainda são apologéticos e depreciativos. As referências à gramática filosófica, nos modernos tratados sobre a linguagem, são tão distorcidas que chegam a não ter nenhum valor. Mesmo um erudito de padrões tão altos, como Leonard Bloomfield, dá uma explicação da gramática filosófica em sua obra principal, *Language*, que não tem semelhança quase nenhuma com o original e atribui a essa tradição ideias diametralmente opostas às que lhe eram mais típicas. Por exemplo, Bloomfield e muitos outros descrevem a gramática filosófica como baseada num modelo latino, como prescritiva, como não demonstrando nenhum interesse pelos sons da fala, como dada a confundir a fala com a escrita. Todas essas acusações são falsas, e é importante dissipar esses mitos, para tornar possível uma avaliação objetiva do que foi realmente realizado.

É particularmente irônico que a gramática filosófica seja acusada de ter uma propensão ao latim. Na verdade, é significativo que as obras originais – a *Gramática* e a *Lógica* de Port-Royal, em especial – tenham sido escritas em francês, tendo participado do movimento para substituir o latim pelo vernáculo. O fato é que o latim era considerado uma língua artificial e distorcida, positivamente prejudicial ao exercício do pensamento claro e do discurso de senso comum que os cartesianos tinham em tanta conta. Os praticantes da gramática filosófica valiam-se do material linguístico que tinham à mão; é oportuno notar que alguns dos temas estudados com o maior cuidado e persistência, por bem mais de um século, não tinham um análogo no latim. Um exemplo impressionante é a chamada regra de Vaugelas, que trata da relação entre os artigos indefinidos e as orações relativas em francês. Por 150 anos, a regra de Vaugelas foi a questão central debatida na controvérsia sobre a possibilidade de se desenvolver uma "gramática racional" que fosse além da descrição, para chegar a uma explicação racional dos fenômenos.

Não há dúvida de que o que leva à acusação de "prescritivismo", lançada contra a gramática filosófica, é um completo equívoco acerca da questão da explicação racional. Na verdade, não havia prescritivismo. Era ponto pacífico e com frequência reiterado que os fatos do uso são o que são, e não cabe ao gramático legislar. Estava em jogo uma questão completamente distinta, a saber, o problema de dar conta dos fatos do uso com base em hipóteses explicativas acerca da natureza da linguagem e, em última análise, da natureza do pensamento humano. Os gramáticos filosóficos tinham pouco interesse no acúmulo de dados, exceto na medida em que tais dados pudessem ser usados como evidência sobre processos mais profundos de grande generalidade. O contraste, pois, não é entre gramática descritiva e prescritiva, mas entre descrição e explicação, entre a gramática como "história natural" e a gramática como um tipo de "filosofia natural" ou, em termos modernos, "ciência natural". Uma objeção amplamente irracional às teorias explicativas enquanto tais tem tornado difícil para a moderna linguística apreciar o que estava realmente em jogo, nesses desenvolvimentos, e levou a uma confusão entre a gramática filosófica e o empenho em ensinar boas maneiras à classe média em ascensão.

A questão inteira não carece de interesse. Mencionei anteriormente que existem impressionantes semelhanças entre o clima de opinião do século XVII e o da psicologia cognitiva e da linguística contemporâneas. Um dos pontos de semelhança está ligado exatamente a essa questão da teoria explicativa. A gramática filosófica, de modo muito semelhante ao da atual gramática gerativa, desenvolveu-se em autoconsciente oposição a uma tradição descritiva que interpretava a tarefa do gramático como simplesmente registrar e organizar os dados do uso – um tipo de história natural. Afirmava – muito corretamente, creio eu – que tal limitação era debilitante e desnecessária e que, seja qual for a justificação que tiver, nada tem a ver com o método da ciência – que tipicamente se interessa pelos dados, não em si mesmos, mas como evidência de princípios organizacionais mais profundos e ocultos, princípios esses que não podem ser detectados "nos fenômenos" nem ser deles derivados por operações taxionômicas de processamento de dados, assim como os princípios da mecânica celeste não poderiam ter sido desenvolvidos com tais limitações.

A erudição contemporânea não está em condições de oferecer uma avaliação definitiva das realizações da gramática filosófica. Os fundamentos ainda não foram lançados para tal avaliação, o trabalho original é praticamente desconhecido em si mesmo e a maior parte dele é quase impossível de se obter. Por exemplo, não consegui localizar nenhum exemplar, nos Estados Unidos, da única edição crítica da *Gramática* de Port-Royal, publicada há mais de um século; e, embora o original francês esteja novamente disponível,[3] a única tradução inglesa desse importante trabalho, aparentemente, só pode ser encontrada no Museu Britânico. É uma pena que esse trabalho tenha sido tão desconsiderado totalmente, uma vez que o pouco que dele se sabe é intrigante e muito instrutivo.

Este não é o lugar para tentar uma avaliação preliminar desse trabalho ou mesmo de esboçar suas principais linhas gerais, tais como agora se revelam, com base no conhecimento atual, muito inadequado. Quero, porém, mencionar pelo menos alguns dos temas persistentes. Parece que uma das inovações da *Gramática* de Port-Royal de 1660 – a obra que deu início à tradição da gramática filosófica – foi seu reconhecimento da importância da noção de frase como unidade gramatical. A gramática anterior fora em ampla medida uma gramática das classes e inflexões das

3 Menston, England: Scolar Press Limited, 1967.

palavras. Na teoria cartesiana de Port-Royal, a frase corresponde a uma ideia complexa e a sentença subdivide-se em frases consecutivas, que outra vez se subdividem em frases, e assim por diante, até se chegar ao nível da palavra. Dessa maneira, derivamos o que se poderia chamar "estrutura superficial" da sentença em questão. Para usar do que se tornou um exemplo padrão, a sentença "Deus invisível criou o mundo visível" contém o sujeito "Deus invisível" e o predicado "criou o mundo visível"; este último contém a ideia complexa "o mundo visível" e o verbo "criou", e assim por diante. Todavia, é interessante que, embora a *Gramática* de Port-Royal seja aparentemente a primeira a se basear de maneira razoavelmente sistemática na análise da estrutura superficial, ela também reconhece a inadequação de tal análise. De acordo com a teoria de Port-Royal, a estrutura superficial corresponde apenas ao som – ao aspecto corporal da linguagem; mas, quando se produz o sinal, com sua estrutura superficial, ocorre uma análise mental correspondente ao que podemos chamar estrutura profunda, uma estrutura formal que se relaciona diretamente, não com o som, mas com o significado. No exemplo dado acima, "Deus invisível criou o mundo visível", a estrutura profunda consiste num sistema de três proposições, "que Deus é invisível", "que ele criou o mundo", "que o mundo é visível". As proposições que se inter-relacionam para formar a estrutura profunda não são, é claro, asseridas quando a sentença é usada para fazer uma declaração; se digo que um homem sábio é honesto, não estou afirmando que os homens são sábios ou honestos, embora na teoria de Port-Royal as proposições "um homem é sábio" e "um homem é honesto" façam parte da estrutura profunda. Ou melhor, essas proposições fazem parte das ideias complexas que estão presentes na mente, embora raramente sejam articuladas no sinal, quando a sentença é proferida.

A estrutura profunda relaciona-se com a estrutura superficial por certas operações mentais – na terminologia moderna, por transformações gramaticais. Cada língua pode ser vista como uma relação particular entre som e significado. Levando a teoria de Port-Royal a suas conclusões lógicas, então, a gramática de uma língua deve conter um sistema de regras que caracteriza as estruturas profunda e superficial e a relação transformacional entre elas, e – se deve abranger o aspecto criativo do uso da linguagem – que o faça por um domínio infinito de estruturas profundas e superficiais acopladas. Para usar a terminologia que Wilhelm von Humboldt empregava, na década de 1830, o falante faz um uso infinito de meios finitos. Sua gramática deve, pois, conter um sistema finito de regras que gere infinitamente múltiplas estruturas profundas e superficiais, adequadamente relacionadas. Deve também conter regras que relacionem essas estruturas abstratas a certas representações de som e significado – representações que, presumivelmente, sejam constituídas de elementos que pertencem à fonética universal e à semântica universal, respectivamente. Esse é, em essência, o conceito de estrutura gramatical tal como vem sendo desenvolvido e elaborado hoje. Suas raízes devem claramente ser encontradas na tradição clássica que estou examinando agora, e os conceitos básicos foram explorados com algum sucesso, naquela época.

A teoria das estruturas profunda e superficial parece bastante simples, pelo menos num esboço grosseiro. Era, porém, um tanto diferente de tudo que a antecedera e, o que é algo mais surpreendente, desapareceu quase sem deixar vestígios, quando a linguística moderna se desenvolveu, em fins do século XIX. Quero dizer apenas uma palavra a respeito da relação da teoria das estruturas profunda e superficial com o pensamento anterior e posterior acerca da linguagem.

Há uma similaridade, que creio poder ser muito enganosa, entre a teoria das estruturas profunda e superficial e uma tradição muito mais antiga. Os praticantes da gramática filosófica faziam questão de ressaltar a similaridade em seu desenvolvimento detalhado da teoria, e não hesitavam em expressar sua dívida para com a gramática clássica e as principais figuras da gramática renascentista, como o erudito espanhol Sanctius. Sanctius, em particular, desenvolvera uma teoria da elipse que teve grande influência na gramática filosófica. Como já observei, a gramática filosófica é hoje mal compreendida. Mas esses antecessores, como Sanctius, caíram num total esquecimento. Além disso, como no caso de todos os trabalhos assim, há o problema de determinar não só o que ele disse, mas também – o que é mais importante – o que quis dizer.

Não há dúvida de que, ao desenvolver seu conceito de elipse como uma propriedade fundamental da linguagem, Sanctius deu muitos exemplos linguísticos que superficialmente estão em estreito paralelo com os usados para desenvolver a teoria das estruturas profunda e superficial, tanto na gramática filosófica clássica quanto em suas variantes modernas mais explícitas. Isso significa, porém, que o conceito de elipse é visado por Sanctius meramente como um dispositivo para a interpretação de textos. Assim, para determinar o verdadeiro significado de uma passagem literária real, deve-se muitas vezes, segundo Sanctius, encará-la como uma variante elíptica de uma paráfrase mais elaborada. Entretanto, a teoria de Port-Royal e seu desenvolvimento posterior, sobretudo entre as mãos do enciclopedista Du Marsais, deram uma interpretação bastante diferente à elipse. A clara intenção da gramática filosófica era desenvolver uma teoria psicológica, não uma técnica de interpretação de textos. A teoria afirma que a estrutura profunda subjacente, com sua organização abstrata de formas linguísticas, está "presente à mente", quando o sinal, com sua estrutura superficial, é produzido ou percebido pelos órgãos corporais. E as operações transformacionais relativas às estruturas profunda e superficial são operações mentais reais, realizadas pela mente, quando uma sentença é produzida ou compreendida. A distinção é fundamental. Na segunda interpretação, segue-se que deve haver, representado na mente, um sistema fixo de princípios gerativos que caracterizam e associam as estruturas profunda e superficial de um modo definido – uma gramática, em outras palavras, que é usada de algum modo enquanto o discurso é produzido ou interpretado. Essa gramática representa a competência linguística subjacente, a que já me referi. O problema de se determinar o caráter de tais gramáticas e os princípios que as governam é um típico problema de ciência, talvez muito difícil, mas que em princípio admite respostas definidas, certas ou erradas, conforme correspondam ou não à realidade mental. Mas a teoria da elipse como técnica de interpretação textual não precisa consistir num conjunto de princípios representados de algum modo na mente como um aspecto da competência e inteligência humanas normais. Pelo contrário, pode ser em parte *ad hoc* e envolver muitos fatores culturais e pessoais relevantes para a obra literária sob análise.

A teoria de Port-Royal das estruturas profunda e superficial pertence à psicologia, como uma tentativa de elaboração do segundo tipo de engenho de Huarte, como uma explicação das propriedades da inteligência humana normal. O conceito de elipse em Sanctius, se o entendo corretamente, é uma das muitas técnicas a serem aplicadas quando as condições o permitem, não tendo nenhuma representação mental necessária como um aspecto da inteligência normal. Embora os exemplos linguísticos utilizados não raro sejam semelhantes, o contexto em que são introduzidos e o quadro conceitual em que se encaixam são fundamentalmente distintos; em particular, são separados pela revolução cartesiana. Proponho isso com alguma relutância, pela obscuridade dos textos relevantes e de seus panos de fundo intelectuais, mas esta interpretação me parece correta.

A relação da teoria de Port-Royal com a moderna linguística estrutural e descritiva é algo mais clara. A segunda limita-se à análise do que chamei estrutura superficial, às propriedades formais que estão explícitas no sinal e nas frases e unidades que podem ser determinadas a partir do sinal por técnicas de segmentação e classificação. Essa limitação é perfeitamente autoconsciente, e era considerada – creio que de modo totalmente errôneo – um grande avanço. O grande linguista suíço Ferdinand de Saussure, que na virada do século estabeleceu as fundações da moderna linguística estrutural, propôs a ideia de que os únicos métodos próprios da análise linguística eram a segmentação e a classificação. Aplicando esses métodos, o linguista determina os padrões a que as unidades assim examinadas pertencem, onde esses padrões são ou sintagmáticos – ou seja, padrões de sucessão literal, no fluxo de fala – ou paradigmáticos – isto é, relações entre unidades que ocupam a mesma posição, no fluxo de fala. Sustentava ele que, quando tal análise é completa, a estrutura da linguagem é, necessariamente, revelada por completo, e a ciência da linguística terá cumprido por completo sua tarefa. Evidentemente, tal análise taxionômica não dá lugar a uma estrutura profunda, no sentido da gramática filosófica. Por exemplo, o sistema de três proposições que subjaz à sentença "Deus invisível criou o mundo visível" não pode ser derivado dessa sentença por segmentação e classificação de unidades segmentadas, nem podem as operações transformacionais que relacionam as estruturas profunda e superficial, nesse caso, ser expressas em termos de estruturas paradigmáticas e sintagmáticas. A moderna linguística estrutural tem sido fiel a essas limitações, que eram tidas como necessárias.

Na verdade, Saussure, sob alguns aspectos, foi mesmo além disso, ao se afastar da tradição da gramática filosófica. Algumas vezes expressou a ideia de que os processos de formação de sentenças não pertencem de modo algum ao sistema da linguagem – que o sistema da linguagem se limita às unidades linguísticas como sons ou palavras e talvez umas poucas frases fixas e um pequeno número de padrões muito gerais; os mecanismos de formação de sentenças são, pelo contrário, livres de qualquer vínculo imposto pela estrutura linguística enquanto tal. Assim, segundo ele, a formação de sentenças não é estritamente uma questão de *langue*, mas pertence ao que ele chamava *parole*, e assim se situa fora do alcance da linguística propriamente dita; é um processo de criação livre, não vinculada à regra linguística, exceto na medida em que tais regras governam as formas das palavras e os padrões dos sons. A sintaxe, nessa perspectiva, é uma matéria um tanto trivial. E, na verdade, houve poucos trabalhos sobre a sintaxe, durante todo o período da linguística estrutural.

Ao tomar essa posição, Saussure ecoou uma importante crítica à teoria linguística humboldtiana, feita pelo distinto linguista norte-americano William Dwight Whitney, que evidentemente muito influenciou Saussure. Segundo Whitney, a teoria linguística humboldtiana, que de diversas maneiras ampliou as ideias cartesianas que venho discutindo, estava fundamentalmente errada. Pelo contrário, uma linguagem é simplesmente composta de grande número de itens, cada um dos quais com seu próprio tempo, ocasião e efeito. Sustentava ele que "a linguagem é o sentido concreto... é... a soma de palavras e frases pelas quais qualquer homem expressa o seu pensamento"; a tarefa do linguista, então, é elencar essas formas linguísticas e estudar suas histórias individuais. Em contraste com a gramática filosófica, Whitney argumentou que nada há de universal na forma da linguagem e que nada se pode aprender acerca das propriedades gerais da inteligência humana, a partir do estudo da aglomeração arbitrária de formas que constitui a linguagem humana. Como diz ele: "A infinita diversidade da fala humana deve por si só constituir uma barreira suficiente contra a asserção de que o entendimento dos poderes da alma envolve a explicação da fala." Analogamente, Delbrück, na obra-mestra sobre a sintaxe comparativa indo-europeia, denunciou a gramática tradicional por ter definido tipos ideais de sentença subjacentes aos sinais observados, citando Sanctius como o "maior dogmático nessa área".

Com a expressão de sentimentos como esses, adentramos a época moderna dos estudos linguísticos. O sino funerário da gramática filosófica já dobrara, com os notáveis êxitos dos estudos comparativos indo-europeus, que por certo figuram entre as proezas notáveis da ciência do século XIX. A empobrecida e totalmente inadequada concepção da linguagem expressa por Whitney, Saussure e numerosos outros revelou-se inteiramente adequada ao atual estágio da pesquisa linguística. Em consequência, julgou-se que essa concepção provara estar correta, uma convicção natural, mas de todo errônea. A moderna linguística estrutural-descritiva desenvolveu-se no mesmo quadro intelectual e também fez progressos substanciais, de que voltarei a tratar diretamente. Em contrapartida, a gramática filosófica não ofereceu conceitos apropriados para a nova gramática comparativa ou para o estudo de línguas exóticas, desconhecidas do investigador, e foi, em certo sentido, exaurida. Ela chegou ao limite do que podia ser conseguido no quadro de ideias e técnicas disponível. Não havia um claro entendimento, um século atrás, de como se poderia proceder para construir gramáticas gerativas que "fizessem um uso infinito de meios finitos" e que exprimissem a "forma orgânica" da linguagem humana, "essa invenção maravilhosa" (nas palavras da *Gramática* de Port-Royal)

> pela qual construímos a partir de vinte e cinco ou trinta sons uma infinidade de expressões, as quais, embora não tenham semelhança em si mesmas com o que ocorre em nossas mentes, nos permitem descobrir o segredo do que concebemos e de todas as diversas atividades mentais que realizamos.

Assim, o estudo da linguagem chegou a uma situação em que havia, por um lado, um conjunto de conceitos simples que proporcionaram a base para alguns sucessos espetaculares e, por outro, algumas ideias profundas, mas um tanto vagas, que pareciam não levar a nenhuma pesquisa mais produtiva. O resultado era inevitável e não de todo deplorável. Desenvolveu-se ali uma profissionalização da disciplina, uma mudança de interesse, dos problemas clássicos de interesse geral para intelectuais como Arnauld ou Humboldt, por exemplo, para uma nova área, em larga medida definida pelas técnicas que a própria profissão forjou na solução de certos problemas. Tal desenvolvimento é natural e muito adequado, mas não deixa de ter seus perigos. Sem querer exaltar o culto do amadorismo cavalheiresco, devemos, porém, reconhecer que as questões clássicas têm uma vivacidade e uma relevância que talvez estejam em falta numa área de investigação que é determinada pela aplicabilidade de certas ferramentas e métodos, em vez de pelos problemas que são de interesse intrínseco em si mesmos.

A moral não é abandonar as ferramentas úteis; pelo contrário, é, primeiro, que devemos manter uma perspectiva suficiente para podermos detectar a chegada do inevitável dia em que a pesquisa que pode ser realizada com essas ferramentas deixará de ser importante; e, segundo, que devemos avaliar as ideias e intuições que sejam pertinentes, embora talvez prematuras e vagas e não produtivas de pesquisa, em uma determinada fase da técnica e do entendimento. Com o recuo de que dispomos, acho que agora podemos ver claramente que a depreciação e a negligência de uma rica tradição se revelaram, no longo prazo, muito nocivas ao estudo da linguagem. Além disso, essa depreciação e negligência eram certamente desnecessárias. Talvez tivesse sido psicologicamente difícil, mas não há, em princípio, razão para que a exploração bem-sucedida da abordagem estruturalista, no estudo histórico e descritivo, não estivesse acoplada a um claro reconhecimento de suas limitações essenciais e de sua inadequação em última instância, em comparação com a tradição de que ela tomou o lugar, temporária e muito justificadamente. Fica aqui, creio eu, uma lição que pode ser valiosa para o estudo futuro da linguagem e da mente.

Para concluir, acho que houve duas tradições de pesquisa realmente produtivas, que têm uma indubitável relevância para quem quer que se interesse hoje pelo estudo da linguagem. Uma é a tradição da gramática filosófica, que floresceu do século XVII até o romantismo; a segunda é a tradição a que me tenho referido muito enganosamente como "estruturalista", que dominou a pesquisa do século passado até pelo menos o início da década de 1950. Insisti nas realizações da primeira por ser menos conhecida e por sua atual relevância. A linguística estrutural ampliou enormemente o leque de informações disponível para nós, e aumentou imensamente a confiabilidade de tais dados. Mostrou que há na linguagem relações estruturais que podem ser estudadas abstratamente. Elevou a precisão do discurso acerca da linguagem a níveis inteiramente novos. Contudo, acho que sua principal contribuição talvez acabe sendo algo pelo qual, de forma paradoxal, ela foi severamente criticada. Refiro-me à cuidadosa e séria tentativa de construir "procedimentos de descoberta", essas técnicas de segmentação e classificação a que Saussure aludia. Essa tentativa foi um fracasso – acho que isso é hoje geralmente compreendido. Foi um fracasso, porque essas técnicas se limitam, no melhor dos casos, aos fenômenos da estrutura superficial e não podem, portanto, revelar os mecanismos que subjazem ao aspecto criativo do uso da linguagem e à expressão do conteúdo semântico. Mas o que permanece de fundamental importância é que essa tentativa visava à questão básica no estudo da linguagem, pela primeira vez formulada de maneira clara e inteligível. O problema levantado é o de especificar os mecanismos que operam sobre os dados dos sentidos e produzem o conhecimento da linguagem – competência linguística. É óbvio que tais mecanismos existem. As crianças aprendem, sim, uma primeira língua; a língua que aprendem é, no sentido tradicional, uma "linguagem instituída", não um sistema especificado de modo inato. A resposta proposta na metodologia da linguística estrutural revelou-se incorreta, mas isso tem pouca importância, quando comparado ao fato de que o próprio problema recebeu uma formulação clara.

Whitehead certa vez descreveu a mentalidade da ciência moderna como tendo sido forjada pela "união do interesse apaixonado pelos fatos detalhados com uma igual devoção pela generalização abstrata". É exato, *grosso modo*, descrever a linguística moderna como interessada apaixonadamente pelos fatos detalhados, e a gramática filosófica como igualmente devotada à generalização abstrata. Parece-me que chegou a hora de unir essas duas correntes e desenvolver uma síntese que se origine de suas respectivas realizações. Nas próximas duas conferências, tentarei ilustrar como a tradição da gramática filosófica pode ser reconstituída e voltada para novos e instigantes problemas e como podemos, por fim, voltar de um modo produtivo para as questões e as preocupações básicas que deram origem a essa tradição.

2
Contribuições linguísticas ao estudo da mente: presente

Uma das dificuldades das ciências psicológicas está na familiaridade dos fenômenos com que lida. É preciso certo esforço intelectual para ver como esses fenômenos podem colocar problemas sérios ou exigir teorias explicativas complexas. Somos inclinados a tomá-las como obviamente necessárias ou "naturais", por assim dizer.

Os efeitos dessa familiaridade dos fenômenos têm sido discutidos com frequência. Wolfgand Köhler, por exemplo, sugeriu que os psicólogos não abrem "territórios totalmente novos", como as ciências naturais,

> simplesmente porque o homem já estava familiarizado com praticamente todos os territórios da vida mental muito tempo antes da fundação da psicologia científica... porque no início de seu trabalho já não havia fatos mentais completamente desconhecidos que eles pudessem ter descoberto.[1]

As mais elementares descobertas da física clássica tinham certo valor de choque – o homem não tem uma intuição das

---

1 W. Köhler. *Dynamics in Psychology*. New York: Liveright, 1940.

órbitas elípticas ou da constante gravitacional. Mas os "fatos mentais", mesmo de um tipo muito mais profundo, não podem ser "descobertos" pelo psicólogo, pois são conhecidos intuitivamente e, uma vez indicados, se tornam óbvios.

Há também um efeito mais sutil. Os fenômenos podem ser tão familiares que realmente não os vemos de modo nenhum, algo que foi muito discutido pelos teóricos da literatura e pelos filósofos. Por exemplo, Viktor Shklovskij, no início da década de 1920, desenvolveu a ideia de que a função da arte poética é a de "tornar estranho" o objeto retratado.

> As pessoas que vivem à beira-mar ficam tão acostumadas com o murmúrio das ondas que nunca o ouvem. Nós, igualmente, raramente ouvimos as palavras que pronunciamos... Olhamo-nos uns aos outros e não mais nos vemos uns aos outros. Nossa percepção do mundo estiolou-se; o que ficou é mero reconhecimento.

Assim, a meta do artista é transferir o que é retratado para a "esfera da nova percepção"; como exemplo, Shklovskij cita uma história de Tolstói em que os costumes sociais e as instituições são "tornadas estranhas", pelo artifício de apresentá-las do ponto de vista de um narrador que é um cavalo.[2]

A observação de que "nos olhamos uns aos outros, mas não mais nos vemos uns aos outros" talvez tenha ela própria alcançado o estatuto de "palavras que pronunciamos mas raramente ouvimos". No entanto, a familiaridade, também neste caso, não deve obscurecer a importância da intuição.

Wittgenstein faz uma observação semelhante, indicando que "os aspectos das coisas mais importantes para nós são ocultos por sua simplicidade e familiaridade (somos incapazes

---

2 Ver V. Ehrlich. *Russian Formalism*, 2.ed. rev. New York: Humanities, 1965, p.176-7.

de notar algo – porque está sempre nas nossas barbas)".[3] Ele se propõe a

> apresentar... observações sobre a história natural dos seres humanos: porém não estamos oferecendo curiosidades, mas sim observações de que ninguém duvidou, mas escaparam à atenção apenas porque estão sempre nas nossas barbas.[4]

Menos notado é o fato de que também perdemos de vista a necessidade de explicação, quando os fenômenos são familiares e "óbvios" demais. Tendemos com demasiada facilidade a supor que as explicações devem ser transparentes e próximas da superfície. O maior defeito da filosofia clássica da mente, tanto a racionalista quanto a empirista, me parece ser sua inquestionada suposição de que as propriedades e o conteúdo da mente sejam acessíveis à introspecção; é surpreendente ver quão raramente essa suposição foi questionada, no que se refere à organização e à função das faculdades intelectuais, mesmo com a revolução freudiana. Em consequência, os estudos de longo alcance sobre a linguagem, realizados sob a influência do racionalismo cartesiano, sofreram quer da não apreciação do caráter abstrato dessas estruturas que estão "presentes à mente", quando um enunciado é produzido ou entendido, quer da extensão e complexidade da cadeia de operações as quais relacionam com a realização física as estruturas mentais que expressam o conteúdo semântico do enunciado.

Um defeito semelhante prejudica o estudo da linguagem e da mente, na época moderna. Parece-me que a fraqueza essencial das abordagens estruturalista e behaviorista desses temas é a fé na superficialidade das explicações, a crença de que a mente deva ser mais simples em sua estrutura do que qual-

---

3 Ludwig Wittgenstein. *Philosophical Investigations*. New York: Oxford University Press, 1953, Seção 129.

4 Ibidem, Seção 415.

quer órgão físico e de que a mais primitiva das suposições deve ser adequada para explicar quaisquer fenômenos que possa ser observado. Assim, é dado como óbvio, sem argumentação ou provas (ou é apresentado como verdadeiro por definição), que uma língua seja uma "estrutura habitual" ou uma rede de conexões associativas, ou que o conhecimento da linguagem seja meramente uma questão de "know-how", uma habilidade que pode ser expressa como um sistema de disposições a responder. Assim, o conhecimento da linguagem deve desenvolver-se lentamente pela repetição e o treinamento, decorrendo sua aparente complexidade da proliferação de elementos muito simples, e não de princípios mais profundos da organização mental que possam estar inacessíveis à introspecção, como os mecanismos da digestão ou da coordenação motora. Embora nada haja de inerentemente irrazoável, numa tentativa de dar conta do conhecimento e do uso da linguagem nesses termos, ela tampouco tem uma plausibilidade especial ou uma justificação *a priori*. Não há razão para reagir com nervosismo ou ceticismo, se o estudo do conhecimento da linguagem e do uso desse conhecimento tomar uma direção completamente diferente.

Acho que, para haver progresso no estudo da linguagem e das faculdades cognitivas humanas, em geral é necessário primeiro estabelecer uma "distância psíquica" dos "fatos mentais" a que se referiu Köhler, e em seguida explorar as possibilidades de desenvolver teorias explicativas, seja o que for que sugiram com referência à complexidade e ao caráter abstrato dos mecanismos subjacentes. Devemos reconhecer que até mesmo os fenômenos mais familiares exigem explicação e que não temos acesso privilegiado aos mecanismos subjacentes, não mais do que na fisiologia ou na física. Só podem ser oferecidas as hipóteses mais preliminares e provisórias acerca da natureza da linguagem, seu uso e sua aquisição. Como falantes nativos, dispomos de vasta quantidade de dados que nos estão disponíveis. Exatamente por essa razão é fácil cair na cilada de acreditar que nada há para explicar, que sejam quais forem os princípios e mecanismos subjacentes que possam existir, eles devem ser "dados" como os fatos são dados. Nada poderia estar mais longe da verdade, e uma tentativa de caracterizar com precisão o sistema de regras que dominamos, que nos permite entender novas sentenças e produzir uma sentença nova, na ocasião apropriada, logo dissipará qualquer dogmatismo na matéria. A busca de teorias explicativas deve começar com uma tentativa de determinar esses sistemas de regras e de revelar os princípios que os governam.

A pessoa que adquiriu conhecimento de uma língua interiorizou um sistema de regras que relaciona som e significado de determinada maneira. O linguista que constrói uma gramática de uma língua está, com efeito, propondo uma hipótese acerca desse sistema interiorizado. A hipótese do linguista, se apresentada de maneira bastante explícita e precisa, terá certas consequências empíricas quanto à forma dos enunciados e de suas interpretações pelo falante nativo. Evidentemente, o conhecimento da língua – o sistema interiorizado de regras – é apenas um dos muitos fatores que determinam como um enunciado será usado ou entendido, em uma determinada situação. O linguista que esteja tentando determinar o que constitui o conhecimento de uma língua – construir uma gramática correta – está estudando um dos fatores fundamentais envolvidos no desempenho, mas não o único. Essa idealização não deve ser perdida de vista, quando se considera o problema da confirmação das gramáticas com base na evidência empírica. Não há razão para que não se deva estudar a interação de diversos fatores envolvidos em atos mentais complexos e subjacentes ao desempenho real, mas não é provável que tal estudo vá muito longe, a menos que os fatores independentes sejam eles próprios razoavelmente bem conhecidos.

Num bom sentido da expressão, a gramática proposta pelo linguista é uma teoria explicativa; sugere uma explicação para o fato de que (sob a idealização acima mencionada) um falante da língua em questão perceberá, interpretará, formará ou usará um enunciado de certas maneiras e não de outras. Podem-se também procurar teorias explicativas de tipo mais profundo. O falante nativo adquiriu uma gramática com base em dados muito limitados e degenerados; a gramática tem consequências empíricas que vão muito além dos dados. Num dos níveis, os fenômenos com que lida a gramática são explicados pelas regras da própria gramática e pela interação dessas regras. Num nível mais profundo, esses mesmos fenômenos são explicados pelos princípios que determinam a escolha da gramática com base nos dados limitados e degenerados disponíveis à pessoa que adquiriu conhecimento da língua, que construiu para si mesma essa determinada gramática. Os princípios que determinam a forma de gramática e selecionam uma gramática da forma adequada com base em certos dados constituem um assunto que poderia, de acordo com um uso tradicional, ser chamado "gramática universal". O estudo da gramática universal, assim entendida, é um estudo da natureza das capacidades intelectuais humanas. Tenta formular as condições necessárias e suficientes a que um sistema deve satisfazer, para qualificar-se como uma língua humana potencial, condições essas que não são acidentalmente verdadeiras das línguas humanas existentes, mas antes estão arraigadas na humana "capacidade de linguagem", e assim constituem a organização inata que determina o que conta como experiência linguística e qual conhecimento da linguagem surge, com base nessa experiência. A gramática universal, portanto, constitui uma teoria explicativa de um tipo muito mais profundo do que uma gramática particular, embora a gramática particular de uma língua também possa ser vista como uma teoria explicativa.[5]

---

5 Para evidenciar essa diferença na profundidade da explicação, sugeri, em meu livro *Current Issues in Linguistics Theory* (New York: Humanities, 1965), que a expressão "nível de adequação descritiva" seja usada para o estudo da relação entre gramáticas e os dados, enquanto a expressão "nível de adequação explicativa", para a relação entre uma teoria de gramática universal e esses dados.

Na prática, o linguista está sempre empenhado no estudo tanto da gramática universal quanto da particular. Quando constrói de um modo e não de outro uma gramática particular, descritiva, com base nos dados de que dispõe, ele é guiado, conscientemente ou não, por certas suposições quanto à forma da gramática, e essas suposições pertencem à teoria da gramática universal. Inversamente, sua formulação dos princípios da gramática universal deve ser justificada pelo estudo de suas consequências, quando aplicados às gramáticas particulares. Desse modo, em diversos níveis, o linguista está envolvido na construção de teorias explicativas, e em cada nível há uma clara interpretação psicológica desse trabalho teórico e descritivo. No nível da gramática particular, ele está tentando caracterizar o conhecimento de uma língua, certo sistema cognitivo que foi desenvolvido – inconscientemente, é claro – pelo falante-ouvinte normal. No nível da gramática universal, está tentando estabelecer certas propriedades gerais da inteligência humana. A linguística, assim caracterizada, é simplesmente um subdomínio da psicologia que lida com esses aspectos da mente.

Tentarei dar alguma indicação sobre o tipo de trabalho hoje em andamento, que visa, por um lado, a determinar os sistemas de regras que constituem o conhecimento de uma língua e, por outro, revelar os princípios que governam esses sistemas. Obviamente, quaisquer conclusões que possam ser alcançadas atualmente acerca da gramática particular ou universal devem ser muito provisórias e limitadas em sua abrangência. E, num breve esboço como este, apenas as linhas mais gerais podem ser indicadas. Para mostrar algo do sabor daquilo que vem sendo feito hoje, concentrar-me-ei em problemas que são atuais por poderem ser formulados com certa clareza e estudados, embora ainda resistam à solução.

Como indicado na primeira conferência, creio que o quadro geral mais adequado para o estudo dos problemas da linguagem e da mente é o sistema de ideias desenvolvido como parte da psicologia racional dos séculos XVII e XVIII, elaborado sob importantes aspectos pelos românticos e depois amplamente olvidado, quando a atenção passou para outros temas. De acordo com essa concepção tradicional, um sistema de proposições que expressem o significado de uma sentença é produzido na mente enquanto a sentença é realizada como um sinal físico, relacionando-se ambos por meio de certas operações formais que, na atual terminologia, podemos chamar *transformações gramaticais*. Prosseguindo com a atual terminologia, podemos assim distinguir a *estrutura superficial* da sentença, a organização em categorias e frases que está diretamente associada com o sinal físico, da *estrutura profunda* subjacente, também ela um sistema de categorias e frases, mas de caráter mais abstrato. Assim, a estrutura superficial da sentença inglesa "A wise man is honest" [Um homem sábio é honesto][a] poderia ser analisada no sujeito "a wise man" [um homem sábio] e no predicado "is honest" [é honesto]. A estrutura profunda, porém, será um tanto diferente. Em especial, ela extrairá da ideia complexa que constitui o sujeito da estrutura superficial uma proposição subjacente com o sujeito "man" e o predicado "be wise". Na verdade, a estrutura profunda, na visão tradicional, é um sistema de duas proposições, das quais nenhuma é declarada, mas que se inter-relacionam de maneira tal que exprimam o significado da sentença "A wise man is honest". Podemos representar a estrutura profunda desse caso-amostra pela fórmula 1, e a estrutura superficial pela fórmula 2, onde os pares de colchetes são rotulados para mostrar a categoria de frase que vinculam (muitos pormenores são omitidos).

---

a As sentenças inglesas dadas como exemplo por Chomsky, nestes estudos, não se prestam a uma tradução em português que conserve as propriedades gramaticais analisadas; daremos, portanto, os exemplos no original inglês e apresentaremos, em seguida, em notas ou no próprio texto, entre colchetes, uma tradução em português mais literal possível (N.T.).

1 $\ _{S}\Big[\ _{FN}\Big[^{a\ man}\ _{S}\Big[\ _{FN}{}^{[man]}{}_{FN}\ \ _{FV}{}^{[is\ wise]}{}_{FV}\Big]_{S}\Big]_{FN}\ \ _{FV}{}^{[is\ honest]}{}_{FV}\Big]_{S}$

2 $\ _{S}\Big[\ _{FN}{}^{[a\ wise\ man]}{}_{FN}\ \ _{FV}{}^{[is\ honest]}\ {}_{FV}\Big]_{S}$

Uma notação equivalente e alternativa, amplamente usada, expressa os colchetes rotulados de 1 e 2 sob forma de árvore, como 1' e 2', respectivamente:

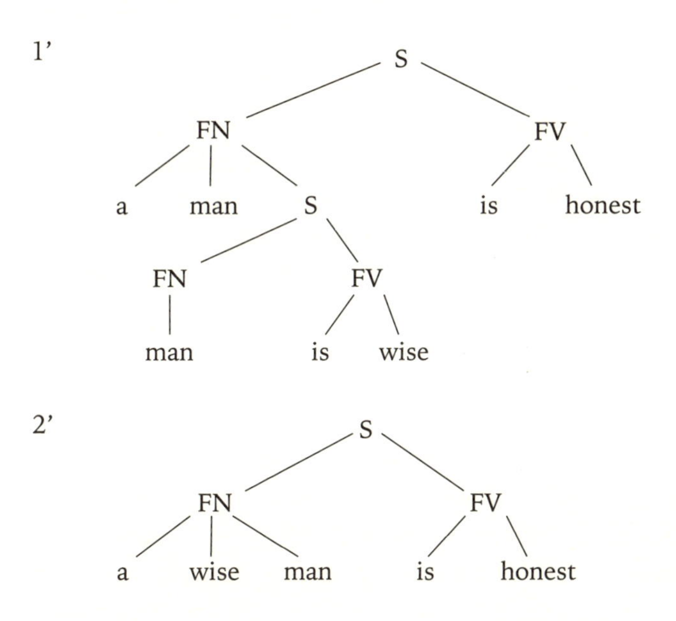

Se entendermos que existe a relação "sujeito de" entre a frase da categoria frase nominal (FN) e a sentença (S) que a domina diretamente, e que existe a relação "predicado de" entre uma frase da categoria frase verbal (FV) e a sentença que diretamente a domina, as estruturas 1 e 2 (equivalentemente, 1' e 2') especificam as funções gramaticais de sujeito e predicado da maneira desejada. As funções gramaticais da estrutura profunda (1) desempenham um papel central na determinação do significado da sentença. A estrutura de frase indicada em 2, por um lado, está estreitamente relacionada com sua forma fonética – especificamente, determina o contorno de entoação do enunciado representado.

O conhecimento de uma língua implica a capacidade de atribuir estruturas superficiais e profundas a um número infinito de sentenças, de relacionar essas estruturas adequadamente, e de atribuir uma interpretação semântica e outra fonética às estruturas profunda e superficial acopladas. Esse sumário da natureza da gramática parece muito exato como uma primeira aproximação da caracterização do "conhecimento de uma língua".

Como se relacionam as estruturas profunda e superficial? No exemplo simples dado, certamente podemos formar a estrutura superficial a partir da estrutura profunda, executando operações como esta:

3 a. atribuir o marcador *wh-* à FN mais profundamente encaixada, "man"
  b. substituir a FN assim marcada por "who"
  c. excluir "who is"
  d. inverter "man" e "wise".

Aplicando apenas as operações a e b, derivamos a estrutura subjacente à sentença "a man who is wise is honest" [um homem que é sábio é honesto], que é uma realização possível da estrutura subjacente (1). Se, além disso, aplicarmos a operação c (derivando "a man wise is honest"), devemos, em inglês, aplicar também a operação subsidiária d, derivando a estrutura superficial (2), que pode então ser interpretada foneticamente.

Se essa abordagem, de modo em geral, estiver correta, uma pessoa que conhece uma determinada língua tem o controle de uma gramática que *gera* (ou seja, caracteriza) o conjunto infinito de estruturas profundas potenciais, as projeta em estruturas superficiais associadas e determina as interpretações semântica e fonética desses objetos abstratos.[6] A partir da informação atualmente disponível, parece exato propor que a estrutura superficial determina completamente a interpretação fonética e a estrutura profunda exprime essas funções gramaticais que desempenham um papel na determinação da interpretação semântica, embora certos aspectos da estrutura superficial também possam participar da determinação do significado da sentença de um modo que não discutirei aqui. Uma gramática desse tipo definirá, portanto, certa correlação infinita de som e significado. Constitui um primeiro passo na direção da explicação de como uma pessoa pode entender uma sentença qualquer dessa língua.

Até mesmo esse exemplo artificialmente simples serve para ilustrar algumas propriedades das gramáticas que parecem ser gerais. Uma classe infinita de estruturas profundas muito semelhantes a 1 pode ser gerada por regras muito simples, as quais exprimam umas poucas funções gramaticais rudimentares, se atribuirmos a essas regras uma propriedade recursiva – em particular, uma propriedade que lhes permita integrar estruturas da forma [s...]s dentro de outras estruturas. As transformações

---

6 Para obter um desenvolvimento minucioso desse ponto de vista, ver J. Katz e P. Postal, *An Integrated Theory of Linguistic Descriptions*. Cambridge, Mass.: MIT Press, 1964, e meu livro *Aspects of the Theory of Syntax*. Cambridge, Mass.: MIT Press, 1965. Ver também Peter S. Rosembaum, *The Grammar of English Predicate Complement Constructions*. Cambridge, Mass.: MIT Press, 1967. Estes últimos contêm referências a trabalhos anteriores, que eles ampliam e modificam. Tem havido grande quantidade de trabalhos, nos últimos anos, que ampliam e modificam ainda mais essa abordagem geral e exploram alternativas. Atualmente, o campo está em considerável efervescência, e provavelmente vai levar certo tempo até que a poeira comece a baixar e grande número de importantes questões sejam solucionadas, mesmo provisoriamente. O trabalho atual é vasto demais para ser proposta uma referência pormenorizada, num esboço como este. Pode-se obter uma ideia de seu alcance e de suas direções gerais em coletâneas como a de R. Jacobs e P. S. Rosembaum (Eds.) *Readings in English Transformational Grammar*. Waltham. Mass.: Ginn and Company, 1970.

gramaticais repetir-se-ão, então, para formar, enfim, uma estrutura superficial que pode ser um tanto distante da estrutura profunda subjacente. A estrutura profunda pode ser muito abstrata; pode não ter nenhuma correlação ponto a ponto com a realização fonética. O conhecimento de uma língua – "competência linguística", no sentido técnico do termo, discutido brevemente na primeira conferência – implica o domínio desses processos gramaticais.

Com apenas isso servindo de quadro, podemos começar a formular alguns dos problemas que exigem análise e explicação. Um dos principais problemas é colocado pelo fato de a estrutura superficial em geral dar por si só muito poucas indicações sobre o significado da sentença. Por exemplo, há muitas sentenças ambíguas de um modo que não é indicado pela estrutura superficial. Consideremos a sentença 4:

4 I disapprove of John's drinking. [Eu desaprovo que John beba]

Essa sentença pode referir-se ou ao fato de John beber ou a seu caráter. A ambiguidade é resolvida, de maneiras diferentes, nas sentenças 5 e 6:

5 I disapprove of John's drinking the beer.[b]
6 I disapprove of John's excessive drinking.[c]

É claro que estão envolvidos processos gramaticais. Observe-se que não podemos simultaneamente estender 4 dos dois modos ilustrados em 5 e 6; o que nos daria 7:

b "Eu desaprovo que John beba a cerveja."
c "Eu desaprovo que John beba em excesso."

7 *I disapprove of John's excessive drinking the beer.[d7]

A nossa gramática interiorizada atribui duas estruturas abstratas diferentes a 4, uma das quais se relaciona com a estrutura que subjaz a 5, a outra com a estrutura que subjaz a 6. Mas é no nível da estrutura profunda que a distinção é representada; ela é obliterada pelas transformações que projetam as estruturas profundas sobre a forma superficial associada a 4.

Os processos envolvidos nos exemplos 4, 5 e 6 são muito comuns em inglês. Assim, a sentença "I disapprove of John's cooking" [Eu desaprovo o cozinhar de John] pode implicar ou que eu ache que sua esposa devia cozinhar ou que acho que ele usa muito alho, por exemplo. Mais uma vez, a ambiguidade é resolvida, se ampliarmos a sentença da maneira indicada em 5 e 6.

O fato de 7 ser irregular exige explicação. A explicação nesse caso seria fornecida, no nível de uma gramática particular, pela formulação das regras gramaticais que atribuem estruturas profundas alternativas e que, em cada caso, permitem uma, mas não a outra, das extensões 5 ou 6. Explicaríamos, então, a irregularidade de 7 e a ambiguidade de 4, atribuindo esse sistema de regras à pessoa que sabe a língua, como um dos aspectos desse saber. Poderíamos, é claro, passar a um nível mais profundo de explicação, perguntando como a pessoa interiorizou essas regras e não outras que determinariam uma correlação som-significado diferente e uma diferente classe de estruturas superficiais geradas (incluindo, talvez, 7). Esse é um problema de gramática universal, no sentido já descrito. Usando a terminologia da nota 5, a discussão, no nível da gramática particular, seria sobre a adequação descritiva, e, no nível da gramática universal, sobre a adequação explicativa.

---

d "Eu desaprovo o beber excessivo a cerveja de John".

7 Uso o asterisco da maneira convencional, para indicar que uma sentença sob algum aspecto se afasta da norma gramatical.

Observe-se que as regras interiorizadas de gramática inglesa têm ainda outras consequências, num caso como o que acabamos de discutir. Há transformações de grande generalidade que permitem ou exigem a exclusão de elementos repetidos, no todo ou em parte, sob condições bem definidas. Aplicadas à estrutura 8, essas regras derivam 9.[8]

8 I don't like John's cooking any more than Bill's cooking.[e]
9 I don't like John's cooking any more than Bill's.[f]

A sentença 9 é ambígua. Pode significar ou que não gosto do fato de John cozinhar, assim como não gosto do fato de Bill cozinhar, ou que não gosto da qualidade da cozinha de John, assim como não gosto da qualidade da cozinha de Bill.[9] Isso não pode significar, porém, que não gosto da qualidade da cozinha de John assim como não gosto do fato de Bill cozinhar, ou inversamente, com "fato" e "qualidade" intercambiados. Ou seja, na estrutura subjacente (8), devemos entender as frases ambíguas "John's cooking" e "Bill's cooking" da mesma maneira, se tivermos de poder excluir "cooking". Parece razoável supor que o que está envolvido é uma condição geral da aplicabilidade das operações de exclusão, como a que proporciona 9 a partir de 8, uma condição um tanto abstrata, que leva em conta não só a

8 Daqui em diante, geralmente excluirei os colchetes ao dar uma estrutura profunda, superficial ou intermediária, quando isso não provocar confusão. Deve-se encarar 8 e 9 como tendo cada uma um par de colchetes rotulados associados. Observe-se que 8 não é, é claro, uma estrutura profunda, mas sim o resultado da aplicação de transformações a um objeto abstrato mais primitivo.

e "Eu não gosto do cozinhar de John mais do que do cozinhar de Bill."

f "Eu não gosto do cozinhar de John mais do que do de Bill."

9 Pode haver ainda outras interpretações, baseadas em outras ambiguidades da estrutura "John's cooking" (cozinhar de John) – especificamente a interpretação canibalística e a interpretação de "cooking" como "o que é cozinhado".

estrutura a que se aplica a operação, mas também a história da derivação dessa estrutura.

Podem-se encontrar outros exemplos em que um princípio semelhante parece estar em ação. Assim, consideremos a sentença 10, que é provavelmente derivada ou de 11 ou de 12 e é, portanto, ambígua:[10]

10 I know a taller man than Bill. [g]
11 I know a taller man than Bill does.[h]
12 I know a taller man than Bill is.[i]

Parece claro que a ambiguidade de 10 não é representada na estrutura superficial; a exclusão de "does", em 11, deixa a

---

10 Devo ressaltar que, quando digo que uma sentença deriva por transformação de outra sentença, estou falando de maneira aproximada e inexata. O que deveria dizer é que a estrutura associada à primeira sentença é derivada da estrutura que subjaz à segunda. Assim, no caso que está sendo discutido agora, é a estrutura superficial de 10 que é derivada, numa das análises, da estrutura abstrata que, se tivesse de sofrer um desenvolvimento transformacional diferente, seria convertida na estrutura superficial de 11. Que as sentenças não derivem de outras sentenças, mas sim das estruturas que subjazem a elas, é algo que foi explicitamente pressuposto desde os primeiros trabalhos da gramática gerativa transformacional, cerca de quinze anos atrás, mas afirmações informais, como as deste texto, desorientaram muitos leitores e provocaram muita confusão na literatura. Aumentando talvez ainda mais a confusão, há o fato de que uma teoria muito diferente das relações transformacionais, desenvolvida por Zellig Harris, Henry Hiż e outros, de fato considera as operações transformacionais como aplicadas a sentenças. Vide, por exemplo, Z. S. Harris, "Co-occurrence and Transformation in Linguistic Structure" in *Language*, v. 33, n. 3, 1957, p.283-240, e diversas publicações posteriores. Para mim e para a maioria dos outros falantes, a sentença 12 é irregular. Todavia, a estrutura de associação que subjaz a 10, segundo uma das análises, deve ser postulada, talvez derivando da estrutura associada a "I know a man who is taller than Bill is" [Eu conheço um homem que é mais alto do que Bill é].

g "Eu conheço um homem mais alto do que Bill".

h "Eu conheço um homem mais alto do que Bill conhece".

i "Eu conheço um homem mais alto do que Bill é".

mesma estrutura que a exclusão de "is", em 12. Todavia, consideremos agora a sentença 13.

13 I know a taller man than Bill, and so does John.[j]

Essa sentença, como 9, é ambígua de duas maneiras, e não de quatro. Pode ter o significado de 14 ou de 15, mas não o de 16 ou 17:[11]

14 I know a taller man than Bill does and John knows a taller man than Bill does.[k]
15 I know a taller man than Bill is and John knows a taller man than Bill is.[l]
16 I know a taller man than Bill is and John knows a taller man than Bill does.[m]

---

j " Eu conheço um homem mais alto que Bill, e John também [conhece]".

11 Não pode tampouco ter o significado de "Eu conheço um homem mais alto que Bill, e John gosta de sorvete." Portanto, se a estrutura profunda determinar o significado (na medida em que relações gramaticais estiverem envolvidas), deve ser que algo como 14 ou 15 seja a estrutura imediatamente subjacente a 13. É uma propriedade geral das operações de exclusão que esteja envolvido certo tipo de recuperabilidade, uma questão não trivial com consequências empíricas interessantes. Para obter alguma discussão, ver meus livros *Current Issues*, Seção 2.2 e *Aspects*, Seção 4.2.2. O problema colocado por exemplos como 9 e 13 me foi apontado por John Ross. A primeira referência à possibilidade de que a história da derivação talvez desempenhe um papel na determinação da aplicabilidade das transformações aparece em R.B. Lees, *The Grammar of English Nominalizations*. New York: Humanities, 1960, p.76, em correlação com sua discussão – também a primeira – do problema da identidade da estrutura constituinte como um fator na determinação da aplicabilidade das transformações.

k "Eu conheço um homem mais alto do que Bill conhece, e John conhece um homem mais alto do que Bill conhece".

l "Eu conheço um homem mais alto do que Bill é, e John conhece um homem mais alto do que Bill é".

m "Eu conheço um homem mais alto do que Bill é, e John conhece um homem mais alto do que Bill conhece".

17 I know a taller man than Bill does and John knows a taller man than Bill is.[n]

Mas agora surge um problema, como podemos ver, considerando com mais atenção a derivação de 13. Chamemos a operação de exclusão, que dá 10 a partir de 11, de T_1, e a operação de exclusão, que dá 10 a partir de 12, de T_2. Se aplicarmos T_1 a cada um dos associados de 14, derivamos 18:

18 I know a taller man than Bill and John knows a taller man than Bill.[o]

A aplicação de T_2 a cada um dos associados de 15 também produzirá 18. Mas a aplicação de T_1 a um associado e de T_2 ao outro associado, em 16, também dará 18, como também o fará o mesmo procedimento (na ordem oposta), quando aplicado aos dois associados de 17. Assim, 18 pode ser derivado pela aplicação de T_1 e T_2 a qualquer uma das quatro formas subjacentes, 14, 15, 16 ou 17. A própria estrutura de 18 não indica qual dessas é a forma subjacente; a distinção foi eliminada pela exclusão das operações T_1 e T_2. Entretanto, consideremos agora a operação T_3, que deriva "I saw Bill and so did John" [Eu vi Bill e o mesmo fez John] de "I saw Bill and John saw Bill" [Eu vi Bill e John viu Bill]. Aplicando-se T_3 a 18, derivamos 13. Observamos, porém, que 13 pode ter a interpretação 14 ou 15, mas não 16 ou 17. Assim, podemos ver que T_3 pode aplicar-se a 18 somente se ou 14 ou 15, mas não 16 ou 17, for a estrutura subjacente a 18, nas derivações dadas de 18. Essa informação, porém, não está representada no próprio 18, como acabamos de observar. Portanto, para aplicarmos T_3 a 18, devemos conhecer

n "Eu conheço um homem mais alto do que Bill conhece, e John conhece um homem mais alto do que Bill é".

o "Eu conheço um homem mais alto que Bill, e John conhece um homem mais alto que Bill."

algo acerca da história da derivação de 18 – devemos ter informações que não estariam contidas na parentetização rotulada do próprio 18. O que devemos saber, na verdade, é que os dois associados de 18 são derivados das estruturas subjacentes de que o mesmo elemento foi excluído.[12] Parece, uma vez mais, que deve estar envolvida alguma condição geral de aplicabilidade das transformações de exclusão, um princípio que de algum modo leva em conta a história da derivação das sequências (*strings*) excluídas, talvez certas propriedades da estrutura profunda de que finalmente derivem.

Para vermos quão complexo é o problema, consideremos sentenças como "John's intelligence, which is his most remarkable quality, exceeds his prudence" [A inteligência de John, que é sua qualidade mais notável, supera sua prudência] ou "The book, which weighs five pounds, was written by John" [O livro, que pesa cinco libras, foi escrito por John]. Provavelmente, o pronome relativo na oração apositiva encaixada substitui uma frase nominal excluída, e essa condição da exclusão que estávamos discutindo implica que essa frase nominal deva ser idêntica à frase nominal antecedente "John's intelligence" ou "the book", na estrutura subjacente da oração apositiva. Em cada caso, contudo, pode-se alegar que há uma diferença entre o antecedente e a frase nominal da oração apositiva. Assim, no primeiro caso, estamos nos referindo ao grau de inteligência de John, na oração principal, mas à qualidade de sua inteligência, na oração encaixada; e, no segundo caso, estamos aludindo ao livro como um objeto abstrato, na oração principal, mas como um objeto físico concreto, na oração encaixada; poder-se-ia esperar que essas diferenças estivessem representadas na estrutura profunda, contradizendo assim o princípio a que parece

12 Se a própria 18 é ambígua apenas de duas maneiras, surge de fato um problema num ponto ainda anterior. A não naturalidade de 18 torna difícil determinar isso com alguma segurança.

estarmos sendo conduzidos, pelos exemplos anteriores. Não vou levar essa discussão adiante aqui, mas o leitor descobrirá, se prosseguir na questão, que o problema é agravado quando uma classe mais rica é examinada.

Na verdade, o princípio correto é desconhecido em casos como esses, embora algumas das condições que ele deve satisfazer sejam claras. O problema colocado por esses exemplos é bastante típico. A atenção ao fato linguístico revela certas propriedades das sentenças, relacionadas ao som, ao seu significado, à sua irregularidade, e assim por diante. Evidentemente, nenhuma explicação para tais fatos estará próxima, enquanto nos limitarmos a uma vaga conversa sobre "hábitos" e "habilidades" e "disposições a responder" ou acerca da formação de sentenças "por analogia". Não temos o "hábito" de entender as sentenças 4, 9 e 13 de certa maneira: é improvável que o leitor tenha alguma vez deparado com sentenças muito parecidas com essas, mas ele as entende de um modo muito específico. Chamar "analogia" ao processo envolvido é simplesmente dar um nome ao que permanece um mistério. Para explicarmos esses fenômenos, devemos descobrir as regras que relacionam o som e o significado, na língua em questão – a gramática que foi interiorizada pela pessoa que sabe o idioma – e os princípios gerais que determinam a organização e a função dessas regras.

O caráter enganoso e inadequado da estrutura superficial torna-se evidente tão logo são estudados os mais simples padrões. Consideremos, por exemplo, a sentença 19 – mais uma vez, um exemplo artificialmente simples:

19 John was persuaded to leave.[p]

A estrutura profunda subjacente a essa sentença deve indicar que existe a relação sujeito-predicado numa proposição

p "John foi persuadido a sair".

subjacente da forma de 20 (supondo que as funções gramaticais sejam representadas da mesma forma sugerida acima) e que a relação verbo-objeto existe, numa proposição subjacente da forma de 21:

20 [S [FN^{John}] FN] FV^{leave}] FV] S

21 [S [$FN^{\cdots}$] FN [$FV^{persuade}$ [FN^{John}] FN] FV] S

Assim, "John" é entendido como o sujeito de "leave" e o objeto de "persuade", em 19, e esses fatos são expressos de modo adequado na estrutura profunda que subjaz a 19, se essa estrutura profunda incorporar as proposições informalmente representadas como 20 e 21. Embora a estrutura profunda deva ser constituída por tais proposições, se a abordagem grosseiramente esboçada acima estiver correta, não há vestígio delas na estrutura superficial do enunciado. As diversas transformações que produzem 19 obliteraram inteiramente o sistema de relações e funções gramaticais que determinam o significado da sentença.

Isso se torna ainda mais óbvio, se observarmos a variedade de sentenças que parecem superficialmente assemelhar-se a 19, mas que diferem amplamente nas maneiras como são entendidas e nas operações formais que se aplicam a elas. Suponhamos que "persuaded", em 19, seja substituído por uma das seguintes palavras:[13]

22 expected, hired, tired, pleased, happy, lucky, eager, certain, easy [q]

---

13 Ver R. B. Lees, "A Multiply Ambiguous Adjectival Construction in English". In: *Language*, v.36, n.2, 1960, p.207-21, para obter uma discussão de tais estruturas.

q "esperado, contratado, cansado, contente, feliz, sortudo, ansioso, certo, fácil".

Com "expected" substituindo "persuaded", a sentença pode significar aproximadamente que o fato de John estar saindo era esperado; mas é impossível falar do fato de John estar saindo sendo persuadido. Com "hired", a sentença tem um significado completamente diferente, *grosso modo*, que o propósito de contratar John era fazê-lo sair – uma interpretação que se torna mais natural, se substituirmos "leave" por uma frase como "fix the roof" [consertar o telhado]. Quando o substituto é "tired", derivamos uma não sentença; torna-se uma sentença se "too tired" [cansado demais] substituir "persuaded", implicando, agora a sentença, que John não saiu. A palavra "pleased" é também diferente. Nesse caso podemos ter "too pleased" [contente demais], acarretando que John não saiu, mas podemos também ampliar a sentença para "John was too pleased to leave to suit me" [John estava contente demais para sair para me convir], o que é impossível nos casos anteriores; além disso, podemos construir sentenças como "John was a lucky fellow to leave (so early)" [John era um sujeito de sorte por sair (tão cedo)], mas nenhum dos exemplos anteriores pode substituir "lucky" nessas sentenças. "John was eager to leave" [John estava ansioso para sair] difere dos casos anteriores, pelo fato de estar formalmente associado a expressões como "John was eager for Bill to leave" [John estava ansioso para que Bill saísse] e "John's eagerness (for Bill) to leave" [A ansiedade de John (para Bill) sair]. "John was certain to leave" pode ser parafraseada como "it was certain that John would leave" [era certo que John sairia]; dos outros exemplos, apenas "expected" está sujeito a essa interpretação, mas "expected" obviamente difere de "certain" sob muitos outros aspectos – por exemplo, aparece em sentenças como: "They expected John to leave" [Esperavam que John saísse]. A palavra "easy" [fácil] é evidentemente muito diferente; neste e só neste caso a relação verbo-objeto se mantém entre "leave" e "John".

Em suma, é claro que a estrutura superficial é não raro enganosa e pouco informativa, e o nosso conhecimento da língua envolve propriedades de natureza muito mais abstrata, não indicada diretamente na estrutura superficial. Além disso, mesmo exemplos artificialmente simples como esses mostram quão impossível seria tentar dar conta da competência linguística em termos de "hábitos", "disposições", "know-how" e outros conceitos concernentes ao estudo do comportamento, como esse estudo foi circunscrito, de modo totalmente injustificado, nos últimos anos.

Mesmo no nível da estrutura sonora, há evidências de que são formadas e manipuladas representações abstratas, nas operações mentais acionadas no uso da linguagem. Temos um entendimento mais minucioso da natureza da representação linguística e das complexas condições da aplicação de regras nessa área do que em qualquer outra. O trabalho dos últimos anos sobre a estrutura sonora parece-me oferecer provas substanciais em apoio da ideia de que a forma das gramáticas particulares é determinada, de modo muito significativo, por um esquematismo restritivo que especifica a escolha das propriedades fonéticas relevantes, os tipos de regras que podem relacionar a estrutura superficial com a representação fonética, e as condições de organização e aplicação dessas regras. Relaciona-se, assim, intimamente com os tópicos gerais discutidos na primeira conferência, dos quais tratarei de novo mais adiante, ao abordar a questão de como esse esquematismo restritivo e universal vem a ser usado, na aquisição da língua. Além disso, essas investigações da estrutura sonora, uma vez que dão apoio à conclusão de que estruturas fonológicas abstratas são manipuladas por sistemas de regras complexos e rigorosamente organizados, são relevantes para o interessantíssimo problema do desenvolvimento empiricamente adequado de modelos de desempenho. Sugerem que todas as abordagens atuais dos problemas de percepção e organização de comportamento sofrem da falha de não conseguirem atribuir profundidade e complexidade suficientes aos processos mentais que devem ser representados em qualquer modelo que tente dar conta dos fenômenos empíricos. A falta de espaço não permite um desenvolvimento minucioso desses temas, tanto com relação à estrutura fonológica quanto com relação à sua potencial relevância para a psicologia cognitiva.[14] Um simples exemplo ilustrativo, porém, que é bastante típico, pode dar uma ideia da natureza dos dados disponíveis e das conclusões para as quais eles apontam.

Lembremo-nos de que as regras sintáticas da linguagem geram um conjunto infinito de estruturas superficiais, cada uma das quais é uma parentetização rotulada de uma sequência de elementos mínimos, como 2, em que podemos tomar os elementos mínimos como os itens *a, wise, man, is, honest*. Cada um desses itens pode ele próprio ser representado como uma sequência de segmentos, por exemplo, *man* como a sequência de segmentos /m/, /æ/, /n/. Cada um desses segmentos pode, por sua vez, ser visto como um conjunto de características especificadas; assim, /m/ representa a característica complexa [+ consonantal], [- vocálico], [+ nasal] etc. A constituição segmental de um item será dada por uma entrada lexical – uma caracterização das propriedades fonética, semântica e sintática inerentes aos itens em questão. O léxico da língua é o conjunto dessas entradas lexicais, com, talvez, uma estrutura adicional que não precisa nos preocupar aqui. No momento, estamos interessados apenas nas propriedades fonéticas da entrada lexical.

---

14 Para obter discussão desses temas, ver o meu artigo "Some General Properties of Phonological Rules". In: *Language*, v.47, n.1, 1967. Para obter uma discussão muito mais rica e pormenorizada da teoria fonológica e de sua aplicação ao inglês, com exemplos retirados de muitos idiomas e também alguma discussão da história do sistema sonoro inglês, ver N. Chomsky e M. Halle, *The Sound Pattern of English*. New York: Harper & Row, 1968. O exemplo do texto é discutido em pormenor, no contexto de um quadro mais geral de regras e princípios, no Capítulo 4, Seção 4, de *The Sound Pattern in English*. Ver P. Postal, *Aspects of Phonological Theory*. New York: Harper & Row, 1968, para um desenvolvimento geral de vários temas relacionados, com uma análise crítica das abordagens alternativas do estudo da estrutura sonora.

A entrada lexical de um item deve especificar exatamente essas propriedades idiossincráticas, não determinadas pela regra linguística. Assim, a entrada lexical para *man* deve indicar que seu segundo segmento é uma vogal frontal-baixa, mas o grau de tensão, de ditongação, nasalização etc., dessa vogal não precisa ser indicado na entrada lexical, uma vez que eles são do âmbito das regras gerais, em parte particulares a vários dialetos do inglês, em parte comuns a todos os dialetos do inglês, em parte, do âmbito da fonologia universal. Analogamente, a entrada lexical para *man* deve indicar que ele tem um plural irregular, com um deslocamento de vogal baixa para média. Os segmentos da entrada lexical são abstratos, no sentido de que as regras fonológicas da língua vão com frequência modificá-los e elaborá-los de diversas maneiras; por conseguinte, não precisa haver, em geral, uma correspondência simples ponto a ponto entre a entrada lexical e a representação fonética real. Ao discutir os exemplos, usarei os símbolos fonéticos da maneira habitual, sendo cada um deles considerado um complexo de certo conjunto de características. Empregarei o símbolo // para encerrar as representações e o símbolo [] para encerrar todas as representações derivadas das representações léxicas pela aplicação de regras fonológicas, incluindo, em particular, a representação fonética particular derivada pela aplicação do conjunto completo de regras fonológicas.

Consideremos inicialmente palavras inglesas como *sign-signify* [signo-significar], *paradigm-paradigmatic* [paradigma/paradigmático] etc. Por razões que se tornarão mais claras à medida que avançarmos, é a forma derivada, nesse caso, que se relaciona de modo mais estreito com a representação léxica abstrata subjacente. Suponhamos, então, que atribuamos provisoriamente ao radical (*stem*), nessas formas, a representação léxica /sign/ e /pærædigm/, onde os símbolos têm sua interpretação fonética convencional. Assim, o elemento subjacente /sign/ é realizado como /sign/ fonético antes de *–ify*. Contudo, ele é realizado como [sayn] fonético isoladamente. Uma observação semelhante vale para *paradigm*.

As formas de *sign* e *paradigm* isoladamente são determinadas por certas regras fonológicas que, operando em conjunto, têm o efeito de converter a representação /ig/ em /ay/, quando seguida de um final de palavra nasal. Uma análise cuidadosa da fonologia inglesa mostra que esse processo pode ser dividido numa sequência de etapas, incluindo a seguinte (a segunda e a terceira das quais, na verdade, exigem análise adicional):

23 a. velar torna-se continuante antes de final de palavra nasal
b. vogal + velar continuante torna-se vogal tensa
c. /ī/ torna-se [ay] (onde /ī/ é o segmento tenso correspondente a [i])

Aplicando essas regras a /sign/ subjacente isoladamente, derivamos primeiro [siγn], (onde [γ] é a velar continuante) por 23a; em seguida [sīn] por 23b; e por fim [sayn] por 23c.

As regras 23a e 23b são de pouco interesse, mas 23c é parte de um sistema muito geral de regras de "deslocamento de vogais" bastante central, na fonologia inglesa. Há, por exemplo, fortes razões para supor que o radical subjacente às formas *divine-divinity* seja /divīn/, onde o segmento /ī/ é enfraquecido em [i], antes de *-ity*, e se torna [ay] pela regra 23c isoladamente. De modo análogo, *reptile* deriva do subjacente /reptīl/, que se torna [reptayl] por 23c, em isolamento, e [reptil], antes de *-ian*, com a mesma abreviação da vogal que ocorre em *divinity*, e assim por diante, em muitos outros casos.

Consideremos em seguida palavras como *ignite-ignition*, *expedite-expeditious* e *contrite-contrition*. Assim como *reptile* e *divine* derivam, por deslocamento de vogal, de /reptīl/ e /divīn/, assim também podemos derivar o primeiro membro de cada um desses pares de /ignīt/, /expedīt/ e /contrīt/, respectivamente.

A regra que se aplica para dar a realização fonética é a 23c, um caso especial do processo geral de deslocamento de vogal. Evidentemente, o segundo membro de cada par é derivado por processos como 24 e 25:

24 As vogais tornam-se não tensas antes de *–ion, -ious, -ian, -ity* etc.
25 O segmento /t/ seguido de uma vogal alta-frontal é realizado como [š].

A primeira dessas regras é a que dá [divin] a partir de /divīn/ em *divinity* e [reptil] a partir de /reptīl/ em *reptilian*. Analogamente, ela dá [ignit] a partir de /ignīt/ em *ignition,* [expedit] a partir de /expedīt/ em *expedition,* e [contrit] a partir de /contrīt/ em *contrition*. Há uma óbvia generalização subjacente, qual seja, uma vogal torna-se não tensa antes de uma vogal átona que não esteja numa sílaba final de palavra; quando formulada corretamente, essa regra, com o deslocamento de vogal e algumas outras, constitui a parte central do sistema fonológico inglês.

A segunda regra, 25, aplica-se ao elemento /ti/ em /ignition/, /expeditious/ e /contrition/, substituindo-o por [š] e dando, por fim, a realização fonética [ignišən], [ekspədišəs], [kəntrišən], após a aplicação da regra que reduz as vogais átonas a [ə]. Em suma, os segmentos realizados como [ayt], em *ignite, expedite* e *contrite,* são realizados como [iš] em *ignition, expeditious* e *contrition*.

Consideremos agora, porém, as palavras *right-righteous,* foneticamente [rayt]-[rayčəs]. A segunda forma parece desviar-se do padrão regular sob dois aspectos, quais sejam, na qualidade da vogal (esperaríamos [i] em vez de [ay] pela regra 24) e na consoante final do radical (esperaríamos [š] em vez de [č], pela regra 25). Se *right* estivesse sujeito ao mesmo processo que *expedite,* teríamos [rišəs] em vez de [rayčəs] como realização fonética, análoga a [ekspədišəs]. Qual a explicação para essa dupla irregularidade?

Observe-se, em primeiro lugar, que a regra 25 não é totalmente exata; há, na verdade, outros casos em que /ti/ é realizado como [č] em vez de [š], por exemplo, question [kwesčən], em contraste com *direction* [dərekšən]. Uma formulação mais exata de 25 seria 26:

26 /t/ seguido de uma vogal alta-frontal é realizado como [č] após uma continuante e como [š] em qualquer outro lugar.

Voltando à forma *right*, vemos que a consoante final seria corretamente determinada como [č] em vez de [š] se, na representação subjacente, houvesse uma continuante precedendo-a – ou seja, se a representação subjacente fosse /riφt/, onde φ é uma continuante. A continuante φ deve, além disso, ser distinta de qualquer das continuantes que realmente aparecem foneticamente nessa posição, a saber, as continuantes dentais, labiais ou palatais na parte não em itálico de *wrist*, *rift* ou *wished*. Podemos supor, portanto, que r é a continuante velar /x/, que não aparece foneticamente, é claro, em inglês. A forma subjacente, portanto, seria /rixt/.

Observemos agora a derivação de *right*. Pela regra 23b, a representação /rixt/ torna-se [rīt]. Pela regra 23c, a representação / rīt/ torna-se [rayt], que é a realização fonética de *right*.

Consideremos a seguir a derivação de *righteous*. Supondo-se que ele tem o mesmo afixo que *expeditious* e *repetitious*, podemos representá-lo lexicamente como /rixtious/ (não estou interessado aqui na representação correta de *-ous*). Suponhamos que a ordenação das regras discutidas até agora seja a seguinte: 23a, 24, 26, 23b, 23c, uma ordenação coerente com outros fatos relevantes do inglês, dadas certas simplificações para conveniência da exposição. A regra 23a é inaplicável e a regra 24 é vazia, quando aplicada à forma subjacente /rixtious/. Voltando à regra 26, vemos que ela dá a forma [rixčous]. A regra 23b aplica-se agora, dando [ričous], e a regra 23c dá [rayčous], que se torna [rayčəs] por redução da vogal átona. Assim, pelas regras 26 e 23, que são independentemente motivadas, a representação subjacente /rixt/ será realizada foneticamente como [rayt], em isolamento, e como [rayč] em *righteous*, exatamente como necessário.

Esses fatos sugerem fortemente que a representação fonológica subjacente deva ser /rixt/ (de acordo com a ortografia e, é claro, com a história). Uma sequência de regras que deve estar na gramática por outras razões dá a alternação *right-righteous*. Portanto, essa alternação não é de modo nenhum excepcional, mas sim perfeitamente regular. A representação subjacente, é claro, é muito abstrata; está ligada à forma fonética superficial do sinal apenas por uma sequência de regras interpretativas.

Colocando a questão de outro modo, suponhamos que uma pessoa saiba inglês, mas não tenha o item de vocabulário *righteous*. Ao ouvir essa forma pela primeira vez, ela deve assimilá-la ao sistema que aprendeu. Se fosse apresentada à forma derivada [rišəs], tomaria, é claro, a representação subjacente como exatamente igual à de *expedite, contrite* etc. Entretanto, ao ouvir [rayčəs], sabe que essa representação é impossível; embora a distinção consonantal [š]-[č] possa facilmente perder-se sob condições normais de uso da linguagem, a distinção vocálica [i]-[ay] seria sem dúvida óbvia. Conhecendo as regras do inglês e ouvindo o elemento vocálico [ay] em vez de [i], ela sabe que ou a forma é uma exceção única ou contém uma sequência /i/ seguida por velar e está sujeita à regra 26. A velar deve ser uma continuante,[15] ou seja, /x/. Mas, dado que a velar é uma continuante, segue-se, se a forma for regular (a hipótese nula,

15 Se fosse uma não continuante, teria de ser surda, ou seja, /k/, uma vez que não há grupos de consoantes sonoras-surdas em posição final, como regra geral. Todavia, não pode ser /k/, pois /k/ permanece nessa posição (por exemplo, "direct", "evict" etc.).

sempre), que a consoante deve ser [č], não [š], pela regra 26. Assim, o ouvinte deve perceber [rayčəs], mesmo se a informação quanto à consoante média estiver faltando no sinal recebido. Além disso, a pressão para se preservar a regularidade das alternâncias deve agir para bloquear a analogia superficial com *expedite-expeditious* e *ignite-ignition*, e para preservar [č], como a realização fonética do /t/ subjacente, na medida em que [ay] aparece no lugar do esperado [i], exatamente como observamos ter ocorrido.

Não considero isto uma exposição literal passo a passo de como a forma seja aprendida, é claro, mas sim como uma possível explicação de como a forma resiste a uma analogia superficial (e de fato incorreta) e preserva seu estatuto. Podemos explicar a percepção e a preservação na gramática do contraste [č]-[š] em *righteous-expeditious*, com base na distinção percebida entre [ay] e [i] e no conhecimento de certo sistema de regras. A explicação baseia-se na suposição de que as representações subjacentes são completamente abstratas, e a evidência citada sugere que essa suposição está, de fato, correta.

Um único exemplo não provoca muita convicção. Uma investigação atenta da estrutura sonora, porém, mostra que há numerosos exemplos desse tipo e que, em geral, estruturas subjacentes muito abstratas estão relacionadas a representações fonéticas por uma longa sequência de regras, assim como, no nível sintático, as estruturas profundas abstratas estão em geral relacionadas às estruturas superficiais por uma longa série de transformações gramaticais. Supondo a existência de representações mentais abstratas e de operações interpretativas desse tipo, podemos encontrar um surpreendente grau de organização subjacente ao que parece superficialmente um arranjo caótico de dados e, em certos casos, podemos também explicar por que as expressões linguísticas são ouvidas, usadas e entendidas de determinadas maneiras. Não se pode esperar determinar por introspecção, quer as formas abstratas subjacentes, quer os processos que os relacionam a sinais;

não há, ademais, nenhuma razão pela qual devamos achar essa consequência de algum modo surpreendente.

A explicação acima esboçada pertence ao nível da gramática particular e não da gramática universal, como essa distinção foi formulada anteriormente. Ou seja, demos conta de determinado fenômeno com base na suposição de que certas regras aparecem na gramática interiorizada, observando que essas regras são, em sua maioria, motivadas independentemente. Considerações de gramática universal entram, é claro, nessa explicação, uma vez que afetam a escolha da gramática com base em dados. Tal interpretação é inevitável, como já notamos. Casos há, porém, em que princípios explícitos de gramática universal entram mais direta e claramente num padrão de explicação. Assim, a investigação dos sistemas de sons revela certos princípios de organização muito gerais, alguns dos quais absolutamente notáveis, que governam regras fonológicas (ver as referências na nota 14). Por exemplo, observou-se que certas regras fonológicas operam num ciclo, de um modo determinado pela estrutura superficial. Lembremo-nos de que a estrutura superficial pode ser representada como uma parentetização rotulada do enunciado, como 2. Em inglês, as regras fonológicas muito complexas, que determinam os contornos de acento e a redução de vogais, aplicam-se a frases vinculadas por pares de colchetes, na estrutura superficial, aplicando-se primeiro a uma frase mínima desse tipo, em seguida à frase maior seguinte, e assim por diante, até se alcançar o domínio máximo dos processos fonológicos (em casos simples, a própria sentença). Assim, no caso de 2, as regras aplicam-se às palavras individuais (as quais, numa descrição completa, seriam atribuídas a categorias e, portanto, parentetizadas), em seguida às frases *a wise man* e *is honest* e, por fim, à sentença inteira. Umas poucas regras simples darão resultados muito variados, porque as estruturas superficiais que determinam suas aplicações cíclicas variam.

Alguns efeitos simples do princípio da aplicação cíclica são ilustrados por formas como as de 27:

27 a. *relaxation, emendation, elasticity, connectivity*
b. *illustration, demonstration, devastation, anecdotal*

As vogais que não estão em itálico são reduzidas a [ə], em 27b, mas conservam sua qualidade original, em 27a. Em alguns casos, podemos determinar a qualidade original das vogais reduzidas de 27b a partir de outras formas derivadas (por exemplo, *illustrative, demonstrative*). Os exemplos de 27a diferem dos de 27b morfologicamente, pelo fato de os primeiros serem derivados de formas subjacentes (a saber, *relax, emend, elastic, connective*) que contêm o acento primário na vogal que não está em itálico quando essas formas subjacentes aparecem isoladamente; as de 27b não têm essa propriedade. Não é difícil mostrar que a redução de vogais no inglês, a substituição de uma vogal por [ə], depende da falta de acento. Podemos, portanto, dar conta da distinção entre 27a e 27b supondo o princípio cíclico que acabamos de formular. No caso de 27a, no primeiro e mais interno ciclo, o acento será atribuído por regras gerais às vogais que não estão em itálico. No ciclo seguinte, o acento é deslocado,[16] mas o acento abstrato atribuído no primeiro ciclo é suficiente para proteger a vogal contra a redução. Nos exemplos de 27b, os ciclos anteriores nunca atribuem um acento abstrato à vogal que não está em itálico, que então se reduz. Observe-se que é um acento *abstrato* que protege a vogal da redução. O acento real, fonético nas vogais não reduzidas que não estão em itálico é muito fraco; seria um acento 4, na convenção habitual. Em geral, as vogais com um acento fonético assim tão fraco são reduzidas, mas, neste caso, o acento abstrato atribuído no ciclo anterior impede a redução. Assim, é a representação abstrata subjacente que determina a forma fonética, sendo desempenhado um papel

16 Em "connectivity", é no terceiro ciclo que o acento é deslocado. O segundo ciclo meramente reatribui o acento à mesma sílaba que é acentuada no primeiro ciclo.

primário pelo acento abstrato, que é praticamente eliminado na forma fonética.

Nesse caso, podemos oferecer uma explicação para determinado aspecto da percepção e da articulação de acordo com um princípio abstrato muito geral, a saber, o princípio da aplicação cíclica de regras (ver p.88). É difícil imaginar como o aprendiz da língua possa derivar esse princípio por "indução", com base em dados a ele apresentados. Na verdade, muitos dos efeitos desse princípio estão relacionados com a percepção e têm poucos ou nenhum análogo no próprio sinal físico, sob condições normais de uso da linguagem, de sorte que os fenômenos em que a indução se teria baseado não podem fazer parte da experiência de alguém que ainda não esteja fazendo uso do princípio. Na verdade, não existe procedimento de indução ou associação que ofereça qualquer esperança de conduzir a um princípio desse tipo esses dados tais como estão disponíveis (a menos que, fugindo à questão, introduzamos de algum modo o princípio de aplicação cíclica no "procedimento indutivo"). A conclusão, por conseguinte, parece garantir que o princípio de aplicação cíclica das regras fonológicas é um princípio organizativo inato da gramática universal, usado na determinação do caráter da experiência linguística e na construção de uma gramática que constitua o conhecimento adquirido da língua. Ao mesmo tempo, esse princípio de gramática universal oferece uma explicação para fenômenos como os observados em 27.

Há certos indícios de que um princípio de aplicação cíclica semelhante se aplique também no nível sintático. John Ross apresentou uma análise engenhosa de alguns aspectos da pronominalização inglesa que ilustram isso.[17] Suponhamos que essa pronominalização envolva um processo de "exclusão" semelhante aos processos discutidos acima, com respeito aos exemplos

17 J. Ross. "On the Cyclic Nature of English Pronominalization". In: *To Honor Roman Jakobson*. New York: Humanities, 1967.

8-18. Esse processo, numa primeira aproximação, substitui uma de duas frases nominais idênticas pelo pronome adequado. Assim, a estrutura subjacente 28 será convertida na 29, por pronominalização.

28 John learned that John had won.[r]
29 John learned that he had won.[s]

Fazendo abstração das propriedades de 28 que não são essenciais para esta discussão, podemos apresentá-la na forma 30, onde *x* e *y* são as frases nominais idênticas e *y* é a pronominalizada e os colchetes vinculam expressões sentenciais.

30 [. . . *x* . . .[. . . *y* . . .]]

Note-se que não podemos formar 31 a partir de 28, por pronominalização:[18]

31 He learned that John had won.[t]

Ou seja, não podemos ter pronominalização no caso que seria representado como 32, usando as convenções de 30:

32 [. . . *y* . . .[. . . *x* . . .]]

Consideremos em seguida as sentenças de 33:

---

r "John aprendeu que John havia vencido".
s "John aprendeu que ele havia vencido".
18 31 é uma sentença, é claro, mas "he" (ele) na sentença não se refere a John, como o faz em 29. Assim, 31 não é formada por pronominalização, se se desejar que as duas ocorrências de John sejam diferentes quanto à referência. Excluímos aqui este caso da discussão. Para consultar algumas observações relativas a esse problema, ver o meu livro *Aspects*, p.144-7.
t "Ele aprendeu que John havia vencido".

33 a. That John won the race surprised him.[u]
[[. . . *x* . . .] . . . *y* . . .]
b. John's winning the race surprised him.[v]
[[. . . *x* . . .] . . . *y* . . .]
c. That he won the race surprised John.[w]
[[. . . *y* . . .] . . . *x* . . .]
d. His winning the race surprised John.[x]
[[. . . *y* . . .] . . . *x* . . .]

Prosseguindo com as mesmas convenções, as formas são representadas abaixo, em cada caso. Resumindo, podemos ver que, dos tipos possíveis 30, 32, 33a, b e 33c, d, todos permitem a pronominalização, salvo 32. Essa observação pertence à gramática particular do inglês.

Observe-se que, ao lado de 33d, temos também a sentença 34:

34 Winning the race surprised John.[y]

Dado o quadro que vimos supondo o tempo todo, 34 deve ser derivada da estrutura "John's winning the race surprised John"[z]. Portanto, nesse caso a pronominalização pode ser uma exclusão completa.

Observemos agora as sentenças 35 e 36:

35 Our learning that John had won the race surprised him.[aa]

u "Que John venceu a corrida surpreendeu-o".
v "O vencer a corrida de John surpreendeu-o".
w "Que ele venceu a corrida surpreendeu John".
x "Seu vencer a corrida surpreendeu John".
y "Vencer a corrida surpreendeu John".
z "O vencer a corrida de John surpreendeu John".
aa "Nosso aprender que John havia ganhado a corrida surpreendeu-o".

36 Learning that John had won the race surprised him.[ab]

A sentença 35 pode ser entendida com "him" referindo-se a John, mas a 36 não o pode. Assim, 35 pode ser derivada por pronominalização de 37, mas 36 não é derivada de 28:

37 [[Our learning [that John had won the race]] surprised John.][ac]
38 [[John's learning [that John had won the race]] surprised John.][ad]

Qual pode ser a explicação para esse fenômeno? Como observa Ross, ele pode ser explicado em termos da gramática particular do inglês, se supusermos, ademais, que certas transformações se aplicam num ciclo, primeiro às frases mais internas, em seguida a frases maiores, e assim por diante – ou seja, se supusermos que essas transformações se aplicam à estrutura profunda por um processo análogo ao processo pelo qual as regras fonológicas se aplicam à estrutura superficial.[19] Fazendo

---

ab "Aprender que John havia ganhado a corrida surpreendeu-o".

ac "[[Nosso aprender [que John havia ganhado a corrida]] surpreendeu John.]

ad "[[O aprender de John [que John havia ganhado a corrida]] surpreendeu John.]

19 Que regras transformacionais talvez devam funcionar desta maneira, ele próprio um fato não trivial se verdadeiro, é sugerido em meu livro *Aspects*, Capítulo 3. A observação de Ross sugere que esse princípio de aplicação é não só possível, mas também necessário. Outros argumentos interessantes a este respeito são apresentados em R. Jacobs e P. S. Rosenbaum. (Eds.) *Readings in English Transformational Grammar*, Capítulo 28. A questão está longe de ser resolvida. Em geral, o entendimento da estrutura sintática é muito mais limitado do que o da estrutura fonológica, as descrições são muito mais rudimentares e, por conseguinte, os princípios da sintaxe universal estão estabelecidos de modo muito menos firme do que os princípios da fonologia universal, embora estes últimos, é escusado dizer, também devem ser vistos como provisórios. Em parte, isto talvez se deva à complexidade inerente ao assunto.

essa suposição, consideremos a estrutura subjacente 38. No ciclo mais interno, a pronominalização não se aplica de modo algum, uma vez que não há uma segunda frase nominal idêntica a "John", na proposição mais profundamente encaixada. No segundo ciclo, consideramos a frase "[John's learning[that John had won the race]]."[ae] Esta pode ser vista como uma estrutura da forma 30, dando 39 por pronominalização; não pode ser encarada como da forma 32, dando 40 por pronominalização, pois a gramática particular do inglês não permite a pronominalização, no caso de 32, como verificamos:

39 John's learning [that he had won the race][af]
40 his learning [that John had won the race][ag]

Mas 40 teria de ser a forma subjacente 36. Portanto, 36 não pode ser derivada por pronominalização de 38, embora 35 possa ser derivada de 37.

Nesse caso, então, um princípio de gramática universal associa-se a uma regra independentemente estabelecida da gramática inglesa particular, para produzir certa consequência empírica bastante surpreendente, a saber, que 35 e 36 devem diferir na interpretação referencial do pronome "him". Mais uma vez, como no caso formalmente bastante análogo da redução de vogais, discutido acima, quanto aos exemplos 27a e 27b, é completamente impossível dar uma explicação em termos de "hábitos" e "disposições" e "analogia". Pelo contrário, parece que devem ser postulados certos princípios abstratos e, em parte, universais que governem as faculdades mentais humanas, para explicar os fenômenos em questão. Se o princípio de aplicação cíclica for de fato um princípio regulador que determine a forma de

ae "[O aprender de John [que John havia ganhado a corrida]]".
af "O aprender de John [que ele havia vencido a corrida]"
ag "seu aprender [que John havia vencido a corrida]"

conhecimento da linguagem para os seres humanos, uma pessoa que tenha aprendido as regras particulares que governam a pronominalização em inglês conheceria, intuitivamente e sem instruções ou evidências adicionais, que 35 e 36 diferem sob o aspecto que acabamos de observar.

O mais instigante problema teórico da linguística é o de descobrir os princípios de gramática universal que se entrelaçam com as regras das gramáticas particulares, para oferecer explicações de fenômenos que parecem arbitrários e caóticos. Provavelmente, os exemplos mais convincentes atualmente (e também os mais importantes, pelo fato de os princípios envolvidos serem muito abstratos e suas operações muito complexas) estejam no campo da fonologia, mas eles são complexos demais para serem apresentados no âmbito desta conferência.[20] Outro exemplo sintático que ilustra o problema geral de modo razoavelmente simples é fornecido pelas regras de formação das chamadas perguntas-*wh* em inglês.[21]

---

20 Ver as referências na nota 14. A questão é discutida de maneira geral, em meu artigo "Explanatory Models in Linguistics". In: E. Nagel; P. Suppes; A. Tarski (Eds.) *Logic, Methodology, and Philosophy of Science*. Stanford, Calif.: Stanford University Press, 1962; em meu livro *Current Issues*, Seção 2; em meu livro *Aspects*, Capítulo 1; e em outras publicações a que são feitas referências, nos livros citados.

21 Esse assunto é discutido em meu livro *Current Issues*. Há diversas versões dessa monografia. A primeira, apresentada no Congresso Internacional de Linguística, 1962, foi publicada nos *Proceedings of the Congress*, com o título da sessão em que foi apresentada, "Logical Basis of Linguistic Theory". (Ed.) H. Lunt. New York: Humanities, 1964; uma segunda versão aparece em J. Fodor e J. J. Katz (Eds.) *Structure of Language: Readings in the Philosophy of Language*. Englewood Cliffs, N. J.: Prentice-Hall, 1964; a terceira, como uma monografia independente. New York: Humanities, 1965. Tais versões diferem no tratamento dos exemplos aqui discutidos; nenhum dos tratamentos é satisfatório, e o problema geral permanece aberto. Ideias novas e interessantes sobre os tratamentos são apresentadas em J. Ross. "Constraints on Variables in Syntax", tese de doutorado no MIT (inédita). Sigo aqui as linhas gerais da mais antiga das três versões de *Current Issues*, a qual, retrospectivamente, me parece a abordagem mais promissora das três.

Consideremos sentenças como estas:

41 a. Who expected Bill to meet Tom?[ah]
b. Who(m) did John expect to meet Tom?[ai]
c. Who(m) did John expect Bill to meet?[aj]
d. What (books) did you order John to ask Bill to persuade his friends to stop reading?[ak]

Como mostram os exemplos *a*, *b* e *c*, uma frase nominal, em qualquer uma das três posições em itálico numa sentença como: "*John* expected *Bill* to meet *Tom*"[al], pode ser transformada em interrogação. O processo é essencialmente este:

42 a. *colocação de wh*: atribuir o marcador *wh*- a uma frase nominal.
b. *inversão de wh*: colocar a frase nominal marcada no começo da sentença.
c. *atração do auxiliar*: mover uma parte do auxiliar verbal ou a cópula para a segunda posição, na sentença.
d. *interpretação fonológica*: substituir a frase nominal marcada por uma forma interrogativa apropriada.[22]

Todos esses quatro processos se aplicam de modo não vazio, no caso de 41b e 41c. A sentença 41b, por exemplo, é formada

ah "Quem esperava Bill encontrar Tom?"
ai "Quem John esperava encontrar Tom?"
aj "Quem John esperava Bill encontrar?"
ak "Que (livros) você mandou que John pedisse a Bill que convencesse seus amigos a parar de ler?"
al "John esperava que Bill encontrasse Tom".
22 Na realidade, parece que apenas as frases nominais singulares indefinidas podem ser transformadas em interrogações (ou seja, "someone", "something" etc.), um fato que está relacionado com a questão da recuperabilidade da exclusão mencionada na nota 11. Ver meu livro *Current Issues*, para obter alguma discussão sobre o assunto.

pela aplicação da *colocação de wh* à frase nominal "someone" [alguém] em "John expected someone to meet Tom" [John esperava que alguém encontrasse Tom]. A aplicação do processo de *inversão de wh* (42b) dá "*wh*-someone John expected to meet Tom" . O processo de *atração do auxiliar* (42c) resulta em "*wh*-someone did John expect to meet Tom". Por fim, o processo de *interpretação fonológica* (42d) dá 41b. A sentença 41d ilustra o fato de que esses processos podem extrair uma frase nominal que esteja encaixada profundamente em uma sentença - sem limite, na verdade.

Dos processos elencados em 42, todos - menos a atração do auxiliar - se aplicam também à formação de orações relativas, produzindo frases como "the man who(m) John expected to meet Tom" [o homem que John esperava que encontrasse Tom], e assim por diante.

Note-se, porém, que há certas restrições nesse modo de formação de perguntas e relativas. Consideremos, por exemplo, as sentenças de 43:

43. a. For him to understand *this lecture* is difficult.[am]
    b. It is difficult for him to understand *this lecture*.[an]
    c. He read the book that interested *the boy*.[ao]
    d. He believed the claim that John tricked *the boy*.[ap]
    e. He believed the claim that John made about *the boy*.[aq]
    f. They intercepted John's message to *the boy*.[ar]

Suponhamos que tentemos aplicar os processos de formação de relativas e interrogações às frases nominais em itálico de 43.

am "Para ele entender *esta conferência* é difícil".
an "É difícil para ele entender *esta conferência*".
ao "Ele leu o livro que interessava o menino".
ap "Ele acreditou na afirmação de que John enganou *o menino*".
aq "Ele acreditou na afirmação que John fez sobre *o menino*".
ar "Eles interceptaram a mensagem de John para *o menino*".

Deveríamos derivar as seguintes interrogações e relativas a partir de 43a-43f, respectivamente:

44. aI. *What is for him to understand difficult? [O que é para ele entender difícil?]
    aR. *a lecture that for him to understand is difficult [uma conferência que para ele entender é difícil]
    bI. What is it difficult for him to understand? [O que é difícil para ele entender?]
    bR. a lecture that it is difficult for him to understand [uma conferência que é difícil para ele entender]
    cI. *Who did he read the book that interested? [Quem leu ele o livro que interessou?]
    cR. *the boy who read the book that interested [o menino que leu o livro que interessou]
    dI. *Who did he believe the claim that John tricked? [Quem acreditou ele a reclamação que John enganou?]
    dR. the boy who he believed the claim that John tricked [o menino que ele acreditou a reclamação que John enganou]
    eI. *Who did he believe the claim that John made about? [Quem acreditou ele a reclamação que John fez sobre?]
    eR. *the boy who he believed the claim that John made about [o menino que ele acreditou a reclamação que John fez sobre]
    fI. *Who did they intercept John's message to? [Quem interceptaram eles a mensagem de John para?]
    fR. *the boy who they intercepted John's message to [o menino que eles interceptaram a mensagem de John para]

Destas, só bI e bR são inteiramente aceitáveis, e os casos *a*, *c*, *d* e *e* são totalmente impossíveis, embora seja bastante claro o que significariam, se fossem gramaticalmente permitidos. Não é de modo algum óbvio como o falante de inglês sabe que assim seja. Dessa maneira, as sentenças 43a e 43b são sinônimas, embora só 43b esteja sujeita aos processos em questão. E, ainda que esses processos não se apliquem a 43d e 43f, podem ser aplicados, com resultados muito mais aceitáveis, às sentenças 45a e 45b, muito semelhantes:

45. a. He believed that John tricked *the boy*. (Who did he believe that John tricked? – the boy who he believed that John tricked)[as]
b. They intercepted a message to *the boy*. (Who did they intercept a message to? – the boy who they intercepted a message to)[at]

De um modo desconhecido, o falante de inglês concebe os princípios de 42 com base nos dados que lhe estão disponíveis; ainda mais misterioso, porém, é o fato de que ele saiba sob que condições formais esses princípios são aplicáveis. Não se pode sustentar seriamente que cada falante normal de inglês tenha tido seu comportamento "moldado" da maneira indicada por reforço adequado. As sentenças de 43, 44 e 45 são tão "não familiares", como a vasta maioria das que encontramos no dia a dia, embora saibamos intuitivamente, sem instrução ou consciência, como devem ser tratadas pelo sistema de regras gramaticais que dominamos.

Parece, mais uma vez, haver um princípio geral que dá conta de muitos desses fatos. Observe-se que, em 43a, a frase nominal em itálico está contida dentro de outra frase nominal, a saber, "for him to understand this lecture", que é o sujeito da sentença. Em 43b, porém, a regra de *extraposição* colocou a frase "for him to understand this lecture" fora da frase nominal sujeito e, na

---

as "Ele acreditou que John enganou *o menino*. (Quem acreditou ele que John enganou? – o menino que ele acreditou que John enganou)

at "Eles interceptaram uma mensagem para *o menino*. (Para quem eles interceptaram uma mensagem? – o menino para quem eles interceptaram uma mensagem.)

estrutura decorrente, essa frase não é de jeito algum uma frase nominal, de sorte que a frase em itálico em 43b não está mais contida dentro de uma frase nominal. Suponhamos que devêssemos impor às transformações gramaticais a condição de que nenhuma frase nominal pudesse ser extraída de dentro de outra frase nominal – de modo mais geral, que se uma transformação for aplicada a uma estrutura da forma

[S . . . [A . . .] A . . .] S

para qualquer categoria A, então deve ser interpretada como aplicando-se à frase *máxima* do tipo A.[23] Então, os processos de 42 seriam bloqueados, como necessário, nos casos 43*a*, *c*, *d*, *e* e *f*, mas não em 43b. Voltaremos em breve a 45.

Há outros exemplos em favor de um princípio desse tipo, a que chamaremos princípio *A-sobre-A*. Observemos as sentenças de 46:

46. a. John kept the car in *the garage*.[au]
    b. Mary saw the man walking toward *the railroad station*.[av]

Cada uma delas é ambígua. Assim, 46a pode significar que o carro na garagem foi guardado por John, ou que o carro foi guardado na garagem por John. No primeiro caso, a frase em

23 Poderíamos ampliar esse princípio, para que essa transformação também se aplique à frase *mínima* do tipo S (sentença). Assim, a sentença

$[_S$ John was convinced that $[_S$ Bill would leave before dark$]_S]_S$

pode ser transformada em "John was convinced that before dark Bill would leave", mas não em "before dark John was convinced that Bill would leave", que deve ter uma origem diferente. Como o princípio original, esta extensão não deixa de ter seus problemas, mas tem certa dose de fundamento.

au "John guardou o carro *na garagem*."

av "Mary viu o homem caminhando na direção *da estação ferroviária*."

itálico é parte de uma frase nominal, "the car in the garage" (o carro na garagem); no segundo caso, não o é. Analogamente, 46b pode querer dizer que o homem caminhando na direção da estação ferroviária foi visto por Mary ou que o homem foi visto caminhando na direção da estação ferroviária por Mary (ou, o que é irrelevante para esta discussão, que Mary, enquanto caminhava na direção da estação ferroviária, viu o homem). Mais uma vez, no primeiro caso, a frase em itálico é parte de uma frase nominal, "the man walking toward the railroad station" (o homem caminhando na direção da estação ferroviária); no segundo caso, não o é. Mas consideremos agora as duas interrogações de 47:

47. a. What (garage) did John keep the car in?[aw]
    b. What did Mary see the man walking toward?[ax]

Nenhuma dessas interrogações é ambígua e cada uma delas só pode ter a interpretação da sentença subjacente, em que a frase em itálico não é parte de outra frase nominal. O mesmo vale para as relativas formadas a partir de 46, e esses fatos também seriam explicados pelo princípio A-sobre-A. Há muitos exemplos semelhantes.

Um caso ligeiramente mais sutil que pode, talvez, ser explicado da mesma maneira, é fornecido por sentenças como 48 e 49:

48 John has the best proof of the theorem.[ay]
49 What theorem does John have the best proof of?[az]

Na interpretação mais natural, a sentença descreve uma situação em que diversas pessoas têm provas desse teorema

aw "Em que garagem John guardou o carro?"
ax "Em direção a que Mary viu o homem caminhando?"
ay "John tem a melhor prova do teorema."
az "De que teorema John tem a melhor prova?"

e a de John é a melhor. O sentido, assim, sugere que "best" modifica a frase nominal "proof of that theorem", que contém outra frase nominal, "that theorem".[24] O princípio A-sobre-A, portanto, implicaria que a frase "that theorem" não esteja sujeita aos processos de 42. Portanto, 49 não seria derivada, por esses processos, a partir de 48. E, de fato, a sentença 49 tem uma interpretação um tanto diferente da 48. A sentença 49 é apropriada a uma situação em que John tem provas de muitos teoremas, e o questionador está perguntando qual dessas provas é a melhor. A estrutura subjacente, seja ela qual for, associaria "best" com "proof", não com "proof of that theorem", de forma que "that theorem" não está integrado numa frase do mesmo tipo e está, portanto, sujeito à formação de interrogação (e, de igual modo, à relativização).

O princípio geral que acabamos de propor tem certa força explicativa, como demonstram tais exemplos. Se postulado como um princípio de gramática geral, pode explicar por que as regras particulares do inglês operam para gerar certas sentenças, ao passo que rejeita outras, e para atribuir relações som-significado de um modo que parece, superficialmente, violar analogias regulares. Em outras palavras, se supusermos que o princípio A-sobre-A é parte de um esquematismo inato que determina a forma de conhecimento da língua, podemos dar conta de certos aspectos do conhecimento do inglês possuídos por falantes que obviamente não foram treinados e sequer foram apresentados a dados relacionados aos fenômenos em questão, de algum modo relevante, pelo que se pode afirmar.

24 O espaço não permite um exame da distinção implícita aqui, na frouxa terminologia "frase nominal", mas isto não é crucial para o ponto em questão. Ver minhas "Remarks on Nominalization". In: R. Jacobs e P. S. Rosenbaum (Eds.) *Readings in English Transformational Grammar*. Há outras interpretações de 49 (por exemplo, com o acento contrastivo em "John"), e há muitos problemas abertos relacionados com estruturas como essas.

Análises adicionais dos dados do inglês revelam, não de modo inesperado, que essa explicação é excessivamente simplificada e se choca com muitas dificuldades. Consideremos, por exemplo, as sentenças 50 e 51:

50 John thought (that) Bill had read *the book*.[ba]
51 John wondered why Bill had read *the book*. [bb]

No caso de 50, a frase em itálico está sujeita à formação de interrogação e à relativização, mas não no caso de 51. Não está claro se as frases "that Bill had read the book" e "why Bill had read the book" são frases nominais. Suponhamos que não o sejam. Então a sentença 50 é tratada de acordo com o princípio A-sobre-A, o que não ocorre com 51. Para explicar o bloqueio dos processos de 42, no caso de 51, teríamos de atribuir a frase "why Bill had read the book" à mesma categoria que "o livro". Na verdade, há uma sugestão natural nesse sentido. A sentença 51 é típica, pelo fato de a frase da qual a frase nominal deve ser extraída ser ela mesma uma frase *wh*-, e não uma frase *th*-. Suponhamos que o processo de colocação de *wh*- (42a) atribua o elemento *wh*- não só a "the book", em 51, mas também à proposição que o contém. Assim, tanto "*wh*- the book" quanto "why Bill had read the book" pertencem à categoria *wh*-, a qual seria agora vista como uma característica sintática de um tipo discutido em meu livro *Aspects of the Theory of Syntax* [Aspectos da teoria da sintaxe], Capítulo 2 (ver nota 6). Sob essas suposições, o princípio A-sobre-A servirá para explicar a diferença entre 50 e 51.

Suponhamos que as frases em questão sejam frases nominais. Agora é 50, e não 51, que apresenta o problema. Se nossa análise estiver correta até aqui, deve haver alguma regra que

ba "John achou (que) Bill havia lido *o livro*."
bb "John ficou pensando por que Bill havia lido *o livro*."

atribua à proposição "that Bill had read the book" uma propriedade de "transparência", que permita que frases nominais sejam extraídas dela, mesmo sendo uma frase nominal. Há, de fato, outros exemplos que sugerem a necessidade de tal regra, presumivelmente uma regra da gramática particular do inglês. Assim, consideremos as sentenças 52, 53 e 54:

52 Who would you approve of my seeing?[bc]
53 What would you approve of John's drinking?[bd]
54 *What would you approve of John's excessive drinking of?[be]

As sentenças 52 e 53 são formadas pela aplicação dos processos de formação de interrogação a uma frase nominal contida nas frases maiores "my seeing –," "John's drinking – ". Portanto, essas frases nominais maiores são transparentes à operação de extração. No entanto, como 54 indica, a frase nominal em itálico em 55 não é transparente a essa operação:

55 You would approve of John's excessive drinking of the beer.[bf]

Estes exemplos são típicos de muitos que sugerem qual poderia ser a regra que atribui transparência. Discutimos anteriormente a sentença 56 (sentença 4), indicando que ela é ambígua:

56 I disapprove of John's drinking.[bg]

Segundo uma interpretação, a frase "John's drinking" tem a estrutura interna de uma frase nominal. Assim, a regra que

bc "Quem você aprovaria que eu visse?"
bd "O que você aprovaria que John bebesse?"
be "O que aprovaria você do beber excessivo de John de?"
bf "Você aprovaria que John bebesse cerveja em excesso?"
bg "Eu desaprovo que John beba."

insere adjetivos (3d) entre um determinante e um nome se aplica, dando "John's excessive drinking"; e, na verdade, outros determinantes podem substituir "John's" – "the", "that", "much of that" etc. Segundo essa interpretação, a frase "John's drinking" comporta-se exatamente como "John's refusal to leave", "John's rejection of the offer" etc. De acordo com outra interpretação, "John's drinking (the beer)" não tem a estrutura interna de uma frase nominal e é tratada analogicamente com "John's having read the book", "John's refusing to leave", "John's rejecting the offer" etc., nenhuma das quais permite a inserção de adjetivo ou a substituição de "John's" por outros determinantes. Suponhamos que postulemos uma regra de gramática inglesa que atribua transparência, no sentido que acabamos de definir, a frases nominais que também sejam proposições sem a estrutura interna de frases nominais. Assim, às frases "that Bill had read the book" em 50, "my seeing" – na estrutura subjacente a 52 – e "John's drinking" – na estrutura subjacente a 53 – seria atribuída transparência; mais precisamente, a frase nominal dominante nesses exemplos não serviria para bloquear a extração pelo princípio A-sobre-A. Na sentença 51, a extração ainda seria bloqueada pela categoria *wh-*, da maneira indicada acima. E a sentença 54 é descartada, porque a frase nominal relevante da estrutura subjacente, "John's excessive drinking of –," tem, sim, a estrutura interna de uma frase nominal, como acabamos de observar, não estando, portanto, sujeita à regra especial de gramática inglesa que atribui transparência à categoria FN, quando esta domina uma proposição que carece da estrutura interna de uma FN.

Existem alguns poucos outros casos que sugerem a necessidade de regras de gramática particular, as quais atribuam transparência, nesse sentido. Consideremos as sentenças 57 e 58:

57 a. They intercepted John's message to *the boy*. (Sentença 43f)

b. He saw John's picture of *Bill*.[bh]
c. He saw the picture of *Bill*.[bi]

58. a. They intercepted a message to *the boy*. (Sentença 45b)
b. He saw a picture of *Bill*.[bj]
c. He has a belief in *justice*.[bl]
d. He has faith in *Bill's integrity*.[bm]

As frases nominais em itálico, em 57, não estão sujeitas aos processos de formação de interrogação e relativização, de acordo com o princípio A-sobre-A, como já observamos. No caso de 58, a formação de interrogação e relativização parecem muito mais naturais nessas posições, pelo menos no inglês falado informal. Assim, deve ser atribuída transparência às frases nominais que contêm as frases em itálico. Parece que o que está envolvido é a indefinição da frase nominal dominante; se assim for, para certos dialetos, há uma regra que atribui transparência a uma frase nominal da forma

59. [FN indefinida. . . FN] FN

Permanecem numerosos problemas muito sérios, que parecem resistir à solução por tais extensões e modificações do princípio A-sobre-A. Note-se que esse princípio é formulado de uma forma que não é realmente bem corroborada pelos exemplos dados até agora. Se o princípio A-sobre-A fosse verdadeiro em geral, seria de esperar que se encontrassem casos em que uma frase de categoria A não pudesse ser extraída de uma frase maior de categoria A, para diversas escolhas de A. Na verdade,

---

bh "Ele viu a foto de John de *Bill*."
bi "Ele viu a foto de *Bill*."
bj "Ele viu uma foto de *Bill*."
bl "Ele tem uma crença na *justiça*".
bm "Ele tem fé na *integridade de Bill*."

os exemplos dados até aqui envolvem apenas A = frase nominal (ou, talvez, A = [+ *wh-*], como na discussão de 51). Uma formulação alternativa do princípio, portanto, coerente com os fatos que acabamos de observar atribuiria não transparência como uma propriedade *ad hoc* de certo tipo de frases nominais (e, talvez, de outras construções), em vez de como uma propriedade de uma categoria A que domine outra categoria de tipo A. Dados apenas os fatos apresentados até agora, seria correto postular o princípio A-sobre-A em lugar dessa alternativa, justamente porque o princípio A-sobre-A tem certa naturalidade, ao passo que a alternativa é completamente *ad hoc*, uma listagem de estruturas não transparentes. No entanto, existem indícios cruciais, indicados por John Ross (ver a referência na nota 21), que sugerem que o princípio A-sobre-A não é correto. Ross assinala que, nas construções das quais as frases nominais não podem ser extraídas, os adjetivos tampouco podem ser extraídos. Assim, consideremos os contextos "I believe that John saw-" [Creio que John viu...], "I believe the claim that John saw-" [Creio na asserção de que John viu...] e "I wonder whether John saw-" [Fico imaginando se John viu...]. Do primeiro deles, mas não do segundo ou do terceiro, podemos extrair uma frase nominal na formação de interrogação ou relativização, um fato que vimos tentando explicar por modificações do princípio A-sobre-A. Mas o mesmo é verdade da extração de adjetivos. Assim, podemos formar "handsome though I believe that John is" [por mais bonito que eu creia que John seja], mas não *"handsome though I believe the claim that John is" [por mais bonita que eu creia que a asserção que John seja], *"handsome though I wonder whether John is" [por mais bonito que eu fique imaginando se John é] etc. Se se pode ampliar a abordagem que acabamos de discutir para dar conta deste problema de uma forma natural, não sei; no momento, não vejo nenhuma abordagem que não envolva uma etapa completamente *ad hoc*. Isso talvez indique que a abordagem pelo princípio A-sobre-A esteja incorreta, deixando-nos por enquanto apenas com uma coleção de construções em que a extração é, por alguma razão, impossível de se fazer.

Seja qual for a resposta, o complexo de problemas que acabamos de discutir é uma ilustração típica e importante do tipo de tema que está hoje na ponta da pesquisa, no sentido mencionado no início desta conferência: ou seja, certos problemas podem ser formulados claramente dentro de um quadro de ideias razoavelmente claras e bem entendidas; certas soluções parciais podem ser propostas; e um leque de exemplos pode ser descoberto em que essas soluções fracassam, deixando aberta por enquanto a questão de se é necessária maior elaboração e refinamento ou uma abordagem radicalmente diferente.

Até agora discuti diversos tipos de condições a que as transformações podem satisfazer: condições de exclusão, do tipo mostrado nos exemplos 8-18; o princípio de aplicação cíclica, ilustrado na discussão dos exemplos 28-40 (com o análogo fonológico, discutido em ligação com 27); e o princípio A-sobre-A, proposto como base para uma explicação de fenômenos como os ilustrados pelos exemplos 44-58. Em cada um dos casos, há alguma razão para se acreditar que o princípio é adequado, embora não faltem evidências que mostrem estar o princípio formulado inadequada ou, talvez, equivocadamente. Como ilustração final desse estado de coisas, típico da pesquisa de ponta que existe na linguística, como em qualquer outra área, consideremos um problema discutido pela primeira vez por Peter Rosenbaum (ver a referência na nota 6). Sejam as sentenças de 60:

60. a. John agreed to go.[bn]
 b. John persuaded Bill to leave.[bo]
 c. Finding Tom there caused Bill to wonder about John.[bp]

---

bn "John concordou em ir."
bo "John persuadiu Bill a partir."
bp "Encontrar Tom ali fez que Bill se admirasse com John."

Ao interpretarmos essas sentenças, fornecemos um "sujeito faltante" para os verbos "go" (ir), "leave" (partir) e "find" (encontrar), respectivamente. Em 60a, compreendemos que o sujeito de "go" é "John"; em 60b, compreendemos que o sujeito de "leave" é "Bill"; em 60c, compreendemos que o sujeito de "find" e o sujeito de "wonder" são "Bill". Nos termos do quadro pressuposto até aqui, seria natural (embora talvez não necessário, como veremos abaixo) considerar esse sujeito faltante como o sujeito real na estrutura profunda, eliminado por uma operação de exclusão. Assim, as estruturas profundas subjacentes poderiam ser algo como 61:

61. a. John agreed [John go][bq]
    b. John persuaded Bill [Bill leave][br]
    c. [Bill find Tom there] caused Bill to wonder about John[bs]

Por outro lado, os fatos indicam claramente que as sentenças de 60 não podem derivar de, digamos, 62:

62. a. John agreed [someone go][bt]
    b. John persuaded Bill [John leave][bu]
    c. [John find Tom there] caused Bill to wonder about John[bv]

Seria difícil alegar que haja, em tais casos, uma consideração semântica intrínseca que proíba estruturas como as de 62. Por exemplo, poder-se-ia interpretar 62a como significando que John concordou que alguém devesse partir; 62b como significando que John persuadiu Bill de que ele (John) partiria ou deveria par-

bq "John concordou [John ir]."
br "John persuadiu Bill [Bill partir]."
bs "[Bill encontrar Tom ali] fez que Bill se admirasse com John."
bt "John concordou [alguém ir]."
bu "John persuadiu Bill [John partir]."
bv "[John encontrar Tom ali] fez que Bill se admirasse com John."

tir; 62c como significando que o fato de John encontrar Tom lá fez que Bill se admirasse com John. Deve haver algum princípio sintático geral que proíba 62 como fonte possível de 60, e que nos faça interpretar 60 como baseado em 61. Rosenbaum sugere que o que está envolvido é certa condição sobre a exclusão de operações, um "princípio de cancelamento" que prescreve, *grosso modo*, que o sujeito de uma proposição encaixada seja excluído pela frase nominal mais próxima fora da proposição, sendo a "proximidade" medida em termos do número de ramos numa representação como a de 1' ou 2'.[25] Conforme ele demonstra, muitíssimos exemplos de vários tipos podem ser explicados com base nessa suposição geral, que, como as outras que tenho examinado, pressupõe uma condição acerca de transformações que fariam parte da gramática universal.

Aqui também, no entanto, surgem certos problemas. Consideremos, por exemplo, os seguintes casos:[26]

63. John promised Bill to leave.[bw]
64. a. John gave me the impression of working on that problem.[bx]
    b. John gave me the suggestion of working on that problem.[by]
65. a. John asked me what to wear.[bz]
    b. John told me what to wear.[ca]

---

25 Num trabalho ainda inédito, David Perlmutter apresentou um forte argumento de que o que está envolvido não é uma condição referente às transformações, mas sim uma condição acerca de estruturas profundas bem formadas. A distinção não é crucial para o que se segue, porém se tornaria importante num nível de discussão menos superficial.

26 Os exemplos 63 e 67 são discutidos por Rosenbaum; o 64 foi indicado por Maurice Gross; o 65 foi apontado, num contexto diferente, por Zeno Vendler, "Nominalizations". In: *Transformations and Discourse Analysis Papers*, n.55, Philadelphia: University of Pennsylvania, 1964, p.67.

bw "John prometeu a Bill partir."

bx "John me deu a impressão de trabalhar neste problema."

by "John me deu a sugestão de trabalhar neste problema."

bz "John perguntou-me o que vestir."

ca "John disse-me o que vestir."

66. John asked Bill for permission to leave.[cb]
67. a. John begged Bill to permit him to stay.[cc]
    b. John begged Bill to be permitted to stay.[cd]
    c. John begged Bill to be shown the new book.[ce]
68. John made an offer to Bill (received advice from Bill, received an invitation from Bill) to stay.[cf]
69. John helped Bill write the book.[cg]

A sentença 63 viola o princípio, pois é John, não Bill, que deve sair. Em 64a, entende-se que "John" é o sujeito de "work", ao passo que na sentença 64b, aparentemente análoga, entende-se que o sujeito é "I". No caso de 65a, entende-se que é "John" o sujeito de "wear"; em 65b, é "I". No caso de 66, entende-se que "John" é o sujeito de "leave" e "Bill", de "permit", subjacente a "permission", provavelmente; no caso de 67a, entende-se que "Bill" é o sujeito superficial da proposição encaixada, mas, em 67b e 67c, é "John", embora "Bill" seja a frase nominal "mais próxima" nos três casos, no sentido de Rosenbaum. Em 68, é "John" que se entende ser o sujeito de "stay", em aparente contradição com o princípio, embora muito dependa de questões não resolvidas sobre como essas sentenças devem ser analisadas. O caso de 69 é obscuro de outras maneiras. O princípio de cancelamento sugeriria que "Bill" é o sujeito de "write", embora, é claro, a sentença não implique que Bill tenha escrito o livro – mais exatamente, John e Bill o escreveram juntos. Entretanto, há uma dificuldade se prosseguir nesta interpretação. Assim, de 69 podemos concluir que John ajudou a escrever o livro, mas da

cb "John pediu a Bill permissão para sair."
cc "John implorou a Bill que lhe permitisse ficar."
cd "John implorou a Bill que lhe fosse permitido ficar."
ce "John implorou a Bill que lhe fosse mostrado o novo livro."
cf "John fez uma oferta a Bill (recebeu conselho de Bill, recebeu um convite de Bill) para ficar."
cg "John ajudou Bill a escrever o livro."

sentença aparentemente análoga "John helped the cat have kittens" [John ajudou a gata a ter gatinhos] não podemos deduzir que "John helped have kittens" [John ajudou a ter gatinhos], que é irregular, um fato que sugere que de algum modo deva haver uma relação gramatical entre "John" e "write", em 69. Em outras palavras, o problema é como dar conta de "John helped write the book" como análogo a 60a, uma vez que obviamente o análogo a 61 não serve de fonte.

Sem ir mais adiante na matéria, podemos ver que, embora o princípio de cancelamento tenha muito a seu favor e provavelmente esteja de algum modo envolvido na solução correta desse emaranhado de problemas, há muitos dados ainda por explicar. Como em outros casos mencionados, há uma variedade de questões ligadas às condições que determinam a aplicabilidade de transformações, que ainda resistem a qualquer solução quase definitiva, embora possam ser feitas algumas propostas interessantes e esclarecedoras, as quais parecem avançar na direção de uma solução geral.

Ao discutir a natureza das operações gramaticais, limitei-me a exemplos sintáticos e fonológicos, evitando questões de interpretação semântica. Se uma gramática deve caracterizar a inteira competência linguística do falante-ouvinte, deve abranger também regras de interpretação semântica, mas pouco se conhece, de alguma profundidade, acerca desse aspecto da gramática. Nas referências citadas acima (ver a nota 6), propôs-se que uma gramática consiste num componente sintático que especifica um conjunto infinito de estruturas profundas e superficiais acopladas, e exprime a relação transformacional entre esses elementos acoplados, um componente fonológico que atribui uma representação fonética à estrutura superficial, e um componente semântico que confere uma representação semântica à estrutura profunda. Como se observou acima (p.69; ver também p.181-7), acho que há fortes indícios de que os aspectos da estrutura superficial sejam igualmente relevantes para a interpretação semântica.[27] Seja como for, há pouca dúvida de que uma gramática completa deva conter regras razoavelmente complexas de interpretação semântica, adaptadas, pelo menos em parte, a propriedades razoavelmente específicas dos itens lexicais e das estruturas formais da língua em questão. Para mencionar um só exemplo, consideremos a sentença 70:

70. John has lived in Princeton.[ch]

A partir da suposição de que essa sentença tenha sido usada de maneira adequada para fazer uma asserção, podemos concluir que John é uma pessoa (não se diria que seu cão viveu em Princeton); que Princeton é um lugar que satisfaz a certas condições físicas e sociológicas (dado que "Princeton" é um nome próprio); que John está vivo atualmente (posso dizer, em inglês, "I have lived in Princeton", mas não posso dizer hoje "Einstein has lived in Princeton" – mas sim "Einstein lived in Princeton"); e assim por diante. A interpretação semântica de 70 deve ser tal que dê conta desses fatos.

Em parte, tais questões podem ser subsumidas sob uma semântica universal ainda a ser desenvolvida, em que os conceitos e as suas relações sejam analisados de modo muito geral; para tomar um exemplo clássico, poder-se-ia alegar que a relação de significado entre "John is proud of what Bill did" [John

---

27 Para consultar algumas observações acerca desse problema, ver meu artigo "Surface Structure and Semantic Interpretation". In: R. Jakobson (Ed.) *Studies in General and Oriental Linguistics*. Tóquio: TEC Corporation for Language and Educational Research, 1970. A literatura referente à interpretação semântica de estruturas sintáticas vem expandindo-se com razoável velocidade. Para consultar a discussão recente, ver J. J. Katz, *The Philosophy of Language*. New York: Harper & Row, 1966; U. Weinreich, "Explorations in Semantic Theory". In: T. A. Sebeok (Ed.) *Current Trends in Linguistics*, v.III. New York: Humanities, 1966; J. J. Katz, "Recent Issues in Semantic Theory". In: *Foundations of Language*, v.3, n.2, maio de 1967, p.124-94; e muitos outros artigos.

ch "John viveu em Princeton."

está orgulhoso do que Bill fez] e "John has some responsibility for Bill's actions" [John tem certa responsabilidade pelos atos de Bill] deve ser explicada em função dos conceitos universais de orgulho e responsabilidade, assim como no nível da estrutura sonora se poderia apelar para um princípio de fonética universal, para explicar o fato de que, quando uma consoante velar se torna palatal, normalmente se torna estridente (ver as referências na nota 14, para discussão). A proposta parece menos atraente, quando aplicada ao caso de 70, por exemplo, com relação ao fato de que o uso adequado de 70 implica que John esteja vivo hoje. Quando tentamos ir adiante nessa discussão, logo nos perdemos num emaranhado de questões confusas e de problemas obscuros, e é difícil propor respostas convincentes. Por essa razão, não sou capaz de discutir condições para as regras da interpretação semântica que possam ser análogas às condições para as regras sintáticas e fonológicas, mencionadas acima.

Observe-se que eu poderia muito bem ter-me enganado na observação anterior, ao supor que os temas discutidos pertencem à sintaxe e não ao componente semântico de uma gramática, ou a alguma área em que regras semânticas e sintáticas se interpenetrem. As questões estão nebulosas demais, para podermos dizer que se trata de uma questão empírica, nas atuais circunstâncias; todavia, quando forem refinadas, poderemos descobrir que é possível colocar uma questão empírica. Levemos em conta, por exemplo, a discussão do princípio de cancelamento na sintaxe. Joseph Emonds sugeriu (num trabalho inédito) que é incorreto supor, como eu supus, que as sentenças de 60 sejam interpretadas por uma referência às estruturas subjacentes de 61. Mais exatamente, alega ele que o que tomei como uma proposição encaixada não tem nenhum sujeito na forma subjacente gerada pelo componente sintático, e uma regra geral de interpretação semântica toma o lugar do princípio de cancelamento de Rosenbaum. Se isso está correto eu não sei, mas certamente é uma possibilidade. Podemos esperar, enquanto a pesquisa prossegue com os problemas de gramática, que as fronteiras que hoje parecem claras talvez se desloquem de maneira imprevisível, ou que alguma nova base para a organização da gramática possa substituir o quadro conceitual que hoje nos parece adequado.

As condições das regras gramaticais que venho discutindo são complexas e somente compreendidas em parte. Deve-se ressaltar, porém, que até mesmo algumas das mais simples e claras condições da forma da gramática não são de modo nenhum propriedades necessárias de um sistema que abrange as funções da linguagem humana. Analogamente, não pode ser ignorado de modo leviano o fato de se mostrarem verdadeiras acerca das línguas humanas em geral e de desempenharem um papel na competência linguística adquirida do falante-ouvinte. Consideremos, por exemplo, o simples fato de as transformações gramaticais serem invariavelmente *dependentes da estrutura*, no sentido de se aplicarem a uma sequência de palavras[28] em virtude da organização dessas palavras em frases. É fácil imaginar operações *independentes de estrutura* que se apliquem a uma sequência de elementos de modo totalmente independente de sua estrutura abstrata como um sistema de frases. Por exemplo, a regra que forma as interrogações de 71 a partir das declarativas correspondentes de 72 (ver nota 10) é uma regra dependente da estrutura que troca uma frase nominal pelo primeiro elemento do auxiliar.

71. a. Will the members of the audience who enjoyed the play stand?[ci]
    b. Has Mary lived in Princeton?[cj]
    c. Will the subjects who will act as controls be paid?[cl]

---

28 Mais corretamente, a uma sequência de unidades linguísticas mínimas que podem ou não ser palavras.

ci "Vão os membros da plateia que gostaram da peça levantar-se?"

cj "Viveu Mary em Princeton?"

cl "Serão pagos os pacientes que servem de controle?"

72. a. The members of the audience who enjoyed the play will stand.[cm]
    b. Mary has lived in Princeton.[cn]
    c. The subjects who will act as controls will be paid.[co]

Em contraste, consideremos a operação que inverte a primeira e a última palavras de uma sentença, ou que arranja as palavras de uma sentença em tamanho crescente, em função dos segmentos fonéticos ("pondo em ordem alfabética", de determinada maneira, os itens de comprimento igual) ou que move a ocorrência mais à esquerda da palavra "will" para a extrema esquerda – chamemo-las O_1, O_2 e O_3, respectivamente. Aplicando O_1 a 72a, derivamos 73a; aplicando O_2 a 72b, derivamos 73b; aplicando O_3 a 72c, derivamos 73c:

73. a. stand the members of the audience who enjoyed the play will
    b. in has lived Mary Princeton
    c. will the subjects who acts as controls will be paid

As operações O_1, O_2 e O_3 são independentes da estrutura. Inúmeras outras operações desse tipo podem ser especificadas.

Não há nenhuma razão *a priori* pela qual a linguagem humana deva fazer uso exclusivamente de operações dependentes da estrutura, como a interrogação em inglês, em vez de operações independentes da estrutura, como O_1, O_2 e O_3. Dificilmente se pode argumentar que as últimas sejam mais "complexas" em algum sentido absoluto; nem se pode mostrar que elas sejam mais produtoras de ambiguidade ou mais nocivas à eficiência da comunicação. Porém, nenhuma língua humana contém ope-

---

cm "Os membros da plateia que gostaram da peça vão levantar-se."
cn "Mary viveu em Princeton."
co "Os pacientes que servirão de controle serão pagos."

rações independentes da estrutura entre as (ou em substituição das) transformações gramaticais dependentes da estrutura. O aprendiz da língua sabe que a operação que dá 71 é uma candidata possível a uma gramática, ao passo que O_1, O_2 e O_3 e quaisquer operações como elas, nem precisam ser consideradas hipóteses provisórias.

Se estabelecermos a "distância psíquica" adequada de fenômenos comuns e elementares como esses, veremos que levantam alguns problemas não triviais para a psicologia humana. Podemos especular acerca da razão da necessidade de operações dependentes da estrutura,[29] mas temos de reconhecer que qualquer especulação dessa espécie deve envolver suposições acerca das capacidades cognitivas humanas que não são de modo algum óbvias ou necessárias. E é difícil evitar a conclusão de que, seja qual for sua função, a necessidade de operações dependentes da estrutura deve ser predeterminada, para o aprendiz da língua, por algum tipo de esquematismo restritivo inicial que dirige suas tentativas de adquirir competência linguística. Conclusões semelhantes parecem-me certas, *a fortiori*, no caso dos princípios mais profundos e complexos discutidos anteriormente, seja qual for a forma que venham a ter.

Resumindo: da maneira aqui esboçada, poderíamos desenvolver, por um lado, um sistema de princípios gerais de gramática universal,[30] e, por outro, gramáticas particulares construídas

---

29 Ver G. A. Miller e N. Chomsky. "Finitary Models of Language Users, Part II". In: R. D. Luce; R. Bush; E. Galanter (Eds.) *Handbook of Mathematical Psychology*, v.II. New York: Wiley, 1963, para obter algumas propostas referentes a este assunto.

30 Observe-se que estamos interpretando "gramática universal" como um sistema de condições para as gramáticas. Pode envolver uma subestrutura esquelética de regras que qualquer língua humana deve conter, mas também incorpora condições que devem ser satisfeitas por essas gramáticas e princípios que determinam como são elas interpretadas. Esta formulação parece afastar-se da visão tradicional, que considerava a gramática universal simplesmente uma subestrutura de cada gramática particular, um sistema de

e interpretadas de acordo com esses princípios. A interação entre os princípios universais e as regras particulares conduz a consequências empíricas como as que mostramos; em vários níveis de profundidade, essas regras e princípios fornecem explicações para fatos relativos à competência linguística – o conhecimento da linguagem possuído por cada falante normal – e a algumas das maneiras como esse conhecimento é posto em prática, no desempenho do falante ou ouvinte.

Os princípios de gramática universal oferecem um esquema muito restritivo ao qual qualquer língua humana deve conformar-se, bem como condições específicas que determinam como a gramática de cada uma dessas línguas pode ser usada. É fácil imaginar alternativas às condições formuladas (ou aquelas que são, com frequência, tacitamente assumidas). Essas condições, no passado, em geral passaram despercebidas, e hoje sabemos muito pouco a respeito delas. Se conseguirmos estabelecer a "distância psíquica" adequada dos fenômenos relevantes e pudermos "torná-los estranhos" para nós mesmos, veremos imediatamente que eles apresentam problemas muito sérios, que não podem ser declarados ou definidos como inexistentes. A consideração atenta de problemas como os aqui esboçados indica que, para explicar o uso normal da linguagem, devemos atribuir ao falante-ouvinte um complexo sistema de regras que envolvem operações mentais de natureza muito abstrata, as quais se aplicam a representações bastante distantes do sinal físico. Observamos, além disso, que o conhecimento da linguagem é adquirido com base em dados degenerados e restritos,

---

regras no núcleo mesmo de cada gramática. Essa visão tradicional também recebeu expressão em trabalhos recentes. Parece-me ter poucos méritos. Até onde dispomos de informação, há pesadas restrições quanto à forma e à interpretação da gramática em todos os níveis, desde as estruturas profundas da sintaxe, por intermédio do componente transformacional, até as regras que interpretam semântica e foneticamente as estruturas sintáticas.

e que ele é em boa medida independente da inteligência e de grandes variações na experiência individual.

Se um cientista enfrentasse o problema de determinar a natureza de um aparelho de propriedades desconhecidas, que funcione com base em dados do tipo disponível a uma criança e dê como "saída" (ou seja, como "estado final do dispositivo", neste caso) uma gramática particular do tipo que parece necessário atribuir à pessoa que sabe a língua, ele naturalmente procuraria princípios inerentes ou organizações que determinassem a forma da saída com base nos dados limitados à disposição. Não há razão para adotar uma visão mais preconceituosa ou dogmática, quando o aparelho de propriedades desconhecidas é a mente humana; especificamente, não há razão para supor, antes de qualquer argumento, que as suposições gerais empiristas que dominaram a especulação acerca dessas matérias tenham algum direito particular privilegiado. Ninguém conseguiu mostrar por que as suposições empiristas muito específicas sobre o modo como o nosso conhecimento é adquirido devam ser levadas a sério. Elas não parecem oferecer nenhum modo de descrever ou explicar as mais características e normais construções da inteligência humana, como a competência linguística. Por outro lado, certas suposições altamente específicas a respeito da gramática particular e universal dão alguma esperança de explicar os fenômenos com que deparamos, quando consideramos o conhecimento e o uso da linguagem. Especulando sobre o futuro, não parece improvável que a pesquisa ininterrupta, ao longo das linhas aqui indicadas, traga à luz um esquematismo muito restritivo que determine tanto o conteúdo da experiência quanto a natureza do conhecimento que dela surge, justificando e elaborando assim um pensamento tradicional acerca dos problemas da linguagem e da mente. É a esse assunto, entre outros, que me voltarei na conferência final.

3
Contribuições linguísticas ao estudo da mente: futuro

Ao discutir o passado, referi-me a duas grandes tradições que enriqueceram o estudo da linguagem de maneiras independentes e muito distintas; e, em minha última conferência, tentei dar algumas indicações sobre os temas que hoje aparecem no horizonte imediato, quando uma espécie de síntese de gramática filosófica e linguística estrutural parece tomar forma. Cada uma das grandes tradições de estudo e especulação que venho usando como ponto de referência estava associada a certa abordagem característica do problema da mente; poderíamos dizer, sem distorção, que cada uma delas evoluiu como um ramo específico da psicologia de sua época, à qual deu uma contribuição distinta.

Pode parecer paradoxal falar assim da linguística estrutural, dado seu antipsicologismo militante. No entanto, o paradoxo é mitigado quando observamos o fato de que esse antipsicologismo militante vale também para boa parte da própria psicologia contemporânea, em especial para aqueles ramos que até poucos anos atrás monopolizavam o estudo do uso e da aquisição da linguagem. Vivemos, afinal, na era da "ciência do comportamento", não da "ciência da mente". Não quero dar demasiada importância a uma inovação terminológica, mas acho que há certa significação na facilidade e na disposição com que o pensamento moderno a respeito do homem e da sociedade aceita a designação de "ciência do comportamento". Nenhuma pessoa sadia jamais duvidou de que o comportamento proporcione boa parte dos dados para esse estudo – todos os dados, se interpretarmos "comportamento" em um sentido suficientemente amplo. Mas o termo "ciência do comportamento" sugere uma mudança de ênfase não tão sutil no sentido dos dados mesmos e para longe dos princípios e estruturas mentais abstratos subjacentes mais profundos que poderiam ser iluminados pelos dados fornecidos pelo comportamento. É como se as ciências naturais devessem ser designadas como "a ciência das leituras de medidores". Na verdade, que seria de esperar das ciências naturais em uma cultura que se satisfizesse em aceitar essa designação para suas atividades?

A ciência do comportamento tem-se preocupado muito com dados e organização de dados, e até chegou a se considerar a si mesma uma tecnologia do controle do comportamento. O antimentalismo na linguística e na filosofia da linguagem conforma-se com essa mudança de orientação. Como mencionei em minha primeira conferência, acho que uma das principais contribuições da linguística estrutural moderna vem de seu êxito em tornar explícitos os pressupostos de uma abordagem antimentalista, integralmente operacional e behaviorista dos fenômenos da linguagem. Ao estender essa abordagem até seus limites naturais, ela estabeleceu as fundações para uma demonstração razoavelmente concludente da inadequação de tal abordagem dos problemas da mente.

De modo mais geral, creio que a significação de longo alcance do estudo da linguagem repousa no fato de que, nesse estudo, é possível dar uma formulação relativamente precisa e clara a algumas das questões centrais da psicologia, e trazer uma massa de dados relativos a elas. Além disso, o estudo da linguagem é, no momento, único na combinação que oferece de riqueza de dados e possibilidade de formulação precisa de questões fundamentais.

Seria, é claro, tolice tentar prever o futuro da pesquisa, e há de se entender que não pretendo que o subtítulo desta conferência seja levado muito a sério. É, porém, razoável supor que a principal contribuição do estudo da linguagem venha a ser a compreensão que ele dá sobre o caráter dos processos mentais e das estruturas que eles formam e manipulam. Portanto, em vez de especular sobre o provável curso da pesquisa relativa aos problemas hoje em foco,[1] concentrar-me-ei agora em algumas das questões que surgem quando tentamos desenvolver o estudo da estrutura linguística como um capítulo da psicologia humana.

É muito natural esperar que um interesse pela linguagem continue ocupando uma posição central no estudo da natureza humana, como no passado. Todos os que se interessam pelo estudo da natureza humana e das capacidades humanas devem de alguma forma enfrentar o fato de que todos os seres humanos normais adquirem uma língua, ao passo que a aquisição, mesmo de seus mais simples rudimentos, está muito além das capacidades de um macaco, sob outros aspectos inteligente – fato esse que foi ressaltado, muito corretamente, na filosofia cartesiana.[2] É um pensamento amplamente difundido que os

1 Muitos desses problemas poderiam ser enumerados – por exemplo, o problema de como o conteúdo intrínseco das características fonéticas determina o funcionamento das regras fonológicas, o papel das condições formais universais na limitação da escolha das gramáticas e na interpretação empírica de tais gramáticas, as relações entre estruturas sintática e semântica, a natureza da semântica universal, modelos de desempenho que incorporam gramáticas gerativas etc.

2 As tentativas modernas de treinar macacos em comportamentos que os investigadores encaram como semelhantes à linguagem confirmam essa incapacidade, embora talvez os fracassos devam ser atribuídos à técnica de condicionamento operante e, portanto, pouco demonstrem sobre as capacidades reais do animal. Ver, por exemplo, o relatório de C. B. Ferster, Arithmetic Behavior in Chimpanzees, *Scientific American*, maio de 1964, p.98-106. Ferster tentou ensinar chimpanzés a fazerem corresponder os números binários 001,..., 111

vastos estudos modernos sobre a comunicação animal desafiem essa visão clássica; e é quase universalmente tido como óbvio que exista um problema de se explicar a "evolução" da linguagem humana a partir dos sistemas de comunicação animal. Um olhar atento aos recentes estudos de comunicação animal, porém, parece-me dar pouco apoio a essas suposições. Pelo contrário, tais estudos simplesmente mostram com clareza ainda maior o quanto a linguagem humana se revela um fenômeno único, sem análogo significativo no mundo animal. Se assim é, é completamente absurdo propor o problema de se explicar a evolução da linguagem humana com base em sistemas de comunicação mais primitivos, que aparecem em níveis mais baixos de capacidade intelectual. A questão é importante, e gostaria de insistir sobre ela por um momento.

O pressuposto de que a linguagem humana tenha evoluído de sistemas mais primitivos é desenvolvido de modo interessante por Karl Popper, em sua recém-publicada Conferência Arthur Compton, "Nuvens e relógios". Ele tenta mostrar como os problemas do livre-arbítrio e o dualismo cartesiano podem ser resolvidos pela análise dessa "evolução". Não estou interessado agora nas conclusões filosóficas que ele extrai dessa análise, mas sim com o pressuposto básico de que haja um desenvolvimento

---

a conjuntos de um a sete objetos. Relata ele que foram necessárias centenas de milhares de tentativas para se chegar a uma precisão de 95%, ainda que se tratasse de tarefa trivial. Evidentemente, mesmo nessa etapa os macacos não haviam aprendido o princípio da aritmética binária; não conseguiriam, por exemplo, fazer corresponder corretamente um número binário de quatro algarismos e, provavelmente se teriam saído igualmente mal na experiência, se ela tivesse envolvido uma associação arbitrária de números binários com conjuntos, em vez de a associação determinada pelo princípio da notação binária. Ferster deixa passar esse ponto crucial e, portanto, conclui erradamente que ensinou os rudimentos do comportamento simbólico. A confusão é composta por sua definição da linguagem como "um conjunto de estímulos simbólicos que controlam o comportamento" e pela sua estranha crença de que a "efetividade" da linguagem provenha do fato de os enunciados "controlarem desempenhos quase idênticos no falante e no ouvinte".

evolucionário da linguagem, a partir de sistemas mais simples, do tipo dos que descobrimos em outros organismos. Popper alega que a evolução da linguagem passou por diversas etapas, em especial uma "etapa mais baixa", em que gestos vocálicos são usados na expressão do estado emocional, por exemplo, e uma "etapa mais alta", em que o som articulado é utilizado na expressão do pensamento – nas palavras de Popper, na descrição e na argumentação críticas. Essa discussão das etapas da evolução da linguagem sugere uma espécie de continuidade, mas, na verdade, não estabelece nenhuma relação entre as etapas mais baixa e mais alta, e não sugere nenhum mecanismo pelo qual possa ocorrer a transição de uma etapa para a seguinte. Em suma, não apresenta nenhum argumento que mostre que as etapas pertençam a um único processo evolutivo. Na verdade, é difícil ver o que liga de algum modo essas etapas (salvo o uso metafórico do termo "linguagem"). Não há razão para supor que as "brechas" possam ser preenchidas. Tampouco há fundamento em se pressupor um desenvolvimento evolutivo das etapas "mais altas", a partir das "mais baixas", neste caso, em lugar de pressupor um desenvolvimento evolutivo do respirar para o caminhar; as etapas não têm uma analogia significativa, ao que parece, e dão a impressão de envolver processos e princípios completamente diferentes.

Um exame mais explícito da relação entre a linguagem humana e a comunicação animal aparece numa recente discussão feita pelo etologista comparativo W. H. Thorpe.[3] Ele assinala que os outros mamíferos, que não o homem, parecem carecer da capacidade humana de imitar sons e se poderia, portanto, esperar que os pássaros (muitos dos quais têm essa habilidade, em grau notável) fossem "o grupo capaz de desenvolver a linguagem no

---

3 W. H. Thorpe, "Animal Vocalization and Communication". In: F. L. Darley (Ed.) *Brain Mechanisms Underlying Speech and Language*. New York: Grune and Stratton, 1967, p.2-10 e as discussões às p.19 e 84-5.

verdadeiro sentido da palavra, e não os mamíferos". Thorpe não sugere que a linguagem humana tenha "evoluído" em algum sentido estrito com base em sistemas mais simples, mas argumenta que as propriedades características da linguagem humana podem ser encontradas nos sistemas de comunicação animal, embora "não possamos por enquanto dizer definitivamente que todas elas estejam presentes num determinado animal". As características compartilhadas pelas linguagens humana e animal são as propriedades de serem "propositais", "sintáticas" e "proposicionais". A linguagem é proposital "pelo fato de haver quase sempre na fala humana uma intenção definida de transmitir algo para outra pessoa, alterando seu comportamento, seus pensamentos ou sua atitude geral perante uma situação". A linguagem humana é "sintática", pelo fato de um enunciado ser um desempenho com uma organização interna, com estrutura e coerência. É "proposicional", pelo fato de transmitir informação. Nesse sentido, pois, tanto a linguagem humana quanto a comunicação animal são propositais, sintáticas e proposicionais.

Tudo isso talvez seja verdade, mas estabelece muito pouca coisa, pois, quando passamos ao nível de abstração a que pertençam tanto a linguagem humana quanto a comunicação animal, quase todos os outros comportamentos também são incluídos. Consideremos o caminhar: certamente, o caminhar é comportamento proposital, no sentido mais geral de "proposital". O caminhar é também "sintático", no sentido que acabamos de definir, como, de fato, Karl Lashley assinalou muito tempo atrás, em sua importante análise da ordem em série no comportamento, a que me referi na primeira conferência.[4] Além disso, ele pode certamente ser informativo; por exemplo, posso indicar meu interesse em atingir certo objetivo pela velocidade ou intensidade com que caminho.

---

4 K. S. Lashley. "The Problem of Serial Order in Behavior". In: L. A. Jeffress (Ed.) *Cerebral Mechanisms in Behavior.* New York: Wiley, 1951, p.112-36.

É, aliás, precisamente dessa maneira que os exemplos de comunicação que Thorpe apresenta são "proposicionais". Ele cita, como exemplo, o canto do pardal europeu, em que a velocidade da alternância de sinais de altura baixa e alta assinala a intenção do pássaro de defender seu território; quanto mais alta a velocidade de alternância, maior a intenção de defender o território. O exemplo é interessante, mas me parece mostrar de modo muito claro a impossibilidade da tentativa de relacionar a linguagem humana à comunicação animal. Todo sistema de comunicação animal conhecido (se deixarmos de lado certa ficção científica referente aos golfinhos) usa um de dois princípios básicos: ou consiste em um número finito fixo de sinais, cada qual associado a uma faixa específica de comportamento ou de estado emocional, como ilustrado nos grandes estudos sobre os primatas, realizados por cientistas japoneses, durante vários anos; ou então se vale de um número fixo e finito de dimensões linguísticas, cada uma das quais associada a uma dimensão não linguística particular, de tal modo que a escolha de um ponto na dimensão linguística determine e assinale certo ponto na dimensão não linguística associada. Este último é o princípio realizado no exemplo do canto do passarinho dado por Thorpe. A velocidade de alternância de altura baixa ou alta é uma dimensão linguística correlacionada à dimensão não linguística da intenção de defender um território. O passarinho assinala sua intenção de defender um território, escolhendo um ponto correlacionado na dimensão linguística da alternância de altura – uso a palavra "escolher" em sentido amplo, é claro. A dimensão linguística é abstrata, mas o princípio é claro. Um sistema de comunicação do segundo tipo tem uma esfera infinitamente grande de sinais potenciais, como a linguagem humana. O mecanismo e o princípio, porém, são completamente diferentes dos empregados pela linguagem humana para expressar um número indefinidamente grande de novos pensamentos, intenções, sentimentos etc. Não é correto falar em uma "deficiência" do sistema animal no que se refere à esfera de sinais potenciais; antes o contrário, uma vez que o sistema animal admite em princípio uma variação contínua na dimensão linguística (na medida em que faz sentido falar em "continuidade", em um caso desses), ao passo que a linguagem humana é discreta. Portanto, a questão não é de "mais" ou de "menos", mas sim de um princípio de organização completamente diferente. Quando faço algumas declarações quaisquer em uma língua humana – digamos, que "o surgimento das empresas multinacionais cria novos perigos para a liberdade humana" – não estou escolhendo um ponto em alguma dimensão linguística que assinale um ponto correspondente numa dimensão não linguística associada, nem estou escolhendo um sinal em meio a um repertório finito de comportamentos, inatos ou aprendidos.

Além disso, é errado pensar o uso humano da linguagem como caracteristicamente informativo, de fato ou de intenção. A linguagem humana pode ser usada para informar ou enganar, para esclarecer nossos próprios pensamentos ou exibir nossa esperteza ou simplesmente para diversão. Se falo algo *sem* nenhuma preocupação em modificar o comportamento ou os pensamentos de alguém, não estou usando menos a linguagem do que se disser exatamente as mesmas coisas *com* essa intenção. Se esperamos entender a linguagem humana e as capacidades psicológicas sobre as quais ela se baseia, devemos primeiro perguntar o que ela é, e não como ou com que objetivo é usada. Quando perguntamos o que é a linguagem humana, não encontramos nenhuma semelhança impressionante com os sistemas de comunicação animal. Nada há de útil a se dizer acerca do comportamento ou do pensamento, no nível de abstração em que a comunicação humana e animal se confundem. Os exemplos de comunicação animal examinados até hoje compartilham, sim, muitas das propriedades dos sistemas humanos gerais, e pode ser razoável explorar a possibilidade de ligação direta, neste caso. Contudo, a linguagem humana, ao que parece, baseia-se em princípios completamente distintos. Este, creio eu, é um ponto importante, muitas vezes deixado de lado por aqueles que abordam a linguagem humana como um fenômeno natural e biológico; em particular, parece um tanto irrelevante, por essas razões, especular acerca da evolução da linguagem humana a partir de sistemas mais simples – talvez tão absurdo quanto especular sobre a "evolução" dos átomos a partir das nuvens de partículas elementares.

Até onde sabemos, a posse da linguagem humana está associada a um tipo específico de organização mental, não simplesmente a um mais alto grau de inteligência. Parece não ter substância a visão de que a linguagem humana seja apenas um caso mais complexo de algo que se pode encontrar em outras partes do mundo animal. Isto coloca um problema para o biólogo, uma vez que, se for verdade, é um exemplo de real "emergência" – o aparecimento de um fenômeno qualitativamente diferente em uma etapa específica da complexidade da organização. O reconhecimento desse fato, embora formulado em termos completamente distintos, foi o que motivou boa parte do estudo clássico da linguagem por aqueles cujo principal interesse era a natureza da mente. E me parece que hoje não há melhor ou mais promissora maneira de explorar as propriedades essenciais e distintivas da inteligência humana do que pela investigação minuciosa da estrutura dessa posse exclusiva do homem. Uma opinião razoável, por conseguinte, é que, se puderem ser construídas gramáticas gerativas empiricamente adequadas e puderem ser determinados os princípios que governam sua estrutura e organização, esta será uma contribuição importante para a psicologia humana, de um modo que tratarei diretamente, em pormenor.

Ao longo destas conferências, mencionei algumas das ideias clássicas acerca da estrutura da linguagem e os esforços contemporâneos para aprofundá-las e ampliá-las. Parece claro que devemos considerar a competência linguística – o conhecimento de uma língua – como um sistema abstrato subjacente ao comportamento, um sistema constituído por regras que interagem para determinar a forma e o significado intrínseco de um número potencialmente infinito de sentenças. Um tal sistema – uma gramática gerativa – fornece uma explicação da ideia humboldtiana de "forma da linguagem", a qual, em uma observação obscura, mas sugestiva, de sua grande obra póstuma, *Über die Verschiedenheit des Menschlichen Sprachbaues* [Sobre a diversidade da estrutura linguística humana], Humboldt define como "esse sistema constante e invariante de processos subjacentes ao ato mental de elevar sinais organizados estruturalmente articulados à expressão do pensamento". Tal gramática define uma linguagem no sentido humboldtiano, a saber, "um sistema recursivamente gerado, em que as leis da geração são fixas e invariantes, mas o escopo e a maneira específica em que são aplicadas permanecem totalmente não especificadas".

Em cada uma dessas gramáticas, há elementos particulares, idiossincráticos, cuja seleção determina uma língua humana específica; e há elementos gerais universais, condições da forma e organização de qualquer língua humana, que constituem a matéria do estudo da "gramática universal". Entre os princípios da gramática universal, há os que discuti na conferência anterior – por exemplo, os princípios que distinguem as estruturas profundas e superficiais e que vinculam a classe de operações transformacionais que as relacionam. Note-se, aliás, que a existência de princípios definidos de gramática universal torna possível o surgimento do novo campo da linguística matemática, o qual submete ao estudo abstrato a classe de sistemas gerativos que satisfazem às condições estabelecidas pela gramática universal. Essa investigação visa a elaborar as propriedades formais de qualquer língua humana possível. A área está na infância; só na última década foi vislumbrada a possibilidade de tal empreendimento. Ela tem alguns resultados iniciais promissores e sugere uma possível direção para a pesquisa futura, que pode revelar-se de grande importância. Assim, a linguística matemática parece, no momento, estar em uma posição favorável única, entre as abordagens matemáticas nas ciências sociais e psicológicas, para desenvolver-se não apenas como uma teoria dos dados, mas como o estudo de princípios e estruturas muito abstratos que determinam o caráter dos processos mentais humanos. Neste caso, os processos mentais em questão são os envolvidos na organização de um domínio específico do conhecimento humano, a saber, o conhecimento da linguagem.

A teoria da gramática gerativa, tanto a particular como a universal, aponta para uma lacuna conceitual na teoria psicológica que, creio, vale a pena mencionar. A psicologia entendida como "ciência do comportamento" tem-se interessado pelo comportamento e pela aquisição ou controle do comportamento. Não dispõe de um conceito que corresponda a "competência", no sentido em que a competência é caracterizada por uma gramática gerativa. A teoria da aprendizagem limitou-se a um conceito estreito e certamente inadequado do que é aprendido – a saber, um sistema de conexões de estímulo-resposta, uma rede de associações, um repertório de itens de comportamento, uma hierarquia de hábitos ou um sistema de disposições a responder de um modo particular, sob condições especificáveis de estímulo.[5]

5 Essa limitação é revelada, por exemplo, em declarações como esta de W. M. Wiest, em "Recent Criticisms of Behaviorism and Learning". In: *Psychological Bulletin*, v.67, n.3, 1967, p.215-25: "Uma demonstração empírica... de que uma criança tenha aprendido as regras de gramática seria que ela exibisse o desempenho verbal chamado 'proferir as regras de gramática'. Que esse desempenho não costume ser adquirido sem um treinamento especial é algo atestado por muitos professores primários. Pode-se até falar de modo muito correto gramaticalmente sem se ter literalmente aprendido as regras da gramática." A incapacidade que Wiest tem de conceber outro sentido em que se pode dizer que a criança aprendeu as regras da gramática atesta a brecha conceitual que estamos discutindo. Uma vez que ele se recusa a considerar a questão do *que* é aprendido e a esclarecer essa noção, antes de perguntar *como* é aprendido, ele só pode conceber a "gramática" como as "regularidades comportamentais no entendimento e produção de fala" – uma caracterização

Na medida em que a psicologia do comportamento foi aplicada à educação ou à terapia, limitou-se analogamente a esse conceito do "que é aprendido". Todavia, uma gramática gerativa não pode ser caracterizada nesses termos. O que é necessário, além do conceito de comportamento e de aprendizagem, é um conceito do que é aprendido – uma noção de competência – que fica além dos limites conceituais da teoria psicológica behaviorista. Como boa parte da moderna linguística e da moderna filosofia da linguagem, a psicologia behaviorista aceitou muito conscientemente restrições metodológicas que não permitem o estudo de sistemas com a complexidade e abstração necessárias.[6] Uma importante contribuição futura do estudo da linguagem para a psicologia geral talvez venha a ser concentrar a atenção nessa brecha conceitual e demonstrar como esta pode ser preenchida pela elaboração de um sistema de competência subjacente em uma das áreas da inteligência humana.

Há um sentido óbvio em que qualquer aspecto da psicologia se baseia, em última análise, na observação do comportamento. Mas não é óbvio, de maneira alguma, que o estudo da aprendizagem deva proceder diretamente à investigação de fatores que controlam o comportamento ou de condições sob as quais um "repertório de comportamentos" seja estabelecido. Antes, é necessário determinar as características significativas desse repertório de comportamentos, os princípios sobre os quais ele

---

perfeitamente vazia, tal como está, não havendo nenhuma "regularidade comportamental" associada com o (para não falar em "no") entendimento e com a produção de fala. Não podemos queixar-nos do desejo de alguns investigadores de estudar "a aquisição e a manutenção de *ocorrências reais de comportamento verbal*" (ibidem). Permanece por ser demonstrado que esse estudo tenha algo a ver com o estudo da linguagem. Por enquanto, não vejo nenhuma indicação de que tal reivindicação possa ser substanciada.

6 Ver meu artigo "Some Empirical Assumptions in Modern Philosophy of Language". In: S. Morgenbesser; P. Suppes; M. White (Eds.) *Essays in Honor of Ernest Nagel*. New York: St. Martin's, 1969, para obter uma discussão da obra de Quine e Wittgenstein, desse ponto de vista.

é organizado. Um estudo significativo da aprendizagem só pode avançar depois que essa tarefa preliminar tiver sido executada e tiver levado a uma teoria razoavelmente bem estabelecida da competência subjacente – no caso da linguagem, à formulação da gramática gerativa que subjaz ao uso observado da linguagem. Tal estudo se interessará pela relação entre os dados disponíveis ao organismo e a competência que ele adquire; somente na medida em que a abstração para a competência tiver sido bem-sucedida – no caso da linguagem, na medida em que a gramática postulada seja "descritivamente adequada" no sentido descrito na Conferência 2 – pode a investigação da aprendizagem esperar alcançar resultados significativos. Se, em alguma área, a organização do repertório de comportamentos for muito trivial e elementar, pouco mal haverá em evitar a etapa intermediária de construção da teoria, em que tentamos caracterizar com exatidão a competência adquirida. Porém, não se pode contar com isso, e no estudo da linguagem esse certamente não é o caso. Com uma caracterização mais rica e mais adequada "do que é aprendido" – da competência subjacente que constitui o "estado final" do organismo em estudo – talvez seja possível abordar a tarefa de construir uma teoria da aprendizagem que seja muito menos limitada em alcance do que a moderna psicologia do comportamento revelou ser. Com certeza, é irrelevante aceitar restrições metodológicas que impeçam tal abordagem dos problemas da aprendizagem.

Há outras áreas da competência humana em que possamos esperar desenvolver uma teoria frutífera, análoga à gramática gerativa? Embora essa seja uma pergunta muito importante, pouco se pode falar a seu respeito, hoje. Poder-se-ia, por exemplo, considerar o problema de como uma pessoa chega a adquirir certo conceito de espaço tridimensional ou uma implícita "teoria da ação humana" em termos semelhantes. Tal estudo começaria com a tentativa de caracterizar a teoria implícita que subjaz ao desempenho real e então retornaria à questão de como essa teoria se desenvolve, sob as condições dadas de tempo e acesso aos dados – ou seja, de que modo o sistema de crenças resultante é determinado pela interação de dados avaliáveis, "procedimentos heurísticos" e o esquematismo inato que restringe e condiciona a forma do sistema adquirido. No momento, isto nada mais é que um esboço de um programa de pesquisa.

Houve certas tentativas de estudar a estrutura de outros sistemas semelhantes ao da linguagem – ocorre-nos o estudo dos sistemas de parentesco e das taxionomias populares, por exemplo. Mas até agora, pelo menos, nada se descobriu nessas áreas que seja sequer grosseiramente comparável à linguagem. Ninguém, que eu saiba, dedicou mais atenção a esse problema do que Lévi-Strauss. Por exemplo, seu recente livro sobre as categorias da mentalidade primitiva[7] é uma tentativa séria e ponderada de enfrentar tal questão. Não vejo, porém, que conclusões podem ser alcançadas a partir de um estudo desses materiais, além do fato de que uma mente selvagem tenta impor alguma organização ao mundo físico – que os seres humanos classificam, se é que realizam algum ato mental. Especificamente, a bem conhecida crítica de Lévi-Strauss ao totemismo reduz-se a pouco mais do que essa conclusão.

Lévi-Strauss molda suas investigações muito conscientemente na linguística estrutural, em especial na obra de Troubetzkoy e Jakobson. De maneira reiterada e com muita correção ele ressalta que não se pode simplesmente aplicar procedimentos análogos aos da análise dos fonemas a subsistemas da sociedade e da cultura. Mais precisamente, ele se interessa pelas estruturas "onde elas podem ser encontradas... no sistema de parentesco, na ideologia política, na mitologia, no ritual, na arte", e assim por diante,[8] e deseja examinar as propriedades

7 C. Lévi-Strauss. *The Savage Mind*. Chicago: University of Chicago Press, 1967; tradução brasileira *O pensamento selvagem*, CEN/Edusp, 1970.

8 Idem, *Structural Anthropology*. New York, Basic Books, 1963, p.85.

formais dessas estruturas em seus próprios termos. Entretanto, são necessárias várias reservas quando a linguística estrutural é assim utilizada como modelo. Uma das razões é que a estrutura do sistema fonológico é de muito pouco interesse como objeto formal; nada há de significativo a dizer, de um ponto de vista formal, acerca de um conjunto de quarenta e tantos elementos classificados em termos de oito ou dez características. A significação da fonologia estruturalista, tal como foi desenvolvida por Troubetzkoy, Jakobson e outros, não está nas propriedades formais dos sistemas fonêmicos, mas no fato de que um número razoavelmente pequeno de características, as quais podem ser especificadas em termos absolutos, independentes da linguagem, parecem proporcionar a base para a organização de todos os sistemas fonológicos. A façanha da fonologia estruturalista foi mostrar que as regras fonológicas de uma grande variedade de línguas se aplicam a classes de elementos que podem ser caracterizados simplesmente em termos dessas características; que as mudanças históricas afetam essas classes de maneira uniforme; e que a organização de características desempenha um papel fundamental no uso e na aquisição da linguagem. Esta foi uma descoberta da maior importância e estabelece a fundamentação para boa parte da linguística contemporânea. Mas, se fizermos abstração do conjunto universal específico de características e dos sistemas de regras em que elas funcionam, pouco resta que tenha alguma significação.

Além disso, cada vez mais, o atual trabalho na fonologia consiste em demonstrar que a real riqueza dos sistemas fonológicos está não nos padrões estruturais de fonemas, mas antes nos complexos sistemas de regras pelos quais esses padrões são formados, modificados e elaborados.[9] Os padrões estruturais que emergem em várias fases de derivação são uma espécie de epifenômeno. O sistema de regras fonológicas faz uso

9 Ver a discussão na conferência anterior e as referências ali citadas.

das características universais de maneira fundamental,[10] mas me parece que são as propriedades dos sistemas de regras que realmente lançam luz na natureza específica da organização da linguagem. Por exemplo, parece haver condições muito gerais, como o princípio de ordenação cíclica (examinado na conferência precedente) e outros ainda mais abstratos, que governam a aplicação dessas regras, e há muitas questões interessantes e não resolvidas sobre como a escolha de regras é determinada por relações intrínsecas e universais entre características. Além disso, a ideia de uma investigação matemática das estruturas da linguagem, a que Lévi-Strauss por vezes alude, apenas se torna significativa quando se consideram sistemas de regras com capacidade gerativa infinita. Nada há a dizer sobre a estrutura abstrata dos diversos padrões que aparecem nas várias etapas de derivação. Se isso estiver correto, não se pode esperar que a fonologia estruturalista, em si mesma, ofereça um modelo útil para a investigação de outros sistemas culturais e sociais.

Em geral, o problema de estender os conceitos da estrutura linguística a outros sistemas cognitivos parece-me, no momento, em estado não muito promissor, embora sem dúvida seja cedo demais para pessimismo.

Antes de voltarmos às implicações gerais do estudo da competência linguística e, mais especificamente, às conclusões da gramática universal, é bom certificar-nos do estatuto dessas conclusões à luz do atual conhecimento da diversidade possível da linguagem. Em minha primeira conferência, citei as observações de William Dwight Whitney a respeito do que ele chamava "a infinita diversidade da fala humana", a ilimitada variedade que, sustentava ele, abala as reivindicações da gramática filosófica à relevância psicológica.

---

10 O estudo das características universais está ele mesmo em considerável desenvolvimento. Ver N. Chomsky e M. Halle. *The Sound Pattern of English*. New York: Harper & Row, 1968, Capítulo 7, para uma discussão recente.

Os gramáticos filosóficos em geral consideraram que as línguas pouco variavam quanto às estruturas profundas, embora pudesse haver ampla variabilidade nas manifestações superficiais. Assim, há, segundo essa perspectiva, uma estrutura subjacente de relações e categorias gramaticais, e certos aspectos do pensamento e da mentalidade humanas são essencialmente invariantes de uma língua para outra, mesmo que as línguas possam diferir quanto a expressar as relações gramaticais formalmente por inflexão ou pela ordem das palavras, por exemplo. Além disso, uma investigação de seu trabalho indica que supuseram que os princípios subjacentes recursivos que geram a estrutura profunda sejam de certa maneira restritos – por exemplo, pela condição de que novas estruturas somente sejam formadas pela inserção de novo "conteúdo proposicional", novas estruturas que correspondem elas mesmas a sentenças simples reais, em posições fixas em estruturas já formadas. Analogamente, as transformações gramaticais que formam as estruturas superficiais por reordenação, elipse e outras operações formais devem elas próprias satisfazer a certas condições gerais fixas, como as examinadas na conferência anterior. Em suma, as teorias da gramática filosófica e as mais recentes elaborações dessas teorias fazem a suposição de que as línguas diferirão muito pouco, apesar da considerável diversidade da realização superficial, quando descobrirmos suas estruturas mais profundas e revelarmos seus mecanismos e princípios fundamentais.

É interessante observar que esse pressuposto persistiu mesmo durante o período do romantismo alemão, que estava, é claro, muito preocupado com a diversidade de culturas e com as muitas e ricas possibilidades de desenvolvimento intelectual humano. Assim, Wilhelm von Humboldt, atualmente mais lembrado por suas ideias acerca da variedade de línguas e a associação de diferentes estruturas de linguagem com "visões do mundo" divergentes, afirmou porém com firmeza que, subjacente a qualquer língua humana, descobrimos um sistema universal que simplesmente expressa os atributos intelectuais exclusivos do homem. Por essa razão, foi-lhe possível manter a ideia racionalista de que a linguagem não é realmente aprendida – certamente não é ensinada – mas antes se desenvolve "de dentro", de maneira essencialmente predeterminada, quando existem as condições ambientais adequadas. Não se pode realmente ensinar uma primeira língua, argumentou ele, mas apenas "oferecer o fio ao longo do qual ela se desenvolverá por si mesma", por processos mais próximos do amadurecimento do que do aprendizado. Esse elemento platônico presente no pensamento de Humboldt é ubíquo; para Humboldt, era natural propor uma teoria essencialmente platônica do "aprendizado" como o era para Rousseau fundamentar sua crítica das instituições sociais repressivas numa concepção da liberdade humana que deriva de supostos essencialmente cartesianos acerca das limitações da explicação mecânica. E, em geral, parece adequado interpretar boa parte tanto da psicologia quanto da linguística do período romântico como um desenvolvimento natural de concepções racionalistas.[11]

A questão levantada por Whitney contra Humboldt e a gramática filosófica em geral é de grande significação no que se refere às implicações da linguística para a psicologia humana geral. Evidentemente, essas implicações só podem ter um alcance realmente grande se a visão racionalista estiver essencialmente correta e, neste caso, a estrutura da linguagem possa efetivamente servir de "espelho da mente", tanto em seu aspecto particular quanto no universal. Muita gente crê que a antropologia moderna estabeleceu a falsidade dos pressupostos dos gramáticos universais racionalistas, demonstrando pelo estudo empírico que as línguas podem, de fato, exibir a mais ampla

11 Para consultar alguma discussão sobre essas matérias, ver meu livro *Cartesian Linguistics*. New York: Harper & Row, 1966; trad. bras. *Linguística cartesiana*. Petrópolis: Vozes, 1972.

diversidade. As afirmações de Whitney acerca da diversidade das línguas são reiteradas ao longo de todo o período moderno; Martin Joos, por exemplo, está apenas expressando a sabedoria convencional, ao considerar a conclusão básica da linguística antropológica moderna que "as línguas podem diferir ilimitadamente tanto em extensão quanto em direção".[12]

A crença de que a linguística antropológica tenha demolido os pressupostos da gramática universal parece-me totalmente falsa sob dois importantes aspectos. Primeiro, interpreta mal as ideias da gramática racionalista clássica, que sustentava serem as línguas semelhantes apenas no nível mais profundo, o nível em que são expressas as relações gramaticais e em que se devem achar os processos que proporcionam o aspecto criativo da linguagem. Segundo, a crença interpreta muito mal as descobertas da linguística antropológica, que, de fato, se limitou quase completamente a aspectos bastante superficiais da estrutura da linguagem.

Dizer isso não é criticar a linguística antropológica, um campo que trata de seus próprios fascinantes problemas – em especial, o problema de obter pelo menos algum registro das línguas do mundo primitivo, em rápido desaparecimento. É importante, porém, não perder de vista essa limitação fundamental de suas realizações, ao considerarmos a luz que ela possa lançar sobre as teses da gramática universal. Os estudos antropológicos (como os estudos de linguística estrutural em geral) não tentam revelar o núcleo subjacente dos processos gerativos da linguagem – ou seja, os processos que determinam os níveis mais

---

12 M. Joos (Ed.) *Readings in Linguistics.* 4.ed., Chicago: University of Chicago Press, 1966, p.228. Esta é conhecida como a "Tradição de Boas". A linguística norte-americana, afirma Joos, "assumiu a sua direção decisiva quando se decidiu que uma língua indígena podia ser descrita sem nenhum esquema preexistente do que uma língua deva ser..." (p.1). Isso, é claro, não poderia ser literalmente verdadeiro – os próprios procedimentos de análise exprimem uma hipótese acerca da possível diversidade das línguas. Há, no entanto, muita justiça na caracterização de Joos.

profundos de estrutura e constituem os meios sistemáticos para criação de sempre novos tipos de sentença. Obviamente, eles não podem, portanto, ter nenhuma relação real com a suposição clássica de que esses processos gerativos subjacentes só variem ligeiramente de língua para língua. Na verdade, o que os dados hoje disponíveis sugerem é que, se a gramática universal tem graves defeitos, como de fato tem, de um ponto de vista moderno, esses defeitos estão no fato de não conseguir reconhecer a natureza abstrata da estrutura linguística e impor condições fortes e restritivas suficientes para a forma de qualquer língua humana. E um aspecto característico do trabalho atual em linguística é seu interesse pelos universais linguísticos de um tipo que só pode ser detectado mediante a investigação minuciosa das línguas particulares, enquanto os universais governam as propriedades da linguagem que simplesmente são inacessíveis à investigação, dentro do limitado quadro que foi adotado, não raro por muito boas razões, na linguística antropológica.

Acho que, se contemplarmos o problema clássico da psicologia, o de dar conta do conhecimento humano, não podemos deixar de nos impressionar pela enorme disparidade entre conhecimento e experiência – no caso da linguagem, entre a gramática gerativa que expressa a competência linguística do falante nativo e os escassos e degenerados dados com base nos quais ele construiu para si mesmo essa gramática. Em princípio, a teoria da aprendizagem deve lidar com esse problema; mas na verdade ela o contorna, por causa da brecha conceitual que mencionei anteriormente. O problema sequer pode ser formulado de maneira sensata até desenvolvermos o conceito de competência, com os conceitos de aprendizagem e de comportamento, e aplicarmos esse conceito a alguma área. O fato é que esse conceito só tem sido, até hoje, amplamente desenvolvido e aplicado ao estudo da linguagem humana. É apenas nesse campo que demos pelo menos os primeiros passos na direção de uma explicação da competência, a saber, as gramáticas gerativas fragmentárias construídas para idiomas particulares. À medida que o estudo da linguagem progredir, podemos esperar com alguma confiança que essas gramáticas sejam ampliadas em alcance e profundidade, embora dificilmente seja surpresa se se descobrir que as primeiras propostas estavam fundamentalmente erradas.

Assim que tivermos uma primeira aproximação provisória de uma gramática gerativa de algumas línguas, poderemos pela primeira vez formular de modo útil o problema da origem do conhecimento. Em outras palavras, poderemos fazer a pergunta: que estrutura inicial deve ser atribuída à mente, que lhe permita construir tal gramática a partir dos dados dos sentidos? Algumas das condições empíricas que devem ser satisfeitas por qualquer uma dessas suposições sobre a estrutura inata são moderadamente claras. Nessa perspectiva, ela parece ser uma capacidade específica da espécie, essencialmente independente da inteligência, e podemos fazer uma estimativa razoavelmente boa da quantidade de dados necessários para que a tarefa seja realizada com bom êxito. Sabemos que as gramáticas que são de fato construídas variam apenas ligeiramente entre os falantes da mesma língua, apesar das grandes variações, não só em inteligência, mas também nas condições sob as quais a língua é adquirida. Como participantes de certa cultura, somos naturalmente conscientes das grandes diferenças em capacidade de uso da linguagem, em conhecimento do vocabulário etc., que resultam de diferenças na capacidade nativa e de diferenças nas condições de aquisição; normalmente, prestamos muito menos atenção nas semelhanças e no conhecimento comum, que consideramos óbvio. Entretanto, se conseguirmos estabelecer a distância psíquica necessária, se compararmos realmente as gramáticas gerativas que devem ser postuladas para diferentes falantes da mesma língua, descobriremos que as semelhanças que tomamos como óbvias são bastante pronunciadas e que as divergências são poucas e marginais. Na verdade, parece que dialetos superficialmente bastante remotos, até mesmo quase ininteligíveis a um primeiro contato, compartilham um vasto núcleo central de regras e processos comuns, e diferem muito pouco quanto às estruturas subjacentes, que parecem permanecer invariantes através de longos períodos históricos. Além disso, descobrimos um sistema substancial de princípios que não variam entre línguas que, até onde se sabe, não têm nenhuma relação umas com as outras.

Os problemas centrais dessa área são questões empíricas bastante simples, pelo menos em princípio, por mais difícil que possa ser resolvê-los de maneira satisfatória. Devemos postular uma estrutura inata que seja rica o bastante para dar conta da disparidade entre experiência e conhecimento, uma estrutura que possa dar conta da construção de gramáticas gerativas empiricamente justificadas, dentro das limitações dadas de tempo e de acesso aos dados. Ao mesmo tempo, essa postulada estrutura mental inata não deve ser rica e restritiva o bastante para excluir certas línguas conhecidas. Em outras palavras, há um limite superior e um limite inferior quanto ao grau e ao caráter exato da complexidade que pode ser postulada como estrutura mental inata. A situação factual é muito obscura, para dar lugar a muita diferença de opiniões sobre a verdadeira natureza dessa estrutura mental inata que torna possível a aquisição da linguagem. Parece-me, contudo, não haver dúvida de que esta é uma questão empírica, que pode ser resolvida, procedendo-se da maneira que acabei de esboçar de modo rudimentar.

Minha própria estimativa da situação é que o problema real para amanhã é o da descoberta de uma premissa sobre a estrutura inata que seja suficientemente rica, não o de achar uma premissa que seja suficientemente simples ou elementar para ser "plausível". Não há, que eu saiba, nenhuma noção razoável de "plausibilidade", nenhuma intuição sobre quais estruturas inatas sejam permissíveis, que possa orientar a pesquisa de uma "premissa suficientemente elementar". Seria mero dogmatismo sustentar, sem argumentos ou evidências, que a mente é mais simples em sua estrutura inata do que outros sistemas biológicos, assim como seria mero dogmatismo insistir em que a organização da mente deva necessariamente seguir certos princípios definidos, determinados antes da investigação e conservados apesar de quaisquer descobertas empíricas. Creio que o estudo dos problemas da mente tem sido muitíssimo prejudicado por uma espécie de apriorismo com que têm sido, em geral, abordados. Em especial, os pressupostos empiristas que dominaram o estudo da aquisição do conhecimento, durante muitos anos, parecem-me ter sido adotados sem nenhuma garantia, e não ter nenhum estatuto especial dentre as muitas possibilidades imagináveis sobre como funciona a mente.

Sob esse aspecto, é esclarecedor acompanhar o debate que surgiu desde que as ideias que acabo de esboçar foram propostas alguns anos atrás, como programa de pesquisa – eu deveria dizer, desde que essa posição renasceu dos mortos, pois, em significativa medida, ela é a abordagem racionalista tradicional, agora ampliada, precisada e tornada muito mais explícita no que se refere às conclusões provisórias alcançadas no estudo recente da competência linguística. Dois notáveis filósofos norte-americanos, Nelson Goodman e Hilary Putnam, deram recentemente contribuições para essa discussão – ambas equivocadas, em minha opinião, mas instrutivas nos equívocos que revelam.[13]

---

13 N. Goodman. "The Epistemological Argument"; e H. Putnam, "The Innateness Hypothesis and Explanatory Models in Linguistics". Juntamente com um artigo meu, eles foram apresentados no Simpósio sobre Ideias Inatas da American Philosophical Association e no Boston Colloquium for the Philosophy of Science, em dezembro de 1966. Os três ensaios aparecem em *Synthèse*, v.17, n.1, 1967, p.2-28, e em R. S. Cohen e W. M. Wartofsky (Eds.) *Boston Studies in the Philosophy of Science*, v.III. New York: Humanities, 1968, p.81-107. Uma discussão mais ampla dos artigos de Putnam e Goodman, ao lado de numerosas outras, aparece em minha contribuição ao simpósio "Linguistics and Philosophy", New York University, abril de 1968. In: S. Hook (Ed.) *Philosophy and Language*. New York: New York University Press, 1969. O ensaio foi reimpresso neste volume.

O tratamento dado por Goodman à questão padece, primeiro, de um equívoco histórico e, segundo, de uma falha na formulação correta da natureza exata do problema da aquisição do conhecimento. Seu equívoco histórico tem a ver com a disputa entre Locke e quem quer que Locke pensava estar criticando, em sua discussão das ideias inatas. Segundo Goodman, "Locke tornou... agudamente claro" que a doutrina das ideias inatas é "falsa ou carente de sentido". Na verdade, porém, a crítica de Locke teve pouca relevância para qualquer doutrina familiar do século XVII. O argumento aventado por Locke foi considerado e tratado de modo bastante satisfatório, nas discussões sobre as ideias inatas do início do século XVII, por exemplo, as de Lord Herbert e Descartes, ambos os quais consideraram óbvio que o sistema de ideias e princípios inatos não funcionaria, a menos que ocorresse a estimulação adequada. Por essa razão, os argumentos de Locke, nenhum dos quais tendo observado essa condição, carecem de força;[14] por alguma razão, ele evitou as questões que haviam sido discutidas no meio século anterior. Além disso, como observou Leibniz, a propensão de Locke a fazer uso de um princípio de "reflexão" torna quase impossível distinguir sua abordagem da dos racionalistas, salvo por não conseguir sequer dar os passos sugeridos por seus predecessores, na direção da especificação do caráter desse princípio.

---

14 Essa observação é um lugar-comum. Ver, por exemplo, o comentário de A. C. Fraser, em sua edição do *Essay Concerning Human Understanding* [Ensaio acerca do conhecimento humano] de Locke, 1894 (reimpresso pela Dover, 1959), notas 1 e 2, capítulo 1 (p.38 da edição da Dover). Como observa Fraser, a posição de Descartes é tal "que o argumento de Locke não o consegue atingir... Locke ataca [a hipótese das ideias inatas]... em sua forma mais crua, na qual não é defendida por nenhum advogado eminente." Goodman tem liberdade para usar o termo "ideia inata" em conformidade com a má interpretação dada por Locke à doutrina, se quiser, mas não para fazer a acusação de "sofisma", como o faz, quando outros examinam e desenvolvem a doutrina racionalista, na forma como foi realmente apresentada.

Mas, deixando de lado as questões históricas, acho que Goodman interpreta mal também o problema substantivo. Argumenta que o aprendizado da primeira língua não levanta nenhum problema, pois, antes de aprender a primeira língua, a criança já teria adquirido os rudimentos de um sistema simbólico em seu trato normal com o meio ambiente. Portanto, a aprendizagem da primeira língua é análoga à da segunda língua, pelo fato de o passo fundamental já ter sido dado, e os detalhes podem ser elaborados dentro de um quadro já existente. Esse argumento poderia ter certa força, se fosse possível mostrar que as propriedades específicas da gramática – digamos, a distinção entre estrutura profunda e superficial, as propriedades específicas das transformações gramaticais, os princípios de ordenação das regras etc. – estejam de alguma forma nesses "sistemas simbólicos" pré-linguísticos já adquiridos. Contudo, uma vez que não há a menor razão para acreditar que assim seja, o argumento esboroa-se. Ele se baseia num equívoco semelhante ao discutido anteriormente, em relação à ideia de que a linguagem tenha evoluído a partir da comunicação animal. Naquele caso, como observamos, o argumento girava em torno do uso metafórico do termo "linguagem". No caso de Goodman, o argumento baseia-se inteiramente em um uso vago do termo "sistema simbólico", e se esboroa tão logo tentemos dar ao termo um significado preciso. Se fosse possível demonstrar que esses sistemas simbólicos pré-linguísticos compartilham certas propriedades significativas com a língua natural, poderíamos então sustentar que essas propriedades da língua natural são adquiridas por analogia. Deparar-nos-íamos então, é claro, com o problema de explicar como os sistemas simbólicos pré-linguísticos teriam desenvolvido tais propriedades. Mas como ninguém teve êxito em mostrar que as propriedades fundamentais da língua natural – aquelas discutidas na Conferência 2, por exemplo – aparecem em sistemas simbólicos pré-linguísticos ou em quaisquer outros, o problema não se coloca.

Segundo Goodman, a razão pela qual o problema da aprendizagem da segunda língua é diferente do da aprendizagem da primeira língua é que "uma vez disponível uma língua", ela "pode ser usada para dar explicações e instruções". Ele, então, prossegue argumentando que a "aquisição de uma língua inicial é a aquisição de um sistema simbólico secundário" e está no mesmíssimo nível da aquisição normal de uma segunda língua. Os sistemas simbólicos primários a que se refere são "sistemas simbólicos pré-linguísticos rudimentares, em que gestos e ocorrências sensoriais e perceptivas de todo tipo funcionam como signos". No entanto, evidentemente, esses sistemas simbólicos pré-linguísticos não podem ser "usados para dar explicações e instruções" da mesma maneira que uma primeira língua pode ser usada na instrução da segunda língua. Por conseguinte, mesmo segundo suas próprias razões, o argumento de Goodman é incoerente.

Sustenta Goodman que "a tese que estamos discutindo não pode ser testada experimentalmente, mesmo quando tivermos um exemplo reconhecido de 'má' linguagem" e que "a tese nem sequer foi formulada a ponto de citar uma única propriedade geral das linguagens artificiais 'más'". Obviamente, isso não pode ser feito. Mas não há nenhuma razão para desanimarmos com a impossibilidade de realizar hoje tal teste. Há muitas outras maneiras – por exemplo, as discutidas na Conferência 2 e nas referências ali citadas – em que se podem obter dados acerca das propriedades das gramáticas, e em que conclusões a respeito das propriedades gerais dessas gramáticas podem ser submetidas a provas empíricas. Essa conclusão imediatamente especifica, correta ou incorretamente, certas propriedades das "más" linguagens. Uma vez que há dúzias de artigos e livros que tentam formular essas propriedades, sua segunda tese, de que não se tenha formulado "uma única propriedade geral das linguagens 'más'" é bastante surpreendente. Poder-se-ia procurar mostrar que essas tentativas são equivocadas ou questionáveis, mas dificilmente se pode afirmar a sério que elas não existam. Qualquer formulação de um princípio de gramática universal faz uma afirmação empírica forte, que pode ser falseada, encontrando-se um contraexemplo em alguma língua humana, na mesma linha que na discussão da Conferência 2. Em linguística, como em qualquer outro campo, é só dessa maneira indireta que se pode esperar encontrar indícios relevantes para hipóteses não triviais. Testes experimentais diretos, do tipo mencionado por Goodman, raramente são possíveis, algo que pode ser lamentável, mas característico da maior parte das pesquisas.

A certa altura, Goodman observa, corretamente, que, mesmo que

> para alguns fatos notáveis eu não tenha explicação alternativa... isso por si só não implica a aceitação de qualquer teoria que seja proposta; pois a teoria pode ser pior do que nenhuma. A incapacidade de explicar um fato não me condena a aceitar uma teoria intrinsecamente repugnante e incompreensível.

Note-se, em primeiro lugar, que a teoria é obviamente não "incompreensível", por suas próprias palavras. Assim, ele parece estar propenso, nesse artigo, a aceitar o ponto de vista de que, em certo sentido, a mente madura contém ideias; naturalmente, não é "incompreensível", portanto, que algumas dessas ideias estejam "embutidas na mente como equipamento original", para usar sua fraseologia. E se nos voltarmos para a doutrina real, tal como foi desenvolvida pela filosofia racionalista, em vez de para sua caricatura, feita por Locke, a teoria torna-se ainda mais evidentemente compreensível. Nada há de incompreensível na ideia de que a estimulação oferece a ocasião para que a mente aplique certos princípios interpretativos inatos, certos conceitos que procedem do próprio "poder de entender", da faculdade de pensar, e não diretamente dos objetos externos. Para tomar um exemplo de Descartes (*Resposta às Objeções, V*):

> Quando no início da infância vemos uma figura triangular pintada no papel, essa figura não nos pode mostrar como um triângulo real deve ser concebido, da maneira como o geômetra o considera, porque o verdadeiro triângulo está contido nessa figura, assim como a estátua de Mercúrio está contida num bloco de madeira bruta. Mas, porque já possuímos dentro de nós a ideia de um triângulo verdadeiro, e ela pode ser concebida mais facilmente por nossa mente do que a figura mais complexa do triângulo desenhado no papel, nós, portanto, quando vemos a figura composta, apreendemos não a ela, mas sim ao triângulo autêntico.[15]

Nesse sentido, a ideia de um triângulo é inata. Certamente, a noção é compreensível; não haveria dificuldade, por exemplo, em programar um computador para reagir a estímulos da mesma maneira (embora isso não deixasse Descartes satisfeito, por outras razões). Analogamente, não há dificuldade, em princípio, em programar um computador com um esquematismo que restrinja vivamente a forma de uma gramática gerativa, com um procedimento de avaliação para gramáticas de determinada forma, com uma técnica para determinar se certos dados são compatíveis com uma gramática de uma dada forma, com uma subestrutura fixa de entidades (tais como características distintivas), regras e princípios etc. – em suma, com uma gramática universal do tipo que foi proposto nos últimos anos. Por motivos que já mencionei, creio que essas propostas podem ser corretamente consideradas um desenvolvimento ulterior da doutrina racionalista clássica, uma elaboração de algumas de suas ideias principais a respeito da linguagem e da mente. Tal teoria, é claro, será "repugnante" a alguém que aceite a doutrina empirista e a

15 E. S. Haldane e G. R. T. Ross (eds.), *Descartes's Philosophical Works*, 1911 (reimpresso pela Dover, 1955). A citação e as observações precedentes aparecem em minha contribuição ao Simpósio sobre Ideias Inatas de dezembro de 1966 (ver nota 13).

considere imune ao questionamento ou aos desafios. Parece-me que esse não é o núcleo da questão.

O artigo de Putnam (ver nota 13) lida de modo mais direto com os pontos em questão, mas me parece que seus argumentos também são inconclusivos, por causa de certas pressuposições que ele faz sobre a natureza das gramáticas adquiridas. Putnam supõe que, no nível da fonética, a única propriedade proposta na gramática universal seja a de que a língua tenha "uma lista curta de fonemas". Isso, alega ele, não é uma semelhança entre as línguas que exija elaboradas hipóteses explicativas. A conclusão é correta; a suposição é completamente errada. Na verdade, como já assinalei diversas vezes, foram propostas hipóteses empíricas muito fortes a respeito da escolha específica de características universais, condições sobre a forma e a organização das regras fonológicas, condições sobre a aplicação de regras etc. Se essas propostas estiverem corretas ou quase corretas, então as "semelhanças entre línguas", no nível da estrutura sonora, serão de fato notáveis e não poderão ser explicadas simplesmente por suposições quanto à capacidade da memória, como sugere Putnam.

Acima do nível da estrutura sonora, Putnam imagina que as únicas propriedades significativas da linguagem são que as línguas têm nomes próprios, que a gramática contém um componente de estrutura frasal e que existem regras que "abreviam" as sentenças geradas pelo componente de estrutura frasal. Entende ele que a natureza do componente de estrutura frasal é determinada pela existência de nomes próprios; que a existência de um componente de estrutura frasal se explica pelo fato de "todas as medidas naturais de complexidade de um algoritmo – tamanho da tabela da máquina, extensão dos cálculos, tempo e espaço necessários para o cálculo – conduzirem ao... resultado"; que os sistemas de estrutura frasal fornecem os "algoritmos 'mais simples' para virtualmente qualquer sistema de computação", portanto também "para 'sistemas de computação' evoluídos naturalmente"; e que nada há de surpreendente no fato de as línguas conterem regras de abreviação.

Cada uma das três conclusões envolve uma suposição falsa. Do fato de um sistema de estrutura frasal conter nomes próprios não se pode concluir quase nada acerca de suas outras categorias. Na verdade, há atualmente muita discussão a respeito das propriedades gerais do sistema de estrutura frasal subjacente nas línguas naturais; a discussão não é minimamente resolvida pela existência de nomes próprios.

Quanto ao segundo ponto, simplesmente não é verdade que todas as medidas de complexidade e de velocidade de computação levem a regras de estrutura frasal, como o "algoritmo mais simples possível". Os únicos resultados existentes, pelo menos indiretamente relevantes, revelam que as gramáticas de estrutura frasal independente do contexto (um modelo razoável para regras que geram estruturas profundas, quando excluímos os artigos lexicais e as condições de distribuição que eles satisfazem) recebem uma interpretação baseada na teoria dos autômatos, como autômatos de memória de pilha não deterministas, mas esta última dificilmente é uma noção "natural", do ponto de vista da "simplicidade dos algoritmos", e assim por diante. Na verdade, pode-se argumentar que o conceito, algo semelhante mas não formalmente relacionado de automação determinista em tempo real, é muito mais "natural", em termos de condições de tempo e espaço para a computação.[16]

16 Para consultar alguma discussão sobre esses assuntos, ver meu artigo "Formal Properties of Grammars". In: R. D. Luce, R. Bush e E. Galanter (eds.), *Handbook of Mathematical Psychology*, v.II (New York: Wiley, 1963). Para mais amplas discussões do quadro conceitual da teoria dos autômatos, ver R. J. Nelson, *Introduction to Automata* (New York: Wiley, 1968). Uma apresentação minuciosa das propriedades das gramáticas independentes do contexto é dada em S. Ginsburg, *The Mathematical Theory of Context-Free Languages* (New York: McGraw-Hill, 1966). Têm sido publicados numerosos estudos sobre a velocidade de computação, a simplicidade dos algoritmos etc., mas nenhum deles tem a ver com a questão em pauta.

Todavia, é inútil aprofundar esse tópico, pois o que está em jogo não é a "simplicidade" das gramáticas da estrutura frasal, mas sim das gramáticas transformacionais com um componente de estrutura frasal que desempenha um papel na geração de estruturas profundas. E não há absolutamente nenhum conceito matemático de "facilidade de cálculo" ou de "simplicidade de algoritmo" que possa, ainda que de modo vago, sugerir que tais sistemas possam ter alguma vantagem sobre os tipos de autômatos que têm sido investigados seriamente, desse ponto de vista – por exemplo, os autômatos de estado finito, os autômatos de limite linear etc. O conceito básico de "operação dependente da estrutura" nunca havia sido considerado em um sentido estritamente matemático. A origem dessa confusão é um equívoco da parte de Putnam quanto à natureza das transformações gramaticais. Elas não são regras que "abreviam" as sentenças; mais exatamente, são operações que formam estruturas superficiais, a partir de estruturas profundas subjacentes, da maneira abordada na conferência precedente e nas referências lá citadas.[17] Portanto, para mostrar que as gramáticas transformacionais são as "mais simples possíveis", seria necessário demonstrar que o sistema "ideal" de computação tomaria uma sequência de símbolos como entrada e determinaria sua estrutura superficial, sua estrutura profunda subjacente e a série de operações transformacionais que as relacionam. Nada desse tipo foi apontado; na verdade, a questão jamais foi sequer levantada.

Argumenta Putnam que, mesmo se se descobrissem uniformidades significativas entre as línguas, haveria uma explicação mais simples do que a hipótese de uma gramática universal inata, a saber, sua origem comum. Todavia, essa proposta envolve um grave mal-entendido sobre o problema em questão. A gramática de uma língua deve ser descoberta pela criança a partir dos dados a ela apresentados. Como foi observado an-

---

17 Ver nota 10 do Capítulo 2, p.73, para obter mais comentários.

teriormente, o problema empírico é encontrar uma hipótese sobre a estrutura inicial rica o suficiente para dar conta do fato de que uma gramática específica é construída pela criança, mas não rica a ponto de ser falseada pela conhecida diversidade da linguagem. As questões de origem comum são de potencial relevância para essa questão empírica apenas sob um aspecto: se as línguas existentes não forem uma "amostra razoável" das "línguas possíveis", podemos ser levados erradamente a propor um esquema estreito demais para a gramática universal. Como já ressaltei, porém, o problema empírico que hoje enfrentamos é o de que ninguém foi capaz de inventar uma hipótese inicial rica o suficiente para dar conta da aquisição, por parte da criança, da gramática que, aparentemente, somos levados a atribuir a ela, quando tentamos explicar sua capacidade de usar a língua de modo normal. A suposição de uma origem comum em nada contribui para explicar como é possível essa façanha. Em suma, a língua é "reinventada" a cada vez que é aprendida, e o problema empírico a ser enfrentado pela teoria da aprendizagem é o de como pode ocorrer essa invenção da gramática.

Putnam enfrenta realmente esse problema e sugere que pode haver "estratégias gerais de aprendizagem com múltiplos propósitos" que deem conta dessa façanha. Trata-se, é claro, de uma questão empírica decidir se as propriedades da "faculdade da linguagem" são específicas da linguagem ou meramente um caso particular de faculdades mentais muito mais gerais (ou estratégias de aprendizagem). Este é um problema que foi discutido anteriormente, nesta conferência, de modo inconclusivo e em um contexto um pouco diferente. Putnam considera óbvio que apenas "estratégias de aprendizagem" gerais sejam inatas, mas não sugere nenhuma razão para essa suposição empírica. Como argumentei anteriormente, pode-se seguir uma abordagem não dogmática desse problema, sem depender de suposições contestáveis desse tipo – ou seja, por intermédio da investigação de áreas específicas da competência humana, como a linguagem, seguida da tentativa de formular uma hipótese que dê conta do desenvolvimento dessa competência. Se descobrirmos por meio dessa investigação que as mesmas "estratégias de aprendizagem" são suficientes para explicar o desenvolvimento da competência, em diversas áreas, teremos razões para acreditar que a suposição de Putnam está correta. Se descobrirmos que as estruturas inatas postuladas diferem de caso para caso, a única conclusão racional seria a de que um modelo da mente deve envolver "faculdades" separadas, com propriedades únicas ou parcialmente únicas. Não consigo ver como alguém possa insistir energicamente em uma ou outra conclusão, à luz dos fatos que atualmente nos estão disponíveis. Todavia, uma coisa está muito clara: Putnam não tem nenhuma justificativa para sua conclusão final de que "invocar o 'inatismo' só posterga o problema da aprendizagem; não o resolve". Invocar uma representação inata da gramática universal resolve, de fato, o problema da aprendizagem, se é verdade que esta é a base para a aquisição da linguagem, como pode muito bem ser. Se, por outro lado, houver estratégias gerais de aprendizagem que deem conta da aquisição do conhecimento gramatical, então a postulação de uma gramática universal inata não vai "postergar" o problema da aprendizagem, mas, antes, oferecerá uma solução incorreta do problema. A questão é empírica, de verdade ou falsidade, e não metodológica, de estados de investigação.[18]

Resumindo, parece-me que nem Goodman nem Putnam oferecem uma contra-argumentação séria às propostas referentes à estrutura mental inata aventadas (provisoriamente, é claro, enquanto concordam com as hipóteses empíricas) nem sugerem

---

18 É surpreendente ver que Putnam se refere com desprezo à "conversa vaga sobre 'classes de hipóteses' – e 'funções de ponderação'", durante a sua discussão das "estratégias gerais de aprendizagem". Por enquanto, a última é uma mera frase sem nenhum conteúdo descritível. Por outro lado, existe uma literatura substancial que esmiúça as propriedades das classes de hipóteses e das funções de ponderação a que Putnam alude. Portanto, nesse caso, parece ter havido uma inversão de papéis.

uma abordagem alternativa plausível, com conteúdo empírico, do problema da aquisição do conhecimento.

Supondo a grosseira precisão das conclusões que parecem defensáveis hoje, é razoável supor que uma gramática gerativa seja um sistema de várias centenas de regras de muitos tipos diferentes, organizadas de acordo com certos princípios fixos de ordenação e aplicabilidade e contendo certa subestrutura fixa que, com os princípios gerais de organização, seja comum a todos os idiomas. Não há "naturalidade" *a priori* para tal sistema, assim como para a estrutura detalhada do córtex visual. Provavelmente ninguém que tenha refletido seriamente sobre o problema da formalização dos procedimentos indutivos ou "métodos heurísticos" dará muita importância à esperança de que um sistema como uma gramática gerativa possa ser construído por métodos de alguma generalidade.

Que eu saiba, a única proposta substantiva para lidar com o problema da aquisição do conhecimento da linguagem é a concepção racionalista que esbocei. Repetindo: suponhamos que atribuímos à mente, como uma propriedade inata, a teoria geral da linguagem que chamamos "gramática universal". Essa teoria abrange os princípios que discuti na conferência anterior e muitos outros da mesma espécie, e especifica certo subsistema de regras que provê uma estrutura esquelética para qualquer língua e uma variedade de condições, formais e substantivas, que toda elaboração ulterior da gramática deve satisfazer. A teoria da gramática universal, então, fornece um esquema ao qual toda gramática particular deve conformar-se. Suponhamos, além disso, que possamos tornar esse esquema suficientemente restritivo para que muito poucas gramáticas que se conformem ao esquema sejam coerentes com os dados escassos e degenerados realmente disponíveis a quem aprende a língua. Sua tarefa, por conseguinte, é fazer uma busca entre as gramáticas possíveis e selecionar uma que não seja definitivamente rejeitada pelos dados de que dispõe. O que o aprendiz da língua enfrenta, sob esses pressupostos, não é a tarefa impossível de inventar uma teoria abstrata e complexamente estruturada com base em dados degenerados, mas, antes, a tarefa muito mais exequível de determinar se esses dados pertencem a uma ou outra de um conjunto razoavelmente limitado de línguas potenciais.

As tarefas do psicólogo, então, dividem-se em diversas subtarefas. A primeira é descobrir o esquema inato que caracteriza a classe de línguas potenciais – que define a "essência" da linguagem humana. Essa subtarefa pertence ao ramo da psicologia humana conhecido como linguística; é o problema da gramática universal tradicional, da teoria linguística contemporânea. A segunda subtarefa é o estudo minucioso do caráter real da estimulação e da interação organismo-meio ambiente, que coloca em operação o mecanismo cognitivo inato. Esse é um estudo que hoje vem sendo realizado por alguns psicólogos, e está especialmente ativo aqui em Berkeley. Já levou a conclusões interessantes e sugestivas. Podemos esperar que esse estudo venha a revelar uma sucessão de etapas de amadurecimento que conduzam, por fim, a uma gramática gerativa completa.[19]

---

19 Não é improvável que uma investigação minuciosa desse tipo venha a mostrar que a concepção da gramática universal como um esquematismo inato só seja válida como uma primeira aproximação; que, de fato, um esquematismo inato de um tipo mais geral permita a formulação de "gramáticas" provisórias que determinem elas próprias como os dados ulteriores devem ser interpretadas, levando à postulação de gramáticas mais ricas, e assim por diante. Até agora venho discutindo a aquisição da linguagem com a suposição obviamente falsa de que se trata de um processo instantâneo. Existem muitas questões interessantes que surgem quando consideramos como o processo se estende no tempo. Para obter alguma discussão acerca dos problemas de fonologia, ver meu artigo "Phonology and Reading", in H. Levin (Ed.) *Basic Studies on Reading*. Note-se também que é desnecessário supor, mesmo numa primeira aproximação, que "muito poucas gramáticas possíveis conformes ao esquema" estarão acessíveis ao aprendiz da língua. Basta supor que as gramáticas possíveis consistentes com os dados estarão "dispersas" em termos de um procedimento de avaliação.

Uma terceira tarefa é a de determinar exatamente o que significa, para uma hipótese sobre a gramática gerativa de uma língua, ser "coerente" com os dados dos sentidos. Observe-se que é uma excessiva simplificação supor que a criança deva descobrir uma gramática gerativa que dê conta de todos os dados linguísticos que lhe foram apresentados e deva "projetar" esses dados num intervalo infinito de relações potenciais de som-significado. Além de realizar isso, ela deve também diferenciar os dados dos sentidos entre aqueles enunciados que dão mostras diretas do caráter da gramática subjacente e aqueles que devem ser rejeitados, pela hipótese que ela escolher, como mal formados, irregulares, fragmentários etc. Evidentemente, todos são bem-sucedidos em executar essa tarefa de diferenciação – todos nós sabemos, dentro de limites toleráveis de coerência, quais sentenças são bem formadas e literalmente interpretáveis e quais devem ser interpretadas como metafóricas, fragmentárias e irregulares, em muitas dimensões possíveis. Duvido que tenha sido plenamente avaliado até que ponto isso complica o problema de se explicar a aquisição da linguagem. Formalmente falando, o aprendiz deve escolher uma hipótese, a propósito da língua a que está exposto, que rejeite boa parte dos dados sobre os quais sua hipótese deve basear-se. Mais uma vez, só é razoável supor que isso é possível, se a esfera de hipóteses aceitáveis for muito limitada – se o esquema inato da gramática universal for altamente restritivo. A terceira subtarefa, em consequência, é estudar o que poderíamos considerar o problema da "confirmação" – neste contexto, o problema de qual relação deve haver entre uma gramática potencial e um conjunto de dados para que essa gramática seja confirmada como a teoria real da língua em questão.

Venho descrevendo o problema da aquisição do conhecimento da língua em termos que são mais familiares num contexto epistemológico do que no psicológico, mas acho que isso é bastante apropriado. Formalmente falando, a aquisição de "conhecimento de senso comum" – o conhecimento da linguagem, por exemplo, não é distinto da construção teórica de tipo mais abstrato. Especulando sobre o desenvolvimento futuro do assunto, não me parece improvável, pelas razões que mencionei, que a teoria da aprendizagem venha a progredir estabelecendo o conjunto, determinado de modo inato, de hipóteses possíveis, determinando as condições de interação que levam a mente a propor hipóteses a partir desse conjunto, e fixando as condições sob as quais tal hipótese é confirmada – e, talvez, sob as quais boa parte dos dados é rejeitada como irrelevante, por uma ou outra razão.

Essa maneira de descrever a situação não deveria surpreender aos que estão familiarizados com a história da psicologia em Berkeley, onde, afinal, Edward Tolman deu seu nome ao prédio da Psicologia; mas quero ressaltar que as hipóteses que estou examinando são qualitativamente distintas em complexidade e complicação de tudo o que foi considerado nas discussões clássicas sobre a aprendizagem. Como já sublinhei diversas vezes, parece haver pouca analogia útil entre a teoria da gramática que uma pessoa interiorizou e fornece a base para seu uso normal e criativo da linguagem, e qualquer outro sistema cognitivo que tenha até hoje sido isolado e descrito; de maneira semelhante, há pouca analogia útil entre o esquema da gramática universal que devemos, creio eu, atribuir à mente como um caráter inato, e qualquer outro sistema conhecido de organização mental. É bem possível que a falta de analogia indique a nossa ignorância de outros aspectos da função mental, mais do que o caráter absolutamente único da estrutura linguística; porém, o fato é que não temos, no momento, nenhuma razão objetiva para supor que isso seja verdade.

A maneira como venho descrevendo a aquisição do conhecimento da linguagem faz lembrar uma conferência interessantíssima e um tanto negligenciada, feita por Charles Sanders Peirce há mais de cinquenta anos, na qual desenvolveu algumas noções bastante semelhantes de sobre a aquisição do conhecimento em geral.[20] Argumentou Peirce que os limites gerais da inteligência humana são muito mais estreitos do que poderiam sugerir as suposições românticas a respeito da perfectibilidade ilimitada do homem (ou, no caso, do que é aventado por suas próprias concepções "pragmatistas" sobre o curso do progresso científico, em seus mais conhecidos estudos filosóficos). Ele sustentou que as limitações inatas em relação às hipóteses admissíveis são uma precondição da construção teórica bem-sucedida, e que o "instinto adivinhador" que fornece hipóteses apenas faz uso de procedimentos indutivos para a "ação corretiva". Peirce afirmou, nessa conferência, que a história dos primórdios da ciência mostra que algo próximo de uma teoria correta foi descoberto com notável facilidade e rapidez, com base em dados muito inadequados, tão logo foram enfrentados certos problemas; observou "quão poucas foram as adivinhações que homens de grande gênio tiveram de fazer antes de adivinharem corretamente as leis da natureza". E, perguntou ele,

> Como o homem foi levado a cogitar dessa teoria verdadeira? Não se pode dizer que foi por acaso, pois as probabilidades eram imensamente contrárias a que essa única teoria verdadeira, nos vinte ou trinta mil anos durante os quais o homem tem sido um animal pensante, ocorresse à mente de algum homem.

A fortiori, as probabilidades são ainda mais imensamente contrárias a que a teoria verdadeira de cada língua ocorresse à mente de cada criança de quatro anos. Prosseguindo, com Peirce:

> A mente do homem adapta-se naturalmente a imaginar teorias corretas de alguns tipos... Se o homem não tivesse o dom de ter uma mente adaptada a suas exigências, não poderia ter adquirido nenhum conhecimento.

---

20 C. S. Peirce, "The Logic of Abduction", in V. Thomas (ed.), *Peirce's Essays in the Philosophy of Science* (New York: Liberal Arts Press, 1957).

Analogamente, em nosso presente caso, parece que o conhecimento de uma língua – uma gramática – só pode ser adquirido por um organismo que esteja "preconfigurado" com uma severa restrição sobre a forma da gramática. Essa restrição inata é uma precondição, no sentido kantiano, da experiência linguística, e parece ser o fator crítico na determinação do curso e do resultado da aprendizagem da língua. A criança não pode saber, ao nascer, qual língua irá aprender, mas deve compreender que sua gramática deve ter uma forma predeterminada, que exclua muitas línguas imagináveis. Tendo escolhido uma hipótese permissível, ela pode valer-se da evidência indutiva para a ação corretiva, confirmando ou infirmando sua escolha. Uma vez a hipótese suficientemente bem confirmada, a criança sabe a língua definida por essa hipótese; em consequência, seu conhecimento estende-se enormemente para além de sua experiência e, na verdade, leva-a a caracterizar boa parte dos dados da experiência como defeituosos e irregulares.

Peirce considerava os processos indutivos um tanto marginais, na aquisição do conhecimento; em suas palavras: "A indução não tem originalidade, mas apenas testa uma sugestão já feita". Para entendermos como é adquirido o conhecimento, na perspectiva esboçada por Peirce, devemos penetrar nos mistérios do que ele chamava "abdução", e descobrir aquilo que "dá à abdução uma regra e assim estabelece um limite para as hipóteses admissíveis". Peirce sustentava que a busca dos princípios da abdução nos leva ao estudo das ideias inatas, que fornecem a estrutura instintiva da inteligência humana. Todavia, Peirce não era dualista no sentido cartesiano; argumentava (de modo não muito convincente, em minha opinião) que existe uma analogia significativa entre a inteligência humana, com suas restrições abdutivas, e o instinto animal. Assim, afirmava que o homem só descobriu certas teorias verdadeiras porque seus "instintos devem ter envolvido desde o começo certas tendências para pensar de modo verdadeiro" acerca de certas matérias específicas; de modo análogo, "não se pode pensar seriamente que cada pintinho que é chocado tenha de investigar todas as teorias possíveis até ter a boa ideia de pegar algo e comê-lo. Pelo contrário, julgamos que a galinha tem uma ideia inata de fazer isso; ou seja, ela pode pensar nisso, mas não tem a faculdade de pensar em mais nada... Mas se formos pensar que cada pobre pintinho é dotado de uma tendência inata à verdade positiva, por que deveríamos pensar que só ao homem foi negado esse dom?"

Ninguém aceitou o desafio lançado por Peirce de desenvolver uma teoria da abdução, para determinar aqueles princípios que limitam as hipóteses admissíveis ou as apresentam em certa ordem. Ainda hoje, esta continua sendo uma tarefa para o futuro. É uma tarefa que não precisa ser cumprida, se a doutrina psicológica empirista puder ser comprovada; é, portanto, de grande interesse submeter essa doutrina à análise racional, como tem sido feito, em parte, no estudo da linguagem. Gostaria de repetir que o grande mérito da linguística estrutural, como a teoria do aprendizado de Hullian em suas primeiras etapas e vários outros desenvolvimentos modernos, foi o de ter dado uma forma precisa a certos pressupostos empíricos.[21] Quando esse

---

21 Em contrapartida, a explicação da aquisição da linguagem apresentada por B. F. Skinner, em seu *Verbal Behavior* (New York: Appleton-Century-Crofts, 1957), parece-me ou vazia de conteúdo ou claramente errônea, dependendo de se a interpretarmos metafórica ou literalmente (ver a minha resenha do livro, em *Language*, v.35, n.1, 1959, p.26-58). É bastante adequado, quando uma teoria é infirmada em sua forma forte, substituí-la por uma variante mais fraca. Não raro, porém, isso leva ao vazio. A popularidade do conceito skinneriano de "reforço", após o virtual colapso da teoria de Hullian, parece-me um desses casos. (Note-se que os conceitos skinnerianos podem ser bem definidos e levar a resultados interessantes, numa situação experimental particular – o que está em questão é a "extrapolação" skinneriana para uma classe mais ampla de fatos.)
Outro exemplo aparece em K. Salzinger, "The Problem of Response Class in Verbal Behavior", in K. Salzinger e S. Salzinger (eds.), *Research in Verbal Behavior and Some Neurophysiological Implications* (New York: Academic Press, 1967), p.35-54. Salzinger argumenta que George Miller não tem justificação

passo foi dado, a inadequação dos mecanismos postulados ficou claramente demonstrada e, pelo menos no caso da linguagem, podemos até começar a ver exatamente por que qualquer método desse tipo deve fracassar – por exemplo, por que não podem, em princípio, fornecer as propriedades das estruturas profundas e as operações abstratas da gramática formal. Especulando sobre o futuro, creio não ser improvável que o caráter dogmático do quadro geral empirista e sua inadequação à inteligência humana e animal vão aos poucos tornar-se mais evidentes, à medida que realizações específicas, como a linguística taxionômica, a teoria behaviorista da aprendizagem e os modelos de percepção,[22] os métodos heurísticos e "solucionadores gerais de problemas"

---

para criticar a teoria da aprendizagem, por sua incapacidade de explicar a produtividade linguística – ou seja, a capacidade que um falante tem de determinar, de uma sequência de palavras que nunca ouviu, se é ou não uma sentença bem formada e o que significa. O defeito pode ser superado, afirma ele, valendo-se da noção de "classe de resposta". É bem verdade que nem toda resposta pode ser reforçada, mas a classe de sentenças aceitáveis constitui uma classe de resposta, como o conjunto de pressionamentos de alavancas em determinada experiência skinneriana. Infelizmente, isso não passa de tagarelice oca, até que seja estabelecida a condição que define a pertença a essa classe. Se a condição implica a noção de "geração por uma dada gramática", então estamos de volta ao ponto de partida.

Salzinger também interpreta mal as tentativas de oferecer um teste experimental que faça a distinção entre sequências gramaticais e não gramaticais. Afirma que esses testes falharam em confirmar tal divisão e, portanto, conclui, aparentemente, que a distinção não exista. Obviamente, a falha nada mais indica do que o fato de os testes terem sido inefetivos. Podem-se inventar inúmeros testes que falhem em fornecer uma dada classificação. Sem dúvida, a classificação em si mesma não está em questão. Assim, Salzinger concordaria, independentemente de qualquer teste experimental que possa ser concebido, que as sentenças desta nota de rodapé compartilham uma importante propriedade que não se aplica ao conjunto de sequências de palavras formado pela leitura de cada uma destas sentenças, palavra por palavra, da direita para a esquerda.

22 Para obter uma discussão de tais sistemas e suas limitações, ver M. Minsky e S. Papert, *Perceptions and Pattern Recognition*, Artificial Intelligence Memo n.140, MAC-M-358, Project MAC, Cambridge, Mass., setembro de 1967.

dos primeiros entusiastas da "inteligência artificial" forem sendo sucessivamente rejeitados por razões empíricas, quando se tornarem precisos, e por motivos de vacuidade, quando forem deixados vagos. E – supondo que essa projeção seja exata – será possível, então, fazer um estudo geral dos limites e das capacidades da inteligência humana, desenvolvendo a lógica peirciana da abdução.

Não faltam tais iniciativas à psicologia moderna. O estudo atual da gramática gerativa e de sua subestrutura e princípios governativos universais é uma dessas manifestações. Intimamente correlacionado é o estudo das bases biológicas da linguagem humana, investigação essa a que Eric Lenneberg deu contribuições substanciais.[23] É tentador ver um desenvolvimento paralelo na obra importantíssima de Piaget e de outros interessados em "epistemologia genética", mas não tenho certeza de que isso seja exato. Não está claro para mim, por exemplo, o que Piaget toma como base da transição de uma das fases examinadas para a fase seguinte, mais elevada. Há, além disso, uma possibilidade, sugerida por um trabalho recente de Mehler e Bever,[24] de que os merecidamente famosos resultados sobre a conservação, em especial, talvez não demonstrem fases sucessivas do desenvolvimento intelectual no sentido examinado por Piaget e seus colaboradores, mas algo bastante diferente. Se os resultados preliminares de Mehler e Bever estiverem corretos, seguir-se-ia que a "fase final", em que a conservação é adequadamente entendida, já fora realizada num período muito inicial do desenvolvimento. Mais tarde, a criança desenvolve uma técnica heurística que é bastante adequada, mas falha sob as condições do experimento de conservação. Ainda mais tarde, ela regula

23 Ver E. H. Lenneberg, *Biological Foundations of Language* (New York: Wiley, 1967). Minha contribuição a esse volume, "The Formal Nature of Language", aparece como o quinto artigo desse livro.

24 Ver J. Mehler e T. G. Bever, "Cognitive Capacities of Young Children", *Science*, v.158, n.3797, outubro de 1967, p.141-2.

essa técnica de maneira bem-sucedida e, uma vez mais, faz os juízos corretos no experimento de conservação. Se essa análise estiver correta, o que estamos observando não é uma sucessão de fases do desenvolvimento intelectual, no sentido de Piaget, mas antes o lento progresso em alinhar as técnicas heurísticas com os conceitos gerais que sempre estiveram presentes. Estas são alternativas interessantes; de qualquer modo, os resultados têm uma relação importante com os temas que estamos considerando.

Ainda mais claramente pertinentes, creio eu, são os desenvolvimentos da etologia comparativa, nos últimos trinta anos, e alguns trabalhos atuais da psicologia experimental e fisiológica. Podemos citar muitos exemplos: nesta última categoria, o trabalho de Bower, que sugere uma base inata para as constâncias perceptivas; estudos realizados no laboratório de primatas de Wisconsin, sobre os inatos e complexos mecanismos de liberação nos macacos *rhesus*; o trabalho de Hubel, Barlow e outros, sobre mecanismos muito específicos de análise nos centros corticais inferiores dos mamíferos; e numerosos estudos semelhantes dos organismos inferiores (por exemplo, o belo trabalho de Lettvin e associados, sobre a visão das rãs). Há novos e bons indícios, vindos dessas investigações, de que a percepção das linhas, ângulos, movimentos e outras propriedades complexas do mundo físico se baseie na organização inata do sistema neural.

Em alguns casos, pelo menos, essas estruturas encaixadas degenerarão, a menos que ocorra a estimulação necessária numa fase inicial da vida, mas, embora tal experiência seja necessária para permitir que os mecanismos inatos funcionem, não há razão para acreditar que ela tenha um efeito mais do que marginal da determinação de *como* eles funcionam para organizar a experiência. Ademais, nada há que sugira que o que foi descoberto até agora esteja perto do limite de complexidade das estruturas inatas. As técnicas básicas de exploração dos mecanismos neurais têm apenas alguns anos de idade, e é impossível prever que ordem de especificidade e complexidade será demonstrada, quando elas forem aplicadas de forma ampla. Atualmente, parece que os organismos mais complexos têm formas muito específicas de organização sensorial e perceptiva, que estão associadas com a *Umwelt* e o modo de vida do organismo. Poucas razões há para duvidar de que o que é verdade nos organismos inferiores seja também verdade nos seres humanos. Em especial no caso da linguagem, é natural esperar uma relação íntima entre as propriedades inatas da mente e as características da estrutura linguística; pois a linguagem, afinal, não tem existência fora de sua representação mental. Sejam quais forem as propriedades que tiver, devem ser aquelas que lhe são dadas pelos processos mentais inatos do organismo que a inventou e a inventa de novo, a cada geração sucessiva, com sejam quais forem as propriedades que estão associadas às condições de seu uso. Mais uma vez, parece que a linguagem deve ser, por essa razão, uma sonda muito esclarecedora com que podemos explorar a organização dos processos mentais.

Voltando à etologia comparativa, é interessante observar que uma de suas mais antigas motivações foi a esperança de que, pela "investigação do *a priori*, das hipóteses de trabalho inatas presentes em organismos subumanos", se pudesse lançar alguma luz sobre as formas *a priori* do pensamento humano. Essa declaração de intenção é extraída de um artigo antigo e pouco conhecido de Konrad Lorenz.[25] Lorenz prossegue, exprimindo ideias muito parecidas com as que Peirce expressara uma geração antes. Afirma ele:

> Alguém familiarizado com os modos inatos de reação dos organismos subumanos pode facilmente aventar a hipótese de que

---

25 K. Lorenz, "Kants Lehre vom apriorischen in Lichte gegenwärtiger Biologie", in *Blätter für Deutsche Philosophie*, v.15, p.94-125. Estou em dívida com Donald Walker, da MITRE Corporation, Bedford, Mass., por chamar-me a atenção para esse artigo.

> o *a priori* se deve a diferenciações hereditárias do sistema nervoso central que se tornaram características das espécies, produzindo disposições hereditárias a pensar de determinada forma... Sem dúvida, Hume estava errado ao querer derivar tudo o que é *a priori* do que os sentidos fornecem à experiência, assim como errados estavam Wundt e Helmholtz, que simplesmente o explicam como uma abstração da experiência anterior. A adaptação do *a priori* ao mundo real não se originou da "experiência", assim como a adaptação da nadadeira do peixe não se originou das propriedades da água. Assim como a forma da nadadeira é dada *a priori*, antes de qualquer negociação individual do jovem peixe com a água, e assim como é essa forma que torna possível essa negociação, este também é o caso com as nossas formas de percepção e de categorias em sua relação com a nossa negociação com o mundo real exterior por intermédio da experiência. No caso dos animais, encontramos limitações específicas às formas da experiência possível para eles. Cremos poder demonstrar a mais íntima relação funcional e, provavelmente, genética entre esses *a prioris* animais e o nosso *a priori* humano. Ao contrário de Hume, cremos, como Kant, que é possível uma ciência "pura" das formas do pensamento humano, independente de toda experiência.

Peirce, que eu saiba, é original e único ao ressaltar o problema do estudo das regras que limitam a classe de teorias possíveis. É claro, seu conceito de abdução, como o *a priori* biológico de Lorenz, tem um sabor fortemente kantiano, e deriva inteiramente da psicologia racionalista que se interessava pelas formas, limites e princípios que fornecem "os tendões e as conexões" para o pensamento humano, que subjazem a "essa quantidade infinita de conhecimento de que nem sempre estamos conscientes" mencionada por Leibniz. É, portanto, muito natural que devamos vincular esses desenvolvimentos ao renascimento da gramática filosófica, que se desenvolveu a partir do mesmo solo como uma tentativa, muito frutífera e legítima, de explorar uma das facetas básicas da inteligência humana.

Nas discussões recentes, os modelos e as observações derivados da etologia têm sido citados com frequência, por darem sustentação biológica, ou pelo menos análoga, a novas abordagens do estudo da inteligência humana. Cito esses comentários de Lorenz, sobretudo para mostrar que essa referência não distorce a perspectiva de pelo menos alguns dos fundadores dessa área da psicologia comparativa.

É necessária uma palavra de cautela, ao nos referirmos a Lorenz, agora que ele foi descoberto por Robert Ardrey e Joseph Alsop e popularizado como um profeta do juízo final. Acho que as ideias de Lorenz sobre a agressividade humana foram exageradas até o absurdo por alguns de seus expositores. Não há dúvida de que há tendências inatas na constituição psíquica humana que levam à agressividade, sob condições sociais e culturais específicas. Mas há poucas razões para supor que essas tendências sejam tão dominantes, a ponto de nos deixarem para sempre vacilando à beira de uma guerra hobbesiana de todos contra todos – como, aliás, Lorenz, pelo menos, está plenamente consciente, se o li de modo correto. Ceticismo é sempre bom quando uma doutrina da "agressividade inerente" ao homem vem à tona, numa sociedade que glorifica a competitividade, numa civilização que se tem distinguido pela brutalidade do ataque que lançou contra os povos menos afortunados. É justo perguntar até que ponto o entusiasmo por essa curiosa visão da natureza humana pode ser atribuída a fatos e à lógica e até que ponto ela meramente reflete o limitado espaço que o nível cultural geral avançou, desde os dias em que Clive e os exploradores portugueses ensinaram o significado da verdadeira selvageria às raças inferiores que lhes obstavam o caminho.

De qualquer modo, não gostaria de que o que estou dizendo fosse confundido com outras tentativas, completamente distintas, de reviver uma teoria do instinto humano. O que me parece importante na etologia é sua tentativa de explorar as propriedades inatas que determinam como o conhecimento é adquirido e o caráter desse conhecimento. Voltando a esse tema, devemos considerar mais uma questão: como chegou a mente humana a ganhar a estrutura inata que somos levados a lhe atribuir? De modo pouco surpreendente, Lorenz defende a posição de que essa é tão somente uma questão de seleção natural. Peirce oferece uma especulação bastante diferente, argumentando que "a natureza fecunda a mente do homem com ideias que, quando crescerem, se parecerão com seu pai, a Natureza". Ao homem são "dadas certas crenças naturais que são verdadeiras", porque "certas uniformidades... prevalecem por todo o universo e a mente raciocinante é [ela] própria um produto desse universo. Essas mesmas leis são, portanto, por necessidade lógica, incorporadas em seu próprio ser". Parece claro, aqui, que o argumento de Peirce carece totalmente de força e oferece poucas melhorias à harmonia preestabelecida que presumivelmente queria substituir. O fato de a mente ser um produto das leis naturais não implica que esteja equipada para entender essas leis ou para chegar a elas por "abdução". Não haveria dificuldade em projetar um aparelho (digamos, programar um computador) que seja um produto da lei natural, mas, ao receber dados, chegue a uma teoria absurda para "explicar" esses dados.

De fato, os processos pelos quais a mente humana alcançou seu atual estágio de complexidade e sua forma particular de organização inata são um total mistério, tanto quanto as questões análogas a propósito da organização física ou mental de qualquer outro organismo complexo. É perfeitamente seguro atribuir esse desenvolvimento à "seleção natural", uma vez que estivermos cientes de que não há substância nessa asserção, de que ela equivale a nada mais do que a uma crença de que haja alguma explicação naturalista para esses fenômenos. O problema de explicar o desenvolvimento evolutivo é, de certa maneira, um tanto parecido com o de explicar a abdução bem-sucedida. As leis que determinam a possível mutação bem-sucedida são tão desconhecidas como as leis que determinam a escolha das hipóteses.[26] Sem nenhum conhecimento das leis que determinam a organização e a estrutura dos sistemas biológicos complexos, é tão sem sentido perguntar qual a "probabilidade" de a mente humana ter alcançado seu estado atual, como o é investigar a "probabilidade" de que determinada teoria física seja concebida. E, como já observamos, é ocioso especular sobre as leis da aprendizagem até termos alguma indicação sobre o tipo de conhecimento que pode ser alcançado – no caso da linguagem, alguma indicação sobre as condições impostas ao conjunto das gramáticas potenciais.

Ao estudarmos a evolução da mente, não podemos adivinhar até que ponto há alternativas fisicamente possíveis à, digamos, gramática gerativa transformacional para um organismo que satisfaça certas outras condições físicas características dos seres humanos. Concebivelmente, não há nenhuma – ou muito poucas – e, nesse caso, falar sobre a evolução da capacidade de linguagem é irrelevante. O vazio dessa especulação, porém, não tem ligação, de um jeito ou de outro, com os aspectos do problema da mente que podem ser tratados de modo sensato. Parece-me que esses aspectos são, no momento, os problemas ilustrados no caso da linguagem pelo estudo da natureza, do uso e da aquisição da competência linguística.

Há uma última questão que merece uma palavra de comentário. Venho usando de modo bastante livre uma terminologia mentalística, mas totalmente sem preconceito quanto à questão de qual possa ser a realização física dos mecanismos abstratos postulados, para dar conta dos fenômenos do comportamento ou da aquisição de conhecimento. Não somos obrigados, como Des-

---

26 Argumentou-se, por razões estatísticas – por meio da comparação da taxa conhecida de mutação com o número astronômico de modificações imagináveis dos cromossomos e de suas partes –, que tais leis devem existir e devem restringir amplamente as possibilidades realizáveis. Ver o artigo de Eden, Schützenberger e Gavadan, em *Mathematical Challenges to the Neo-Darwinian Interpretation of Evolution*, Wistar Symposium Monograph, n.5, 1967.

cartes, a postular uma segunda substância, quando lidamos com fenômenos que não podem ser exprimidos em termos de matéria em movimento, no sentido cartesiano. Nem há muita razão para enfrentar a questão do paralelismo psicofísico, neste caso. É uma questão interessante a de saber se o funcionamento e a evolução da mentalidade humana podem ser acomodados no quadro da explicação física, tal como atualmente entendido, ou se há novos princípios, hoje desconhecidos, que devem ser invocados, talvez princípios que surjam apenas nos níveis de organização mais altos do que os que podem hoje ser submetidos à investigação física. Podemos, porém, estar razoavelmente certos de que haverá uma explicação física para os fenômenos em questão, se é que eles podem ser explicados de algum modo, por uma desinteressante razão terminológica, a saber, que o conceito de "explicação física" será, sem dúvida, ampliado para abranger o que quer que se descubra nessa área, exatamente como foi ampliado para acomodar as forças gravitacional e eletromagnética, as partículas sem massa e numerosas outras entidades e processos que teriam ofendido o senso comum das gerações anteriores. Não obstante, parece claro que tal questão não precisa retardar o estudo dos pontos que estão hoje abertos à investigação, e parece fútil especular sobre assuntos tão remotos para a atual compreensão.

Tentei sugerir que o estudo da linguagem pode muito bem, como se supunha tradicionalmente, oferecer uma perspectiva muito favorável ao estudo dos processos mentais humanos. O aspecto criativo do uso da linguagem, quando investigado com atenção e respeito pelos fatos, indica que as atuais noções de hábito e generalização, como determinantes de comportamento e conhecimento, são totalmente inadequadas. O caráter abstrato da estrutura linguística reforça essa conclusão e sugere, além disso, que, tanto na percepção quanto na aprendizagem, a mente desempenha um papel ativo na determinação do caráter do conhecimento adquirido. O estudo empírico dos universais linguísticos levou à formulação de hipóteses muito restritivas e, creio eu, muito plausíveis acerca da possível variedade de línguas humanas, hipóteses essas que contribuem para a tentativa de desenvolver uma teoria da aquisição do conhecimento que reserve o seu devido lugar à atividade mental intrínseca. Parece-me, pois, que o estudo da linguagem deva ocupar um lugar central na psicologia geral.

Por certo as questões clássicas da linguagem e da mente não recebem uma solução final, ou mesmo uma sugestão de solução final, do trabalho que vem sendo ativamente realizado hoje. Esses problemas, porém, podem ser formulados de maneira nova e ser vistos sob nova luz. Pela primeira vez em muitos anos, a meu ver, há uma real oportunidade de progresso substancial no estudo da contribuição da mente para a percepção e da base inata para a aquisição de conhecimento. Mesmo assim, sob muitos aspectos, não fizemos a primeira abordagem para uma resposta real dos problemas clássicos. Por exemplo, o problema central relativo ao aspecto criativo do uso da linguagem permanece tão inacessível quanto sempre foi. E o estudo da semântica universal, sem dúvida crucial para a investigação completa da estrutura da linguagem, mal avançou desde a época medieval. Podem-se mencionar muitas outras áreas críticas em que o progresso tem sido lento ou inexistente. Houve um progresso real no estudo dos mecanismos da linguagem, dos princípios formais que possibilitam o aspecto criativo do uso da linguagem e determinam a forma fonética e o conteúdo semântico dos enunciados. O nosso entendimento desses mecanismos, embora apenas fragmentário, parece-me ter implicações reais para o estudo da psicologia humana. Fazendo os tipos de pesquisa que hoje parecem viáveis e concentrando a atenção em certos problemas hoje acessíveis ao estudo, podemos ser capazes de explicar com alguma minúcia os cálculos elaborados e abstratos que determinam, em parte, a natureza dos perceptos e o caráter do conhecimento que podemos adquirir – as maneiras muito específicas de interpretar fenômenos que estão, em ampla medida, além de nossa consciência e de nosso controle e que podem ser exclusivos do homem.

4
Forma e significado nas línguas naturais

Quando estudamos a linguagem humana, estamos abordando o que alguns poderiam chamar a "essência humana", as qualidades distintivas da mente que são, até onde sabemos, exclusivas do homem e inseparáveis de qualquer fase crítica da existência humana, pessoal ou social. Daí o fascínio desse estudo e, em não menor medida, sua frustração. A frustração vem do fato de que, apesar do muito progresso, permanecemos incapazes como sempre de enfrentar o problema central da linguagem humana, que considero ser este: tendo dominado uma língua, uma pessoa é capaz de entender um número indefinido de expressões novas para sua experiência, que não têm semelhança física e não são, de modo algum, simples análogas às expressões que constituem sua experiência linguística; e a pessoa é capaz, com maior ou menor facilidade, de produzir tais expressões na ocasião apropriada, apesar de sua novidade e independentemente de configurações detectáveis de estímulo, e de ser entendida por outras que compartilham essa ainda misteriosa capacidade. O uso normal da linguagem é, nesse sentido, uma atividade criativa. Tal aspecto criativo do uso normal da linguagem é um dos fatores fundamentais que distinguem a linguagem humana de qualquer sistema conhecido de comunicação animal.

É importante ter em mente que a criação de expressões linguísticas novas, porém apropriadas, é o modo normal do uso da linguagem. Se algum indivíduo tivesse de limitar-se em boa medida a um conjunto definido de padrões linguísticos, a um conjunto de respostas habituais a configurações de estímulos, ou a "analogias", no sentido da linguística moderna, seria considerado mentalmente deficiente, menos humano do que animal. Seria ele imediatamente colocado à parte dos seres humanos normais, pela incapacidade de entender o discurso normal ou de nele tomar parte normalmente – sendo essa maneira normal inovadora, livre do controle de estímulos externos e apropriada a situações novas e sempre em mudança.

Não é uma ideia nova que a fala humana se distinga por essas qualidades, embora seja uma ideia que deva ser recuperada de tempos em tempos. Com cada avanço de nosso entendimento dos mecanismos da linguagem, do pensamento e do comportamento, vem de uma tendência de acreditar que encontramos a chave para compreender as qualidades aparentemente únicas da mente do homem. Esses avanços são reais, mas uma avaliação honesta mostrará que estão longe de oferecer tal chave. Não compreendemos e, ao que saibamos, talvez nunca cheguemos a compreender o que torna possível à inteligência humana normal o uso da linguagem como um instrumento para a livre expressão do pensamento e do sentimento; ou, aliás, que qualidades mentais estão envolvidas nos atos criativos de inteligência que são característicos, não únicos e excepcionais, de uma existência realmente humana.

Acho que esse é um importante fator a ressaltar, não só para os linguistas e psicólogos cuja pesquisa se concentra nessas questões, mas, ainda mais, para aqueles que esperam aprender algo útil em seu próprio trabalho e pensamento, a partir da pesquisa sobre a linguagem e o pensamento. É especialmente importante que as limitações de compreensão fiquem claras para os que trabalham com ensino, nas universidades e, o que é ainda mais importante, nas escolas. Há fortes pressões para se fazer uso da nova tecnologia educacional e para se planejar currículos e métodos de ensino à luz dos mais recentes avanços científicos. Em si mesmo, isso não é questionável. É importante, todavia, ficar alerta para um perigo muito real: de que o novo conhecimento e técnica venham a definir a natureza do que é ensinado e de como é ensinado, em vez de contribuírem para a realização de metas educativas definidas em outras bases e em outros termos. Permitam-me ser concreto. Estão disponíveis a técnica e até a tecnologia para uma rápida e eficiente inculcação de comportamento qualificado, no ensino de línguas, de aritmética e em outras áreas. Há, por conseguinte, uma tentação real de se reconstruir o currículo nos termos definidos pela nova tecnologia. E não é muito difícil inventar uma razão, valendo-se dos conceitos de "comportamento de controle", "aumento de especialização" etc. Tampouco é difícil elaborar testes objetivos que, com certeza, demonstrem a eficiência desses métodos para se alcançar certas metas incorporadas a tais testes. Mas sucessos desse tipo não vão demonstrar que seja importante concentrar-se no desenvolvimento de comportamento qualificado no estudante. O pouco que sabemos sobre a inteligência humana, pelo menos, sugeriria algo bem diferente: que, ao diminuir o alcance e a complexidade dos materiais apresentados à mente inquiridora, definindo o comportamento por padrões fixos, esses métodos podem prejudicar e distorcer o desenvolvimento normal das capacidades criativas. Não quero insistir na questão. Tenho certeza de que qualquer um de vocês é capaz de encontrar exemplos em sua própria experiência. É perfeitamente adequado tentar explorar os autênticos avanços do conhecimento e, em determinadas áreas de estudo, é inevitável e muito apropriado que a pesquisa se oriente por considerações de viabilidade, bem como por considerações de significação máxima.

É também muito provável, se não inevitável, que considerações de viabilidade e significação levem a caminhos divergentes. Para aqueles que desejem aplicar as conquistas de uma disciplina aos problemas de outra, é importante deixar bem clara a natureza exata tanto do que foi alcançado, quanto – o que é igualmente importante – as limitações do que foi alcançado.

Mencionei momentos atrás que o aspecto criativo do uso normal da linguagem não é uma descoberta nova. Ele constitui uma coluna importante da teoria da mente de Descartes, de seu estudo dos limites da explicação mecânica. Este último, por sua vez, constitui um elemento crucial da elaboração da filosofia política e social antiautoritária do Iluminismo. E, de fato, houve até alguns esforços para fundar uma teoria da criatividade artística sobre o aspecto criativo do uso normal da linguagem. Schlegel, por exemplo, argumenta que a poesia ocupa uma posição única entre as artes, um fato ilustrado, afirma ele, pelo uso do termo "poético" para indicar o elemento de imaginação criativa presente em qualquer esforço artístico, como distinto, digamos, do termo "musical", que seria usado metaforicamente para indicar um elemento sensual. Para explicar essa assimetria, observa ele que cada modo de expressão artística faz uso de certo meio e que o meio da poesia – a linguagem – é único pelo fato de a linguagem, como expressão da mente humana, mais do que um produto da natureza, ser ilimitada em alcance e ser construída com base num princípio recursivo que permite que cada criação sirva de base para um novo ato criativo. Daí a posição central, entre as artes, das formas artísticas cujo meio é a linguagem.

A crença de que a linguagem, com seu aspecto criativo inerente, seja uma posse humana exclusiva não deixou de ser contestada, é claro. Um dos expositores da filosofia cartesiana, Antoine Le Grand, refere-se à opinião

> de algumas pessoas das Índias Orientais, que acham que os Macacos e os Babuínos, que existem entre eles em grande número,

sejam dotados de entendimento e possam falar mas não o queiram, de medo de serem empregados e postos para trabalhar.

Se há um argumento mais sério em apoio à tese de ser a capacidade humana de linguagem compartilhada com outros primatas, eu o desconheço. De fato, seja qual for a evidência que tenhamos, ela me parece apoiar a ideia de que a capacidade de adquirir e usar a linguagem é uma capacidade específica da espécie humana, de que existem princípios muito profundos e restritivos que determinam a natureza da linguagem humana e estão arraigados no caráter específico da mente humana. Obviamente, os argumentos ligados a essa hipótese não podem ser definitivos ou conclusivos, mas me parece que, mesmo no presente estágio de nosso conhecimento, os indícios nesse sentido não são desprezíveis.

Há um sem-número de questões que podem levar uma pessoa a empreender um estudo da linguagem. Pessoalmente, estou intrigado sobretudo com a possibilidade de aprender algo, a partir do estudo da linguagem, que revele propriedades inerentes da mente humana. Não podemos hoje dizer nada de particularmente informativo a respeito do uso normal criativo da linguagem em si mesmo. Todavia, acho que estamos aos poucos chegando a entender os mecanismos que tornam possível esse uso criativo da linguagem, o uso da linguagem como um instrumento de pensamento e expressão livres. Falando mais uma vez de um ponto de vista pessoal, para mim os aspectos mais interessantes do trabalho atual sobre a gramática são as tentativas de formular os princípios de organização da linguagem, os quais, propõe-se, são reflexos universais das propriedades da mente; e a tentativa de mostrar que, com base nessa suposição, podem ser explicados certos fatos acerca das línguas particulares. Vista desse modo, a linguística é simplesmente uma parte da psicologia humana: a disciplina que procura determinar a natureza das capacidades mentais humanas e estudar como essas capacidades são postas em operação. Muitos psicólogos rejeitariam tal caracterização de sua disciplina, mas essa reação parece-me indicar grave inadequação em sua concepção da psicologia, e não um defeito na formulação mesma. De qualquer forma, acho que esses são os termos adequados para se definirem as metas da linguística contemporânea e para se discutir suas conquistas e seus fracassos.

Acho que agora é possível fazer propostas razoavelmente definidas sobre a organização da linguagem humana e submetê-las à prova empírica. A teoria da gramática transformacional-gerativa, enquanto evolui por caminhos diversos e por vezes conflitantes, tem aventado essas propostas; e tem havido, nos últimos anos, um trabalho muito produtivo e sugestivo, que tenta refinar e reconstruir essas formulações dos processos e estruturas subjacentes à linguagem humana.

A teoria da gramática interessa-se pela questão: qual é a natureza do conhecimento que uma pessoa tem de sua língua que lhe permite fazer uso dela de modo normal e criativo? Uma pessoa que sabe uma língua dominou um sistema de regras que atribui som e significado de maneira definida para uma classe infinita de sentenças possíveis. Assim, cada língua consiste (parcialmente) em certo acoplamento de som e significado por uma área infinita. É claro que a pessoa que sabe a língua não tem consciência de ter dominado essas regras ou de servir-se delas, nem tampouco existem razões para supor que esse conhecimento das regras da linguagem possa ser trazido à consciência. Pela introspecção, uma pessoa pode acumular vários tipos de dados acerca da relação som-significado determinada pelas regras da língua que domina; não há razão para supor que possa ir muito além desse nível superficial dos dados para descobrir, por introspecção, as regras e os princípios subjacentes que determinam a relação de som e significado. Pelo contrário, descobrir essas regras e princípios é um problema tipicamente científico. Temos uma coleção de dados relativos à correspondência som-significado, à forma e interpretação de expressões linguísticas, em diversos idiomas. Tentamos determinar, para cada idioma, um sistema de regras que dê conta desses dados. Mais profundamente, procuramos estabelecer os princípios que governam a formação de tais sistemas de regras para qualquer língua humana.

O sistema de regras que especifica a relação som-significado numa dada língua pode ser chamado de "gramática" – ou, para usar um termo mais técnico, "gramática gerativa" – dessa língua. Dizer que uma gramática "gera" certo conjunto de estruturas é simplesmente dizer que a gramática de uma língua gera um conjunto infinito de "descrições estruturais", sendo cada descrição estrutural um objeto abstrato de certo tipo que determina um som particular, um significado particular, e quaisquer propriedades e configurações que sirvam para mediar a relação entre som e significado. Por exemplo, a gramática do inglês gera descrições estruturais para as sentenças que estou agora falando; ou, para tomar um caso mais simples, para fins de ilustração, a gramática do inglês geraria uma descrição estrutural para cada uma destas sentenças:

1 John is certain that Bill will leave.[a]
2 John is certain to leave.[b]

Cada um de nós domina e representa internamente um sistema de gramática que atribui descrições estruturais a essas sentenças; usamos esse conhecimento totalmente sem consciência ou sequer possibilidade de consciência, produzindo essas sentenças ou entendendo-as, quando são produzidas por outros. As descrições estruturais compreendem uma representação fonética das sentenças e uma especificação de seu significado. Para os

a "John está certo de que Bill vai sair".
b "John é certo que saia".

exemplos 1 e 2 citados, as descrições estruturais devem conter aproximadamente a seguinte informação: devem indicar que, no caso de 1, um dado estado psicológico (a saber, estar certo de que Bill sairá) é atribuído a John; ao passo que, no caso de 2, dada propriedade lógica (a saber, a propriedade de ser certo) é atribuída à proposição de que John sairá. Apesar da semelhança superficial de forma dessas duas sentenças, a descrição estrutural gerada pela gramática deve indicar que seus significados são muito diferentes: uma atribui um estado psicológico a John, a outra atribui uma propriedade lógica a uma proposição abstrata. A segunda sentença poderia ser parafraseada de forma muito diferente:

3 That John will leave is certain.[c]

Para a primeira, não existe tal paráfrase. Na paráfrase de 3 se poderia dizer que a "forma lógica" de 2 é expressa mais diretamente. As relações gramaticais em 2 e 3 são muito semelhantes, apesar da diferença de forma superficial; as relações gramaticais de 1 e de 2 são muito diferentes, apesar da semelhança de forma superficial. Fatos como esses proporcionam o ponto de partida para uma investigação da estrutura gramatical do inglês e, de modo mais geral, para a investigação das propriedades gerais da linguagem humana.

Para levar mais adiante a discussão das propriedades da linguagem, permitam-me introduzir o termo "estrutura superficial" para designar uma representação das frases que constitua uma expressão linguística e as categorias a que pertencem essas frases. Na sentença 1, temos, entre as frases da estrutura superficial "that Bill will leave", que é uma proposição completa, as frases nominais "Bill" e "John"; as frases verbais "will leave" e "is certain that Bill will leave" etc. Na sentença 2, a estrutura

c "Que John sairá é certo".

superficial compreende as frases verbais "to leave" e "is certain to leave"; mas a estrutura superficial de 2 não inclui nenhuma proposição da forma "John will leave" [John sairá], embora essa proposição expresse parte do significado de "John is certain to leave", e apareça como uma frase na estrutura superficial de sua paráfrase, "that John will leave is certain". Nesse sentido, a estrutura superficial não oferece necessariamente uma indicação exata das estruturas e relações que determinam o significado de uma sentença; no caso da sentença 2, "John is certain to leave", a estrutura superficial não consegue indicar que a proposição "John will leave" expressa parte do significado da sentença – embora, nos outros dois exemplos que dei, a estrutura superficial chegue bastante perto de indicar as relações semanticamente significativas.

Continuando, permitam-me introduzir outro termo técnico, "estrutura profunda", para designar uma representação das frases que desempenham um papel mais central, na interpretação semântica de uma sentença. No caso de 1 e 3, a estrutura profunda pode não ser muito diferente da estrutura superficial. No caso de 2, a estrutura profunda será muito diferente da estrutura superficial, pelo fato de incluir uma proposição como "John will leave" e o predicado "is certain" aplicados a essa proposição, embora nada semelhante apareça na estrutura superficial. Em geral, com exceção dos exemplos mais simples, as estruturas superficiais das sentenças são muito diferentes de suas estruturas profundas.

A gramática do inglês gerará, para cada sentença, uma estrutura profunda e conterá regras que mostrem como essa estrutura profunda está relacionada com uma estrutura superficial. As regras que exprimem a relação entre as estruturas profunda e superficial são chamadas "transformações gramaticais". Daí o termo "gramática transformacional-gerativa". Além das regras que definem as estruturas profundas, as estruturas superficiais e a relação entre elas, a gramática do inglês contém outras regras que relacionam esses "objetos sintáticos" (a saber, estruturas profundas e superficiais acopladas) com as representações fonéticas, por um lado, e com as representações de significado, por outro. Uma pessoa que tenha adquirido o conhecimento do inglês interiorizou essas regras e faz uso delas, quando entende ou produz as sentenças que acabamos de dar como exemplos e um número indefinido de outras.

São fornecidos dados em apoio dessa abordagem, pela observação de que algumas propriedades interessantes das sentenças inglesas podem ser explicadas diretamente em função das estruturas profundas a elas atribuídas. Consideremos, assim, mais uma vez, as sentenças 1 ("John is certain that Bill will leave") e 2 ("John is certain to leave"). Lembremo-nos de que, no caso da primeira, há uma frase nominal correspondente, a saber, "John's certainty that Bill will leave (surprised me)" [A certeza de que John sairá (surpreendeu-me)]; mas, no caso da segunda, não há uma frase nominal correspondente. Não podemos dizer "John's certainty to leave surprised me".[d] Esta última frase nominal é inteligível, imagino, mas não é bem composta em inglês. O falante de inglês pode facilmente se dar conta desse fato, embora a razão para tanto muito provavelmente lhe escape. Tal fato é um caso especial de uma propriedade muito geral do inglês, a saber: existem frases nominais correspondentes a sentenças que estão muito próximas, na forma superficial, da estrutura profunda, mas que não correspondem a sentenças que estejam distantes, na forma superficial, quanto à estrutura profunda. Assim, "John is certain that Bill will leave", estando próxima quanto à forma superficial de sua estrutura profunda, corresponde à frase nominal "John's certainty that Bill will leave"; mas não há uma frase como "John's certainty to leave" que corresponda a "John is certain to leave", que é distante de sua estrutura profunda.

d Algo como "A certeza de John sair surpreendeu-me".

Pode-se fazer que as noções de "proximidade" e "distância" fiquem muito precisas. Quando as tornamos precisas, temos uma explicação para o fato de que as nominalizações existem em certos casos, mas não em outros – ainda que, se existissem nesses outros casos, não raro seriam perfeitamente inteligíveis. A explicação gira em torno da noção de estrutura profunda: com efeito, ela afirma que as nominalizações devem refletir as propriedades da estrutura profunda. Há muitos exemplos que ilustram esse fenômeno. O importante é que os dados que ela fornece em apoio da ideia de que as estruturas profundas, que muitas vezes são bem abstratas, existem e desempenham um papel central nos processos gramaticais de que nos valemos para a produção e a interpretação de sentenças. Tais fatos, portanto, dão apoio à hipótese de que as estruturas profundas do tipo postulado na gramática transformacional-gerativa são estruturas mentais reais. Essas estruturas profundas, com as regras de transformação que as relacionam com a estrutura superficial e as regras que relacionam as estruturas profunda e superficial com representações de som e significado, são as regras que foram dominadas pela pessoa que aprendeu a língua. Constituem elas seu conhecimento da língua; elas são postas em prática, quando a pessoa fala e entende.

Os exemplos dados até agora ilustram o papel da estrutura profunda, na determinação do significado, e mostram que mesmo em casos muito simples a estrutura profunda pode estar distante da forma superficial. Há boa quantidade de fatos que indicam que a forma fonética de uma sentença é determinada por sua estrutura superficial, por intermédio de princípios de uma espécie extremamente interessante e complexa, que não examinarei aqui. A partir desses fatos, é razoável concluir que a estrutura superficial determina a forma fonética e que as relações gramaticais representadas na estrutura profunda são as que determinam o significado. Além disso, como já foi observado, há certos processos gramaticais, como o processo de nominalização, que só podem ser formulados em termos de estruturas profundas abstratas.

A situação é complicada, porém, pelo fato de a estrutura superficial também desempenhar um papel na determinação da interpretação semântica.[1] O estudo dessa questão é um dos aspectos mais controversos do trabalho atual e, em minha opinião, será provavelmente um dos mais frutíferos. À guisa de ilustração, consideremos algumas das propriedades do aspecto presente perfeito, em inglês – por exemplo, sentenças como "John has lived in Princeton". Uma característica interessante e raramente observada desse aspecto é que, nesses casos, ele traz consigo o pressuposto de que o sujeito está vivo. Assim, no meu caso, é correto dizer: "I have lived in Princeton" (Eu vivi em Princeton), mas, sabendo que Einstein morreu, não diria "Einstein has lived in Princeton". (Como sempre, há complicações, mas isso é exato numa primeira aproximação.) Consideremos agora, porém, as formas ativa e passiva com o aspecto de presente perfeito. Sabendo que John morreu e Bill está vivo, posso dizer: "Bill has often been visited by John" (Bill foi com frequência visitado por John), mas não "John has often visited Bill" (John visitou Bill com frequência); e sim "John often visited Bill". Posso dizer "I have been taught physics by Einstein", mas não "Einstein has taught me physics", e sim "Einstein taught me physics" (Einstein me ensinou física). Em geral, o ativo e o passivo são sinônimos e têm em essência as mesmas estruturas profundas. No entanto, nestes casos, as formas ativa e passiva diferem pelos pressupostos que expressam; dizendo-o de modo simples, o pressuposto é que a pessoa denotada pelo sujeito superficial esteja viva. Sob esse aspecto, a estrutura superficial contribui

1 Examino esta matéria em algum pormenor em "Deep Structure and Semantic Interpretation", in R. Jakobson e S. Kawamoto (eds.), *Studies in General and Oriental Linguistics*, volume comemorativo em homenagem a Shiro Hattori, TEC Corporation for Language and Educational Research, Tóquio, 1970.

para o significado da sentença, pelo fato de ser relevante na determinação do que é pressuposto no uso de uma sentença.

Levando adiante a questão, observemos que a situação é diferente, quando temos um objeto associado. Assim, dado que Hilary está vivo e Marco Polo está morto, é correto dizer que "Hilary has climbed Mt. Everest" (Hilary escalou o monte Everest) mas não "Marco Polo has climbed Mt. Everest"; e sim, mais uma vez, "Marco Polo climbed Mt. Everest". (Mais uma vez, deixo de lado certas sutilezas e complicações.) Mas consideremos agora a sentença "Marco Polo and Hilary (among others) have climbed Mt. Everest". Neste caso, não há nenhuma pressuposição expressa de que Marco Polo esteja vivo, como não o há na passiva "Mt. Everest has been climbed by Marco Polo (among others)" (O monte Everest foi escalado por Marco Polo (entre outros)).

Note-se também que a situação muda bastante, quando passamos da entoação normal, como nos casos que acabo de apresentar, para um contorno de entoação que contenha um acento contrastivo ou expressivo. O efeito dessa entoação sobre a pressuposição é razoavelmente complexo. Permitam-me ilustrá-lo com um caso simples. Tomemos a sentença "The Yankees played the Red Sox in Boston" (Os Yankees jogaram com os Red Sox em Boston). Com entoação normal, o ponto de maior acento e de maior altura é a palavra "Boston" e a sentença pode ser uma resposta a perguntas como "where did the Yankees play the Red Sox?" (onde os Yankees jogaram com os Red Sox?) ("in Boston"); "what did the Yankees do?" (o que os Yankess fizeram?) ("they played the Red Sox in Boston" – eles jogaram com os Red Sox em Boston); "what happened?" (o que aconteceu?) ("the Yankees played the Red Sox in Boston"). Porém, suponhamos que o acento contrastivo seja colocado em "Red Sox", de modo que tenhamos "The Yankees played the RED SOX in Boston". Agora, a sentença só pode ser uma resposta para "Who did the Yankees play in Boston?" (Com quem os Yankees jogaram em Boston?). Note-se que a sentença pressupõe que os Yankees jogaram com alguém em Boston; se não tiver havido nenhum jogo, é incorreto, não só falso, dizer "The Yankees played the RED SOX in Boston". Em contrapartida, se não tiver havido jogo nenhum, é falso, mas não incorreto, dizer "The Yankees played the Red Sox in Boston", com a entoação normal. Assim, o acento contrastivo traz consigo uma pressuposição em certo sentido em que a entoação normal não o faz, embora a entoação normal também traga consigo uma pressuposição em outro sentido; assim, seria incorreto responder à pergunta "who played the Red Sox in Boston?" (Quem jogou com os Red Sox em Boston?) com "The Yankees played the Red Sox in Boston" (entoação normal). A mesma propriedade de acentuação contrastiva é mostrada pela chamada construção de sentença clivada (cleft sentence construction). Assim, a sentença "It was the YANKEES who played the Red Sox in Boston" tem acento primário em "Yankees" e pressupõe que alguém jogou com os Red Sox em Boston. A sentença é incorreta, não só falsa, se não tiver havido nenhum jogo. Esses fenômenos têm sido em geral deixados de lado, quando o papel semântico do acento contrastivo é observado.

Para maior ilustração do papel da estrutura superficial na determinação do significado, consideremos sentenças como esta: "John is tall for a pigmy" (John é alto para um pigmeu). Essa sentença pressupõe que John é um pigmeu e que pigmeus tendem a ser baixos; portanto, dado o nosso conhecimento dos Watusi, seria anômalo dizer "John is tall for a Watusi". Por outro lado, consideremos o que acontece quando inserimos a palavra "even" (até) na sentença. Inserindo-a antes de "John", derivamos: "Even John is tall for a pigmy" (Até John é alto para um pigmeu). Mais uma vez, a pressuposição é que John é um pigmeu e os pigmeus são baixos. Mas consideremos: "John is tall even for a pigmy" (John é alto até para um pigmeu). Isso pressupõe que os pigmeus são altos; é, portanto, uma sentença estranha, dado nosso conhecimento dos fatos, quando comparada, digamos, a "John is tall even for a Watusi", que é perfeita.

O ponto é que a posição de "even" na sentença "John is tall for a pigmy" determina a pressuposição referente à altura média dos pigmeus.

Mas a colocação da palavra "even" é uma questão de estrutura superficial. Podemos vê-lo pelo fato de que a palavra "even" pode aparecer em associação com frases que não têm nenhuma representação, no nível da estrutura profunda. Consideremos, por exemplo, a sentença "John isn't certain to leave at 10; in fact, he isn't even certain to leave at all" (Não é certo que John saia às 10; na verdade, não é nem certo que ele saia). Aqui, a palavra "even" está associada com "certain to leave", uma frase que, como já foi notado, não aparece no nível da estrutura profunda. Portanto, também neste caso as propriedades da estrutura superficial desempenham um papel na determinação do que é pressuposto por determinada sentença.

O papel da estrutura superficial na determinação do significado é mais uma vez ilustrada pelo fenômeno da pronominalização.[2] Assim, se digo "Each of the men hates his brothers" (Cada um dos homens odeia seus irmãos), a palavra "his" (seu) pode referir-se a um dos homens; mas se disser "The men each hate his brothers", a palavra "his" deve referir-se a alguma outra pessoa, não mencionada na sentença. Contudo, são fortes os indícios de que "each of the men" e "the men each" derivam da mesma estrutura profunda. De modo análogo, foi observado que a colocação do acento desempenha um papel importante na determinação da referência pronominal. Consideremos o seguinte discurso: "John washed the car; I was afraid someone ELSE would do it" (John lavou o carro; eu estava receoso de que alguma OUTRA pessoa o fizesse). A sentença implica que eu esperava que John lavasse o carro e estou contente por ele

2 Os exemplos a seguir devem-se a Ray Dougherty, Adrian Akmajian e Ray Jackendoff. Para obter referências, ver meu artigo em Jakobson e Kawamoto. (Eds.) *Studies in General and Oriental Linguistics*.

tê-lo feito. Mas agora consideremos o seguinte: "John washed the car; I was AFRAID someone else would do it" (John lavou o carro; eu estava RECEOSO de que alguma outra pessoa o fizesse). Com a ênfase em "afraid", a sentença implica que eu esperava que John não lavasse o carro. A referência de "someone else" é diferente nos dois casos. Há muitos outros exemplos que ilustram o papel da estrutura superficial na determinação da referência pronominal.

Para complicar ainda mais as coisas, a estrutura profunda também desempenha um papel na determinação da referência pronominal. Consideremos, pois, a sentença "John appeared to Bill to like him" (John pareceu a Bill gostar dele). Aqui, o pronome pode referir-se a Bill, mas não a John. Comparemos "John appealed to Bill to like him" (John pediu a Bill que gostasse dele). Aqui, o pronome pode referir-se a John, mas não a Bill. Assim, podemos dizer "John appealed to Mary to like him", mas não "John appeared to Mary to like him", onde "him" se refere a "John"; por outro lado, podemos dizer "John appeared to Mary to like her", mas não "John appealed to Mary to like her", onde "her" se refere a Mary. Analogamente, em "John appealed to Bill to like himself", o reflexivo refere-se a Bill; todavia, em "John appeared to Bill to like himself", refere-se a John. Essas sentenças são aproximadamente as mesmas quanto à estrutura superficial; são as diferenças na estrutura profunda que determinam a referência pronominal.

A referência pronominal, portanto, depende tanto da estrutura profunda quanto da superficial. Uma pessoa que saiba inglês domina um sistema de regras que fazem uso de propriedades das estruturas profundas e superficiais, na determinação da referência pronominal. Mais uma vez, não podemos descobrir essas regras por introspecção. Na verdade, essas regras ainda são desconhecidas, embora algumas das suas propriedades estejam claras.

Resumindo: a gramática gerativa de uma língua especifica um conjunto infinito de descrições estruturais, cada uma das quais contendo uma estrutura profunda, uma estrutura superficial, uma representação fonética, uma representação semântica e outras estruturas formais. As regras que relacionam a estrutura profunda à superficial – as chamadas "transformações gramaticais" – foram investigadas em algum pormenor e são razoavelmente bem compreendidas. As regras que relacionam a estrutura superficial com a representação fonética também são razoavelmente bem compreendidas (embora eu não queira dizer com isso que a matéria seja ponto pacífico: longe disso). Parece que tanto a estrutura profunda como a superficial participam da determinação do significado. A estrutura profunda fornece as relações gramaticais de predicação, modificação etc., que entram na determinação do significado. Por outro lado, parece que as questões de foco e pressuposição, tópico e comentário, o alcance dos elementos lógicos e a referência são determinados, pelo menos em parte, pela estrutura superficial. As regras que relacionam as estruturas sintáticas com as representações de significado não são de modo algum bem compreendidas. Na verdade, a noção de "representação de significado" ou "representação semântica" é em si mesma muito controversa. Não é claro, de maneira nenhuma, que seja possível distinguir nitidamente entre a contribuição da gramática para a determinação do significado e a contribuição das chamadas "considerações pragmáticas", questões de fato e crença e contexto do enunciado. Talvez valha a pena mencionar que questões bastante semelhantes podem ser levantadas acerca da noção de "representação fonética". Embora esta última seja uma das noções mais bem estabelecidas e menos controversas da teoria linguística, podemos, no entanto, levantar a questão de se se trata ou não de uma abstração legítima, de se uma compreensão mais profunda do uso da linguagem não possa mostrar que fatores que vão além da estrutura gramatical participem da determinação da representação perceptiva e da forma física de uma forma inextricável e não possam ser separados, sem distorção, das regras formais que interpretam a estrutura superficial como forma fonética.

Até aqui, o estudo da linguagem tem progredido com base em certa abstração: a saber, fazemos abstração das condições de uso da linguagem e consideramos as estruturas e operações formais que as relacionam. Entre essas estruturas formais estão as sintáticas, ou seja, as estruturas profunda e superficial; e também as representações fonética e semântica, que tomamos como objetos formais relacionados com as estruturas sintáticas por certas operações bem definidas. Esse processo de abstração não é de modo algum ilegítimo, mas se deve entender que ele exprime um ponto de vista, uma hipótese a respeito da natureza da mente, que não é óbvia *a priori*. Exprime a hipótese de trabalho de que podemos ir em frente no estudo do "conhecimento da linguagem" – o que muitas vezes é chamado "competência linguística" – fazendo abstração dos problemas de como a linguagem é usada. A hipótese de trabalho é justificada pelo sucesso alcançado quando adotada. Aprendeu-se muita coisa sobre os mecanismos da linguagem e, diria eu, sobre a natureza da mente, tendo como base essa hipótese. Porém, devemos estar conscientes de que em parte, pelo menos, essa abordagem da linguagem nos é impingida pelo fato de nossos conceitos nos decepcionarem, quando tentamos estudar o uso da linguagem. Somos reduzidos a platitudes ou a observações que, embora talvez muito interessantes, não levam por si mesmas ao estudo sistemático por meio das ferramentas intelectuais de que hoje dispomos. Por outro lado, podemos trazer ao estudo das estruturas formais e de suas relações um tesouro de experiência e de entendimento. Pode ser que, neste ponto, estejamos enfrentando um problema de conflito entre significação e viabilidade, um conflito do tipo que mencionei mais acima, neste artigo. Não creio que este seja o caso, mas é possível. Sinto-me razoavelmente confiante em que a abstração do estudo dos mecanismos formais da linguagem seja apropriada; minha confiança vem do fato de muitos resultados relevantes terem sido alcançados com base nessa abstração. Mesmo assim, é bom ter cautela. Pode ser que o próximo grande avanço no estudo da linguagem exija que se forjem novas ferramentas intelectuais que nos permitam levar em consideração uma série de questões que foram jogadas na lata de lixo da "pragmática", para que pudéssemos prosseguir no estudo de questões que sabíamos como formular de maneira inteligível.

Como foi observado, acho que a abstração da competência linguística é legítima. Indo mais além, creio que a incapacidade da psicologia moderna de resolver os problemas da inteligência humana se deva em parte, pelo menos, à sua relutância em empreender o estudo das estruturas e mecanismos abstratos da mente. Note-se que a abordagem da estrutura linguística que venho esboçando tem um sabor muito tradicional. Acho que não é distorcido dizer que essa abordagem torna preciso um ponto de vista que era inerente ao importantíssimo trabalho dos gramáticos universais dos séculos XVII e XVIII e que foi desenvolvido de várias formas, na filosofia racionalista e romântica da linguagem e da mente. A abordagem distancia-se sob diversos aspectos da concepção mais moderna e, em minha opinião, completamente errada de que o conhecimento da linguagem pode ser explicado como um sistema de hábitos ou, em termos de ligações estímulo/resposta, princípios de "analogia" e "generalização", e outras noções que foram exploradas na linguística e na psicologia do século XX e que se desenvolvem a partir da especulação empirista tradicional. A inadequação fatal dessas abordagens, creio eu, decorre de sua relutância em empreender o estudo abstrato da competência linguística. Se as ciências físicas tivessem sido limitadas por restrições metodológicas semelhantes, ainda estaríamos na era da astronomia babilônica.

Um dos conceitos tradicionais que ressurgiram, no trabalho atual, é o de "gramática universal", e quero concluir dizendo uma palavra sobre esse assunto. Há dois tipos de fatos que sugerem que condições formais profundas sejam satisfeitas pelas gramáticas de todas as línguas. O primeiro tipo de fato é dado pelo estudo de um amplo leque de idiomas. Na tentativa de elaborar gramáticas gerativas para línguas dos mais variados tipos, os investigadores têm sido repetidas vezes levados a suposições bastante semelhantes quanto à forma e à organização desses sistemas gerativos. Mas um tipo mais convincente de fatos ligados à gramática universal é dado pelo estudo de uma única língua. Pode à primeira vista parecer paradoxal que o estudo intensivo de uma única língua forneça fatos acerca da gramática universal, mas um pouco de reflexão sobre a questão mostra que essa é uma consequência muito natural.

Para vê-lo, consideremos o problema de determinar as capacidades mentais que tornam possível a aquisição de uma língua. Se o estudo da gramática – da competência linguística – envolve uma abstração do uso da linguagem, então o estudo das capacidades mentais que tornam possível a aquisição da gramática envolve uma abstração ulterior, de segunda ordem. Não vejo falha nisso. Podemos formular o problema da determinação das características intrínsecas de um aparelho de propriedades desconhecidas, que aceita como "entrada" o tipo de dados disponíveis à criança que aprende a sua primeira língua e produz, como "saída", a gramática gerativa dessa língua. A "saída", neste caso, é a gramática representada interiormente, cujo domínio constitui o conhecimento da língua. Se empreendermos o estudo da estrutura intrínseca de um aparelho de aquisição de línguas sem dogmas nem preconceitos, chegaremos a conclusões que, embora naturalmente apenas provisórias, ainda assim me parecem tão significativas quanto razoavelmente bem fundamentadas. Devemos atribuir a esse aparelho estrutura suficiente para que a gramática possa ser elaborada dentro das condições empiricamente dadas de tempo e de dados disponíveis, e devemos satisfazer a condição empírica de que diferentes falantes da mesma língua, com experiências e treinamentos bastante diferentes, adquirem, porém, gramáticas notavelmente semelhantes, como podemos ver pela facilidade com que se comunicam e pelas correspondências entre eles, na interpretação de novas sentenças. É imediatamente óbvio que os dados de que a criança dispõe são muito limitados – o número de segundos de sua vida é trivialmente pequeno, se comparado com a quantidade de sentenças que ela pode entender imediatamente e pode produzir da maneira apropriada. Tendo algum conhecimento das características das gramáticas adquiridas e das limitações dos dados disponíveis, podemos formular hipóteses muito razoáveis e bastante fortes a respeito da estrutura interna do aparelho de aquisição de línguas que elabora as gramáticas postuladas, a partir dos dados fornecidos. Quando estudamos essa questão em pormenor, somos levados, creio eu, a atribuir ao aparelho um sistemas de restrições muito rico sob a forma de uma gramática possível; caso contrário, é impossível explicar como as crianças chegam a construir gramáticas do tipo que parece empiricamente adequado sob as condições dadas de tempo e de acesso aos dados. Contudo, se supusermos, além disso, que as crianças não são geneticamente predispostas a aprender mais uma do que outra língua, então as conclusões a que chegamos acerca do aparelho de aquisição de línguas são conclusões referentes à gramática universal. Essas conclusões podem ser falseadas, mostrando-se que elas não conseguem dar conta da elaboração de gramáticas de outras línguas, por exemplo. E essas conclusões são ulteriormente verificadas, se servirem para explicar fatos sobre outras línguas. Esta linha de argumentação parece-me muito razoável, de um modo geral, e quando explorada em pormenor, nos leva a hipóteses empíricas fortes a respeito da gramática universal, até mesmo a partir do estudo de uma língua particular.

Discuti uma abordagem do estudo da linguagem que o concebe como um ramo da psicologia humana teórica. Sua meta é exibir e esclarecer as capacidades mentais que tornam possível para um ser humano aprender e usar uma língua. Até onde sabemos, essas capacidades são exclusivas do homem e não têm um análogo significativo em nenhum outro organismo. Se as conclusões desta pesquisa estão de alguma forma próximas da verdade, os seres humanos devem ser dotados de um conjunto riquíssimo e explícito de atributos mentais, os quais determinam uma forma específica de linguagem, com base em dados muito insignificantes e um tanto degenerados. Além disso, eles fazem uso da linguagem mentalmente representada de um modo muito criativo, constrangidos por suas regras, mas livres para expressar novos pensamentos relacionados com a experiência passada ou com as sensações presentes somente de maneira remota e abstrata. Se isso estiver correto, não há esperança no estudo do "controle" do comportamento humano por condições de estímulo, agendas de reforço, estabelecimento de estruturas de hábito, padrões de comportamento etc. Pode-se, é claro, projetar um ambiente restrito em que tal controle e tais padrões possam ser demonstrados, mas não há razão para supor que se aprenda mais sobre o alcance das potencialidades humanas por esses métodos do que seria aprendido observando-se seres humanos em uma prisão ou no exército – ou em muitas salas de aula. As propriedades essenciais da mente humana sempre escaparão a esse tipo de investigação. E, se me perdoarem um comentário final "não profissional", fico muito feliz com esse resultado.

5
A natureza formal da linguagem

Propriedades gerais da linguagem

Apesar de muitas gerações de erudição produtiva, as questões a que se refere este artigo só podem receber respostas muito provisórias. Há umas poucas línguas para as quais dispomos de descrições aprofundadas, e apenas alguns aspectos selecionados da linguagem foram estudados com atenção e sucesso suficientes para dar sustentação a conclusões de natureza geral. Mesmo assim, é possível, com certo grau de confiança, esboçar certas propriedades e condições que distinguem as línguas humanas entre os sistemas arbitrários de manipulação, comunicação e expressão.

Competência e desempenho

No nível mais rudimentar de descrição, podemos dizer que uma língua associa som e significado de um modo particular; ter domínio de uma língua é ser capaz, em princípio, de entender o que é dito e produzir um sinal com uma interpretação semântica desejada. Mas, além de muita obscuridade, há também uma séria ambiguidade nessa caracterização rudimentar do domínio da língua. É bastante óbvio que as sentenças têm um significado intrínseco determinado pela regra linguística e que uma pessoa com domínio de uma língua de certa forma interiorizou o sistema de regras que determinam tanto a forma fonética da sentença quanto seu conteúdo semântico intrínseco – que ela desenvolveu o que chamaremos uma específica *competência linguística*. Todavia, é igualmente claro que o uso real observado da linguagem – o *desempenho* real – não reflete apenas as ligações intrínsecas de som-significado estabelecidas pelo sistema de regras linguísticas. O desempenho envolve também muitos outros fatores. Não interpretamos o que é dito em nossa presença simplesmente pela aplicação de princípios *linguísticos* que determinam as propriedades fonéticas e semânticas de um enunciado. As crenças extralinguísticas acerca do falante e da situação desempenham um papel fundamental na determinação de como a fala é produzida, identificada e entendida. O desempenho linguístico é, ademais, governado por princípios da estrutura cognitiva (por exemplo, por restrições de memória) que não são, propriamente falando, aspectos da linguagem.

Para estudar a linguagem, portanto, devemos tentar dissociar uma variedade de fatores que interagem com a competência subjacente para determinar o desempenho real; o termo técnico "competência" designa a capacidade que o falante-ouvinte ideal tem de associar sons e significados estritamente de acordo com as regras de sua língua. A gramática de uma língua, como um modelo para a competência idealizada,[1] estabelece certa relação entre som e significado – entre representações fonéticas e semânticas. Podemos dizer que a gramática da língua *L* gera um

---

1 O termo "gramática" é muitas vezes usado de modo ambíguo, para designar tanto o sistema de regras interiorizado quanto a descrição que o linguista faz dele.

conjunto de pares (*s, I*) onde *s* é a representação fonética de certo sinal[2] e *I* é a interpretação semântica atribuída a esse sinal pelas regras da língua. Descobrir essa gramática é o objetivo principal da investigação linguística de uma língua particular.

A teoria geral da estrutura linguística interessa-se em descobrir as condições a que deve satisfazer qualquer gramática desse tipo. Essa teoria geral interessar-se-á por três tipos de condições: condições sobre a classe de representações fonéticas admissíveis, a classe das representações semânticas admissíveis e os sistemas de regras que geram representações fonéticas e semânticas acopladas. Sob todos os três aspectos, as línguas humanas estão sujeitas a condições rigorosas de limitação. Não há dificuldade em construir sistemas que não satisfaçam a essas condições e, portanto, não se qualifiquem como línguas humanas potenciais, apesar do fato de associarem som e significado de certa maneira definida. As línguas humanas são sistemas de um tipo muito específico. Não há uma necessidade *a priori* de que um sistema que relacione som e significado seja desse tipo. Com o desenrolar-se deste artigo, mencionaremos algumas das condições muito restritivas que parecem ser propriedades essenciais da linguagem humana.

Uma gramática gera certo conjunto de pares (*s, I*), onde *s* é uma representação fonética e *I* a sua interpretação semântica associada. Analogamente, podemos pensar em um modelo de desempenho como algo que relacione som e significado de determinada maneira. Um modelo perceptivo, *MP*, por exemplo, pode ser descrito, como em 1, como um aparelho que aceita um sinal como "entrada" (juntamente com muitas outras coisas) e distribui diversas representações gramaticais como "saída".

2 Para ser mais preciso, certa classe de sinais que são repetições uns dos outros, em certo sentido a que voltarei mais adiante.

1

Um problema central da psicologia é o de descobrir as características de um sistema *MP* desse tipo. É claro que, ao entender um sinal, um ouvinte se vale de informações sobre a estrutura de sua língua. Em outras palavras, o modelo *MP* incorpora a gramática *G* de uma língua. O estudo de como são entendidas as sentenças – o problema geral da percepção da fala – deve, obviamente, permanecer dentro de limites estreitos, a menos que faça uso dessa propriedade básica de um modelo perceptivo. Mas é importante distinguir claramente entre a função e as propriedades do modelo perceptivo *MP* e o modelo de competência *G* que ele incorpora. Tanto *G* como *MP* relacionam som e significado; porém, *MP* faz uso de muita informação além da associação intrínseca som-significado determinada pela gramática *G*, e opera sob condições de memória, tempo e organização de estratégias perceptivas que não são questões de gramática. Analogamente, embora possamos descrever a gramática *G* como um sistema de processos e regras que se aplicam em certa ordem para relacionar som e significado, não estamos autorizados a considerar isso uma descrição dos atos sucessivos de um modelo de desempenho como *MP* – na verdade, seria totalmente absurdo fazê-lo. O que dissemos acerca dos modelos perceptivos é igualmente aplicável aos modelos de produção. As regras gramaticais que geram as representações fonéticas de sinais com suas interpretações semânticas não constituem um modelo para a produção de sentenças, embora qualquer modelo desse tipo deva incorporar o sistema de regras gramaticais. Se essas distinções simples forem olvidadas, deve resultar em muita confusão.

Neste artigo, concentramos a atenção na competência e nas gramáticas que a caracterizam; ao falarmos de interpretação semântica e fonética de sentenças, designamos exclusivamente as representações idealizadas determinadas pelo sistema subjacente. O desempenho fornece dados para o estudo da competência linguística. A competência, no sentido que acabo de descrever, é um dos muitos fatores que interagem para determinar o desempenho. Em geral, seria de esperar que, ao estudar o comportamento de um organismo complexo, fosse necessário isolar tais sistemas subjacentes essencialmente independentes, como o sistema de competência linguística, cada qual com sua estrutura intrínseca, para exame em separado.

Primeiros passos para um estudo da competência

Voltando ao estudo da competência subjacente, assinalemos primeiro algumas propriedades muito óbvias da gramática de uma língua humana. Em primeiro lugar, é bastante claro que o conjunto de representações fonéticas e semânticas acopladas, geradas pela gramática, será infinito. Não há língua humana em que seja possível, de fato ou em princípio, especificar certa sentença como a mais longa sentença da língua que tenha sentido. A gramática de qualquer língua contém dispositivos que tornam possível formar sentenças de qualquer complexidade, cada uma com sua interpretação semântica intrínseca. É importante compreender que isso não é uma simples sutileza lógica. O uso normal da linguagem baseia-se essencialmente nessa ilimitação, no fato de a linguagem conter dispositivos para gerar sentenças de qualquer complexidade. A repetição de sentenças é uma raridade; a inovação, de acordo com a gramática da língua, é a regra do desempenho normal no dia a dia. A ideia de que uma pessoa tenha um "repertório verbal" – um estoque de enunciados que ela produz por "hábito", numa ocasião apropriada – é um mito, totalmente em desacordo com o uso observado da linguagem. Tampouco é possível atribuir qualquer substância à ideia de que o falante tenha um estoque de "padrões" em que insere palavras ou morfemas. Tais concepções podem valer para saudações, uns poucos clichês etc., mas deformam por completo o uso normal da linguagem, como o leitor pode convencer-se facilmente, pela observação imparcial.[3]

Para descobrirmos a gramática de um usuário da língua, devemos começar obtendo informações ligadas à sua interpretação de sentenças, à estrutura semântica, gramatical e fonética que ele lhes atribui. Por exemplo, para o estudo do inglês, seria importante descobrir fatos como o seguinte. Consideremos os quadros de sentenças 2 e as palavras "persuaded", "expected" e "happened":

2 a. John __ Bill that he should leave.[a]
b. John __ Bill to leave.[b]
c. John __ to leave. [c]
d. It is __ that Bill will leave.[d]

A palavra "persuaded" pode ser inserida em a e em b, mas não em c ou d; "expected" pode ser inserida em b, c, d, mas não em a; "happened" pode ser inserida só em c. Inserindo "persuaded" em a, derivamos uma sentença ambígua, cuja interpretação depende da referência de "he"; de acordo com uma das interpretações, a sentença é quase uma paráfrase de b, com "persuaded"

3 Ou por alguns cálculos simples do número de sentenças e "padrões" que seriam necessários, para adequação empírica, em tais repertórios. Para consultar alguns comentários pertinentes, ver G. A. Miller, E. Galanter e K. H. Pribram, *Plans and the Structure of Behavior* (New York: Holt, Rinehart And Winston, 1960), p.145ss.; G. A. Miller e N. Chomsky, "Finitary Models of Language Users", in R. D. Luce, R. Bush e E. Galanter (Eds.). *Handbook of Mathematical Psychology* (New York: Wiley, 1963), v.II, p.430.

a John __ Bill que deveria sair.

b John __ Bill a sair.

c John __ sair.

d É __ que Bill sairá.

inserida. Quando "expected" aparece em b e c, estabelece-se a relação sujeito-verbo entre "Bill" e "leave", em b, mas entre "John" e "leave", em c. A sentença "John happened to leave" (John calhou de sair) tem aproximadamente o mesmo significado de "It happened that John left" (Calhou de John sair), mas "John expected to leave" não é sequer uma paráfrase remota de "It happened that John left". Fatos como esses podem ser formulados de várias maneiras, e podemos usar uma ou outra técnica para certificar-nos de sua exatidão. Esses são fatos a respeito da competência do falante de inglês. Eles podem servir de base para a descoberta de sua gramática interiorizada.

Verifiquemos o estatuto de tais observações com um pouco mais de atenção. Essas observações estão de fato diretamente ligadas à saída de um modelo perceptivo tal como 1; estão relacionadas com as estruturas atribuídas a sinais pelo ouvinte. A nossa caracterização da saída de 1 é um construto baseado em fatos desse tipo. O próprio modelo perceptivo *MP*, então, é um construto de segunda ordem. Levando mais adiante a abstração, podemos estudar a gramática que constitui um dos componentes fundamentais de 1 como construto de terceira ordem. Assim, os fatos citados no parágrafo anterior de fato só indiretamente têm ligação com a gramática. Em outras palavras, devemos pressupor a legitimidade da abstração em casos como esses, e há uma enorme massa de dados do tipo citado. Mais uma vez, observamos que idealizações da espécie que acabamos de descrever são inevitáveis, se quisermos estudar seriamente um organismo complexo.

Esse processo de abstração pode ser levado um passo mais adiante. Consideremos um modelo de aquisição *MA* que utilize dados linguísticos para descobrir a gramática da língua a que pertencem os dados.

3 Dados linguísticos → [MA] → Gramática

O modo exato como *MA* seleciona uma gramática será determinado por sua estrutura interna, pelos métodos de análise de que dispõe e pelas condições iniciais que impõe a toda gramática possível. Se recebermos informações sobre o acoplamento de dados linguísticos e gramáticas, podemos tentar determinar a natureza do dispositivo *MA*. Embora não tenham sido estes os termos usados, a linguística sempre se interessou por essa questão. Assim, a linguística estrutural moderna tentou desenvolver métodos de análise de natureza geral, independentemente de qualquer língua particular, e uma tradição mais antiga e muito esquecida tentou desenvolver um sistema de condições universais que qualquer gramática deve satisfazer. Podemos descrever ambas essas tentativas como interessadas na estrutura interna do dispositivo *MA*, com a concepção inata de "linguagem humana" que torna possível a aquisição de línguas.[4]

Gramática universal

Voltemo-nos agora para o estudo da competência subjacente, e examinemos o problema geral de como um acoplamento som-significado pode ser estabelecido. Como preliminar a esta investigação da gramática universal, devemos perguntar como sons e significados devem ser representados. Uma vez que estamos interessados na linguagem humana em geral, esses sistemas de representação devem ser independentes de qualquer idioma particular. Em outras palavras, devemos desenvolver uma fonética universal e uma semântica universal que delimitem, respectivamente, o conjunto de sinais possíveis e o conjunto de representações semânticas possíveis para qual-

4 A existência de uma estrutura mental inata não é, obviamente, matéria controversa. O que podemos questionar é apenas o que ela é e até que ponto é específica da linguagem.

quer língua humana. Será, então, possível falar de uma língua como um acoplamento particular de sinais com interpretações semânticas, e investigar as regras que estabelecem esse acoplamento. Nosso exame das propriedades gerais da linguagem divide-se, então, naturalmente em três partes: uma discussão da fonética universal, da semântica universal e do sistema geral da gramática universal. Os primeiros dois tópicos envolvem a representação da forma idealizada e do conteúdo semântico; a teoria da gramática universal lida com os mecanismos usados nas línguas naturais, para determinar a forma de uma sentença e seu conteúdo semântico.

A importância de desenvolver uma semântica universal e uma fonética universal, no sentido do último parágrafo, foi claramente reconhecida muito antes do desenvolvimento da linguística moderna. Por exemplo, o bispo Wilkins, em seu *Essay Towards a Real Character and a Philosophical Language* [Ensaio sobre um caráter real e uma língua filosófica] (1668), tentou desenvolver um alfabeto fonético universal e um catálogo universal de conceitos em função dos quais, respectivamente, poderiam ser representados os sinais e as interpretações semânticas para qualquer língua. O alfabeto fonético baseia-se num sistema de propriedades fonéticas elaborado de acordo com o ponto e a maneira de articulação. Cada símbolo fonético pode ser analisado como um conjunto de tais propriedades; em termos modernos, é analisável como um conjunto de *características distintivas*. Além disso, é tacitamente pressuposto que o sinal físico é determinado, por princípios independentes da linguagem, a partir de sua representação segundo símbolos fonéticos. Os conceitos que são propostos como unidades de interpretação semântica também podem ser analisados em propriedades fixas (características semânticas) de certo tipo, por exemplo, animado-inanimado, relativo-absoluto, agente-instrumento etc. Pressupõe-se tacitamente que a interpretação semântica de uma sentença seja determinada por princípios universais, independentes da linguagem, a partir de conceitos compreendidos no enunciado e na maneira como são relacionados gramaticalmente (por exemplo, como sujeito-predicado).[5] Embora sejam óbvios os defeitos de execução, nesses estudos pioneiros como o de Wilkins, a abordagem geral é correta. A teoria da fonética universal foi intensamente explorada, com considerável sucesso, segundo as linhas que acabamos de indicar; a teoria paralela da semântica universal, em contrapartida, foi muito pouco estudada.

Gramática universal: fonética universal

A teoria da fonética universal tenta estabelecer um alfabeto fonético universal e um sistema de leis. O alfabeto define o conjunto de sinais possíveis do qual são extraídos os sinais de uma língua particular. Se a teoria estiver correta, cada sinal de uma língua pode ser representado como uma sequência de símbolos do alfabeto fonético. Suponhamos que dois eventos físicos sejam representados como a mesma sequência. Então, em qualquer língua, eles devem ser repetições um do outro.[6] Por outro lado, dois eventos físicos podem ser vistos por falantes de uma língua como repetições e por falantes de outra língua como não repetições. Neste caso, o alfabeto universal deve proporcionar os meios de distingui-los. A representação em termos do alfabeto universal deve fornecer toda informação necessária para determinar como o sinal pode ser produzido e deve, ao mesmo tempo, corresponder a um nível refinado de

---

5 Esse pressuposto não está explícito em Wilkins, mas é desenvolvido em outros trabalhos dos séculos XVII e XVIII. Ver meu livro *Cartesian Linguistics* (New York: Harper & Row, 1966; tradução brasileira *Linguística Cartesiana*, Petrópolis: Vozes, 1972), para obter referências e discussão.

6 Num sentido adequado de repetição. Assim, quaisquer dois sinais físicos são, de certo modo, distintos, mas algumas das diferenças são irrelevantes, numa língua particular, e outras são irrelevantes, em qualquer língua.

representação perceptiva. Ressaltamos, mais uma vez, porém, que o desempenho real envolve outros fatores, além da representação fonética ideal.

Os símbolos do alfabeto fonético universal não são os "elementos primitivos" da teoria fonética universal. Esses elementos primitivos incluem, mais precisamente, o que foi chamado de *características (fonéticas) distintivas*, propriedades como as de sonorização, frontalidade-posterioridade, acento etc.[7] Cada uma dessas características pode ser concebida como uma escala segundo a qual dois ou mais valores podem ser distinguidos (quantos valores precisam ser distinguidos é uma questão aberta, mas o número aparentemente é bem pequeno para cada característica). Um símbolo do alfabeto fonético deve ser corretamente encarado como um conjunto de características, cada uma das quais com um valor determinado. Um sinal, portanto, é representado como uma sequência de tais conjuntos.

Refletem-se numa teoria fonética desse tipo três propriedades óbvias da linguagem. A primeira é o caráter discreto – o fato de que apenas um número finito determinável de sinais de dada extensão podem ser não repetições. A segunda propriedade é a ilimitação da linguagem – o fato de que um sinal pode ter uma extensão qualquer, de modo que uma língua contém infinitamente muitos sinais interpretados semanticamente. Além dessas propriedades formais, uma teoria fonética desse tipo reflete o fato de que dois segmentos de um sinal, representados por dois símbolos do alfabeto universal, podem ser semelhantes sob certos aspectos e distintos sob outros; e de que, além disso, há um número fixo dessas dimensões de identidade e diferença e

7 Uma teoria das características fonéticas distintivas é desenvolvida em R. Jakobson, G. Fant e M. Halle, *Preliminaries to Speech Analysis*, 2.ed. (Cambridge, Mass.: MIT Press, 1963). Uma versão revista e, cremos, melhorada aparece em N. Chomsky e M. Halle, *Sound pattern of English* (New York: Harper & Row, 1968).

um número fixo de pontos potencialmente significativos, nessas três dimensões. Assim, os segmentos iniciais dos vocábulos ingleses *pin* e *bin*[8] diferem quanto à sonorização e à aspiração, mas não (significativamente) quanto ao ponto de articulação; as duas consoantes de *cocoa* não diferem nem quanto ao ponto de articulação nem quanto à sonorização, mas apenas quanto à aspiração etc.

É importante notar que as características distintivas postuladas da teoria fonética universal são absolutas em vários sentidos, mas relativas em outros. São absolutas no sentido de serem fixas para todas as línguas. Se a representação fonética deve fornecer informações suficientes para a identificação de um sinal físico, a especificação dos valores da característica também deve ser absoluta. Por outro lado, as características são relativas, quando consideradas segundo a noção de repetição – não repetição. Por exemplo, dados três valores absolutos designados como 1, 2, 3, segundo a característica frontal-posterior, podemos descobrir que, na língua *L*1, dois enunciados que só diferem pelos valores 1, 2 de frontalidade-posterioridade são distinguidos como não repetições, mas enunciados que diferem apenas pelos valores 2, 3 não o são; ao passo que, na língua *L*2, pode acontecer o contrário. Cada língua usaria a característica frontal-posterior para distinguir não repetições, mas o valor absoluto de 2, que é "frontal" numa língua, seria "posterior" na outra.

Além de um sistema de características distintivas, uma teoria fonética universal igualmente tentará formular certas leis que governam as sequências permitidas e a variedade de seleção possível em uma determinada língua. Por exemplo, Jakobson observou que nenhuma língua usa tanto a caracterís-

8 Observe-se que embora a ordem dos segmentos fonéticos seja um fato significativo, não há razão para supor que o evento físico representado por uma determinada sequência de símbolos fonéticos possa ser analisado em partes sucessivas, cada uma das quais associada a um determinado símbolo.

tica de labialização quanto a característica de velarização para distinguir não repetições, e sugeriu uma formulação mais geral, segundo a qual essas duas características podem ser consideradas variantes de uma única característica mais abstrata. Generalizações desse tipo – em especial quando são sustentadas por argumentos racionais – podem ser propostas como leis da fonética universal.

Gramática universal: semântica universal

Embora a fonética universal seja um assunto razoavelmente bem desenvolvido, o mesmo não se pode dizer da semântica universal. Aqui também podemos esperar estabelecer um sistema universal de características semânticas e de leis relativas às suas inter-relações e à sua variedade permitida. Na verdade, o problema de determinar essas características e essas leis tornou-se mais uma vez um tema de investigação séria, nos últimos anos,[9] e há certa promessa de desenvolvimentos frutíferos. Pode-se ver de imediato que uma análise conceitual, em termos de características como animação, ação etc. (ver p.201), dificilmente será adequada e que certas características devem ser ainda mais abstratas. É, por exemplo, um fato da língua inglesa que a frase "a good knife" (uma boa faca) significa "uma faca que corta bem". Por conseguinte, o conceito de "knife" deve ser especificado, em parte, segundo as características que têm a ver com

9 Ver J. Katz, *The Philosophy of Language* (New York: Harper & Row, 1965) para um exame de alguns trabalhos recentes. Para outra perspectiva, ver U. Weinreich, "Explorations in Semantic Theory", in T. A. Sebeok, ed., *Current Trends in Linguistics*, v.III de *Linguistic Theory* (Haia: Mouton, 1966); e para obter comentários sobre isso e um desenvolvimento mais amplo do tema, ver J. Katz, *Semantic Theory* (New York: Harper & Row, Publishers, 1972). Além disso, é grande o trabalho recente sobre a semântica descritiva, parte do qual é sugestivo no que se refere aos problemas aqui discutidos.

funções características (não só propriedades físicas) e segundo uma "característica de avaliação" abstrata,[10] que é determinada por modificadores como "bom", "péssimo" etc. Somente com uma análise assim se pode estabelecer a relação semântica entre "this is a good knife" (esta é uma boa faca) e "this knife cuts well" (esta faca corta bem). Em contrapartida, a irrelevância de "this is a good knife for digging with" (esta é uma faca para com ela se cavar) para "this knife cuts well" mostra que a interpretação semântica de uma sentença é determinada por relações gramaticais de um tipo que está longe de ser transparente.

Como no caso da fonética universal, podemos ter esperanças de estabelecer princípios gerais sobre possíveis sistemas de conceitos capazes de ser representados numa língua humana e as ligações intrínsecas que podem existir entre eles. Com a descoberta desses princípios, a semântica universal se tornaria uma disciplina substantiva.

Gramática universal: sintaxe universal

Suponhamos que uma teoria satisfatória da fonética universal e da semântica universal esteja disponível. Poderíamos, então, definir uma língua como um conjunto de sentenças, onde uma sentença é um tipo particular de par som-significado, e prosseguir no estudo dos sistemas de regras que definem as línguas humanas. No entanto, na verdade, só a teoria da fonética universal está suficientemente bem estabelecida para suportar esse empreendimento. Por conseguinte, devemos abordar o estudo da estrutura da linguagem de um modo um pouco mais indireto.

---

10 Para exame desta noção, ver J. Katz, "Semantic Theory and the Meaning of 'Good'", *Journal of Philosophy*, v.61, n.23, 1964.

Note-se que, embora a noção de "representação semântica" esteja ela própria longe de ser clara, podemos encontrar inúmeras condições empíricas que uma explicação dessa noção deva satisfazer. Consideremos, por exemplo, a seguinte sentença:

4 What disturbed John was being disregarded by everyone.[e]

É claro, em primeiro lugar, que essa expressão tem duas interpretações distintas. Segundo uma delas, significa que John estava perturbado pelo fato de que todos o desprezavam; segundo a outra, significa que todos estavam desprezando as coisas que perturbavam John. Segundo a primeira dessas interpretações, há certa relação gramatical entre "disregard" e "John", a saber, a mesma relação existente entre os dois em "Everyone disregards John" [Todos desprezam John] (a relação "verbo-objeto"). Conforme a outra, nem essa nem nenhuma outra relação gramatical significativa existe entre "disregard" e "John". Por outro lado, se inserirmos a palavra "our" entre "was" e "being", a sentença fica não ambígua, e não haverá nenhuma relação gramatical entre "disregard" e "John", ainda que a relação verbo-objeto agora exista entre "disregard" e "we" (um elemento subjacente de "our").

Podem-se elaborar indefinidamente exemplos desse tipo. Eles fornecem as condições de adequação que a noção de "interpretação semântica" deve satisfazer (por exemplo, as relações de paráfrase e implicação e a propriedade de ambiguidade devem refletir-se corretamente) e ilustram com clareza alguns dos modos pelos quais as interpretações semânticas das expressões linguísticas devem ser determinadas a partir de suas partes gramaticalmente relacionadas.

---

e "O que perturbava John era ser desprezado por todos" ou "O que perturbava John estava sendo desprezado por todos".

Dessas considerações, somos levados a formular um objetivo imediato mais restrito, mas muito significativo para o estudo da estrutura linguística. Tomando ainda a língua como um conjunto de sentenças, consideremos cada "sentença" abstrata como um acoplamento específico de uma representação fonética com uma estrutura abstrata de algum tipo (chamemo-la *estrutura profunda*), que inclui informações relevantes para a interpretação semântica. Podemos, então, estudar o sistema de regras que determina esse acoplamento, numa determinada língua, e as características gerais dessas regras. Tal empreendimento será significativo, na medida em que essas estruturas profundas subjacentes realmente fornecerem um modo de satisfazer as condições empíricas da interpretação semântica. A teoria semântica, na proporção em que progride, irá então proporcionar os meios para enriquecer as estruturas profundas e a elas associar as interpretações semânticas. A significação empírica de uma teoria completa da gramática, incluindo uma fonética, semântica e sintaxe universais, dependerá em parte de até que ponto as condições da interpretação semântica possam ser satisfeitas pelo uso sistemático dos dispositivos e princípios fornecidos por essa teoria.

Resumindo estas observações, estabeleçamos o seguinte quadro para o estudo da estrutura linguística. A *gramática* de uma língua é um sistema de regras que determina certo acoplamento de som e significado. É composta por um *componente sintático*, um *componente semântico* e um *componente fonológico*. O componente sintático define certa classe (infinita) de objetos abstratos (*P, S)*, onde *P* é uma *estrutura profunda* e *S*, uma *estrutura superficial*. A estrutura profunda contém toda a informação relevante para a interpretação semântica; a estrutura superficial, toda a informação relevante para a interpretação fonética. Os componentes semântico e fonológico são puramente interpretativos. O primeiro atribui interpretações semânticas às estruturas profundas; o segundo atribui interpretações fonéticas às estruturas superficiais. Assim, a gramática como um todo relaciona interpretações semânticas e fonológicas, sendo essa associação mediada pelas regras do componente sintático que definem as estruturas acopladas profunda e superficial. O estudo dos três componentes será, é claro, muito integrado; cada qual pode ser investigado, à proporção que estejam claras quais as condições que os outros impõem a ele.

Essa formulação deveria ser considerada uma primeira aproximação informal. Quando desenvolvermos uma teoria precisa da estrutura gramatical – por exemplo, a versão particular da teoria da gramática transformacional esboçada a seguir – daremos um sentido técnico para os termos "estrutura profunda" e "estrutura superficial" e, de acordo com esses sentidos técnicos, poderemos, então, levantar a questão empírica (não conceitual) de como as estruturas profundas e superficiais contribuem para as interpretações semântica e fonética e as determinam. No sentido técnico que é dado aos conceitos de estrutura profunda e superficial, na teoria esboçada a seguir, parece-me que a informação hoje disponível sugere que a estrutura superficial determine completamente a interpretação fonética, e que a estrutura profunda determine completamente certos aspectos muito significativos da interpretação semântica. Mas a frouxidão deste último termo torna impossível uma afirmação mais definida. Na verdade, acho que uma explicação razoável do termo "interpretação semântica" levaria à conclusão de que a estrutura superficial também contribui de maneira limitada mas importante, para a interpretação semântica, mas não vou falar mais sobre esse assunto aqui.

A gramática universal pode ser definida como o estudo das condições que devem ser satisfeitas pelas gramáticas de todas as línguas humanas. A semântica e a fonética universais, no sentido descrito acima, serão, portanto, parte da gramática universal. Assim definida, a gramática universal nada mais é do que a teoria da estrutura da linguagem. Isso parece estar de acordo com o uso tradicional. Todavia, até muito recentemente, apenas certos aspectos da gramática universal foram estudados. Em especial, o problema da formulação das condições que devem ser satisfeitas pelas regras de sintaxe, fonologia e semântica nunca foi levantado de maneira explícita, na linguística tradicional, embora passos sugestivos e não triviais na direção do estudo do problema estejam implícitos em muitos trabalhos tradicionais.[11]

Uma gramática do tipo acima descrito, que tente caracterizar de modo explícito a associação intrínseca das formas fonéticas com o conteúdo semântico de uma determinada língua pode ser chamada de *gramática gerativa,*[12] para distingui-la das descrições que tenham um objetivo diferente (por exemplo, as gramáticas pedagógicas). Na intenção, pelo menos, as gramáticas eruditas tradicionais são gramáticas gerativas, embora não alcancem o objetivo de determinar como as sentenças são formadas ou interpretadas. Uma boa gramática tradicional dá uma exposição completa das exceções às regras, mas somente fornece sugestões e exemplos para ilustrar as estruturas regulares (salvo em casos triviais – por exemplo, os paradigmas flexionais). Presume-se tacitamente que o leitor inteligente usará sua "intuição inteligente" – seu conhecimento latente, inconsciente, da gramática universal – para determinar as estruturas regulares a partir dos exemplos e observações apresentados. A própria gramática

---

11 Ver Chomsky, *Cartesian Linguistics* (tradução brasileira *Linguística Cartesiana*, Petrópolis: Vozes, 1972), para discussão.

12 Ver p.177. Em geral, pode-se dizer que um conjunto de regras que definam recursivamente um conjunto infinito de objetos *gera* esse conjunto. Assim se pode dizer que um conjunto de axiomas e regras de inferência para a aritmética gera um conjunto de provas e um conjunto de teoremas aritméticos (últimas linhas das provas). Analogamente se pode dizer que uma gramática (gerativa) gera um conjunto de descrições estruturais, das quais cada uma incorpora, idealmente, uma estrutura profunda, uma estrutura superficial, uma interpretação semântica (da estrutura profunda) e uma interpretação fonética (da estrutura superficial).

não expressa as regularidades profundas da linguagem. Para fins de estudo da estrutura linguística, particular ou universal, tais gramáticas são, portanto, de valor limitado. É necessário ampliá-las até se tornarem gramáticas gerativas completas, se o estudo da estrutura linguística deve ser levado ao ponto de lidar significativamente com as regularidades e os princípios gerais. É, porém, importante ter consciência do fato de que o próprio conceito de "gramática gerativa" não é nenhuma grande inovação. O fato de que toda língua "faça um uso infinito de meios finitos" (Wilhelm von Humboldt) há muito foi compreendido. O trabalho moderno com a gramática gerativa é simplesmente uma tentativa de dar uma explicação explícita de como esses meios finitos são usados de modo infinito, nas línguas particulares, e de descobrir as propriedades mais profundas que definem a "linguagem humana" em geral (ou seja, as propriedades que constituem a gramática universal).

Até aqui, estivemos interessados apenas no esclarecimento de conceitos e na definição das metas. Voltemo-nos agora para o problema da formulação de hipóteses sobre a gramática universal.

Estrutura do componente fonológico

O componente sintático de uma gramática gerativa define (gera) um conjunto infinito de pares (*P*, *S*), onde *P* é uma estrutura profunda e *S* é uma estrutura superficial; os componentes interpretativos da gramática atribuem uma representação semântica a *P* e uma representação fonética a *S*.

Examinemos primeiro o problema de atribuir representações fonéticas a estruturas superficiais. Como na discussão anterior sobre a fonética universal, consideramos uma representação fonética como uma sequência de símbolos do alfabeto fonético universal, sendo cada símbolo analisado em características distintivas com valores específicos. Exprimindo a mesma ideia de modo um pouco diferente, podemos pensar a representação fonética como uma matriz em que as linhas correspondem às características do sistema universal e as colunas, aos segmentos sucessivos (símbolos do alfabeto fonético), e cada entrada é um número inteiro que especifica o valor de determinado segmento em relação à característica em questão. Nosso problema, por conseguinte, é o de determinar que informação deve estar contida na estrutura superficial e como as regras do componente fonológico da gramática se valem dessa informação, para especificar uma matriz fonética do tipo que acabamos de descrever.

Consideremos mais uma vez o exemplo 4, que repetimos em 5, para facilidade de referência

5 What # disturb-ed # John # was # be-ing # dis-regard-ed # by # every-one.

Em uma primeira aproximação,[13] podemos considerar 5 uma sequência dos *formantes* "what", "disturb", "ed", "John", "was", "be", "ing", "dis", "regard", "ed", "by", "every", "one", com as *junturas* representadas pelos símbolos # e - nas posições indicadas em 5. Essas junturas especificam a maneira como os formantes são combinados; fornecem informações que são exigidas pelas regras do componente fonológico. Uma juntura deve, na verdade, ser analisada como um conjunto de características, ou seja, uma matriz de uma só coluna em que as linhas correspondem a certas características do sistema juntural e cada entrada é um dos dois valores que podemos representar como + ou -. Analogamente, cada formante será analisado como uma matriz em que as colunas representam os segmentos sucessivos

---

13 A análise aqui apresentada para fins de exposição teria de ser refinada, para obter adequação empírica.

e as linhas correspondem a certas *características categoriais*, e cada entrada é ou + ou -.[14]

Entre as características categoriais, temos as categorias universais do sistema fonético, com as características *diacríticas* que essencialmente indicam exceções às regras. Assim, a matriz correspondente a "what", no dialeto em que a representação fonética correspondente é [wat], conterá três segmentos, o primeiro especificado como um glide labial, o segundo como uma vogal não arredondada baixa posterior, o terceiro como uma consoante de parada dental não sonora (estas especificações são dadas inteiramente segundo os valores de + e – das características fornecidas pelo sistema fonético universal). As regras do componente fonológico, neste caso, converterão essa especificação segundo os valores de + e – numa especificação mais detalhada segundo números inteiros, na qual o valor de cada segmento em relação às características fonéticas (por exemplo, altura da língua, grau de aspiração etc.) é indicado em qualquer grau de precisão necessário à teoria pressuposta de fonética universal e com qualquer intervalo de variação permitido pela língua. Nesse exemplo, o valor atribuído simplesmente refinará a bifurcação em valores de + e – dados na matriz subjacente para "what", em 5.

O exemplo que acabamos de citar é excepcionalmente simples, porém. Em geral, as regras do componente fonológico não só darão uma especificação mais fina da divisão subjacente em valores de + e -, como também mudarão de modo significativo os valores e, talvez, inserirão, excluirão ou rearranja-

14 Note-se que cada dois formantes consecutivos são separados por uma juntura, como é necessário se a representação de 5 como uma única matriz deva preservar a estrutura formante. Para os fins presentes, podemos considerar cada segmento de um formante como não marcado para todas as características junturais, e cada juntura como marcada, para cada característica formante.

rão segmentos. Por exemplo, o formante "by" será representado com uma matriz subjacente composta por duas colunas, a segunda das quais especificada como uma vogal alta frontal (especificação dada em termos de valores de características). A matriz fonética correspondente, porém, será composta por três colunas, a segunda das quais especificada como uma vogal posterior baixa e a terceira como um glide palatal (sendo aqui a especificação em função de entradas de valor integral numa matriz fonética).[15]

A estrutura superficial de 5, portanto, é representada como uma matriz em que um de dois valores aparece em cada entrada. O fato de que só dois valores podem aparecer indica que essa matriz subjacente desempenha realmente uma função puramente classificatória. Cada sentença é classificada de modo tal que possa ser distinguida de todas as outras sentenças e de tal forma que se possa determinar exatamente como as regras do componente fonológico atribuem valores fonéticos posicionais específicos. Vemos, então, que as características distintivas do sistema fonético universal têm uma *função classificatória* na matriz subjacente que constitui uma parte da estrutura superficial, e uma *função fonética* na matriz que constitui a representação fonética da sentença em questão. Apenas na primeira dessas funções as características distintivas são uniformemente binárias; somente na segunda recebem uma interpretação física direta.

A matriz classificatória subjacente, acima descrita, não exaure a informação exigida pelas regras fonológicas interpretativas. Além disso, é necessário saber como a sentença em questão se subdivide em frases de tamanho variável, e que tipos de frase elas são. No caso de 5, por exemplo, a interpretação fonológica exige a informação de que "disturb" e "disregard" são verbos, "what disturbed John" é uma frase nominal, "John was being"

---

15 As razões dessa análise vão além do alcance desta discussão. Para obter pormenores, ver Chomsky e Halle, *Sound Patterns of English*.

não é de modo nenhum uma frase etc. A informação relevante pode ser indicada por uma parentetização adequada da sentença com colchetes rotulados.[16] A unidade contida dentro do par de colchetes $[_A$ e$]_A$ será designada como uma frase da categoria A. Por exemplo, a sequência "what # disturbed # John", em 5, será encerrada dentro dos colchetes [FN,] em que FN, indica que se trata de uma frase nominal; o formante "disturb" será encerrado dentro dos colchetes [v,] nos quais v, significa que se trata de um verbo; a expressão 5 inteira será encerrada dentro dos colchetes [s,] com s, indicando que se trata de uma sentença; a sequência "John was being" não será encerrada dentro do par de colchetes, uma vez que não é de modo algum uma frase. Para tomar um exemplo extremamente simples, a sentença "John saw Bill" (John viu Bill) pode ser representada da seguinte maneira, como estrutura superficial, onde cada item representado ortograficamente deve ser visto como uma matriz classificatória:

6 [S [FN [N^{John}] N] FN [FV [V^{saw}] V [FN [N^{Bill}] N] FN] FV] S

Essa representação indica que "John" e "Bill" são substantivos (*Ns*) e "saw", um verbo (*V*); que "John" e "Bill" são, ademais, frases nominais (*FN*s); que "saw Bill" é uma frase verbal (*FV*); e que "John saw Bill" é uma sentença (*S*). Parece que a interpretação de uma sentença pelo componente fonológico da gramática invariavelmente exige informações que possam ser representadas da maneira assim descrita. Postulamos, pois, que a estrutura superficial de uma sentença é uma parentetização

16 No sentido óbvio. Assim, [A... [B...] B... [C...]C...] A seria, por exemplo, uma parentetização correta da sequência... em termos dos colchetes rotulados [A,] A, [B,] B, [C,] C, mas nenhuma das seguintes seria uma parentetização correta:
[A... [B...] A; [A... [B...] A...] B

rotulada adequadamente de uma matriz classificatória de formantes e junturas.

O componente fonológico da gramática converte uma estrutura superficial numa representação fonética. Demos agora uma especificação aproximada da noção de "estrutura superficial" e de "representação fonética". Falta descrever as regras do componente fonológico e a maneira como elas se organizam.

Os fatos atualmente disponíveis sugerem que as regras do componente fonológico se ordenam linearmente, numa sequência *R*1, ..., *Rn*, e que essa sequência de regras se aplica de maneira circular a uma estrutura superficial do seguinte modo. No primeiro ciclo de aplicação, as regras *R*1, ..., *Rn* se aplicam nesta ordem a uma parte contínua máxima da estrutura superficial que não contenha nenhuma parentetização interna. Os colchetes mais internos são então apagados e se inicia o segundo ciclo de aplicação. Nesse ciclo, as regras são novamente aplicadas na ordem dada a uma parte contínua máxima da estrutura superficial que não contenha colchetes internos. Os colchetes mais internos são, então, apagados e tem início o terceiro ciclo. O processo continua até ser alcançado o domínio máximo de processos fonológicos (nos casos simples, as sentenças inteiras). Algumas das regras têm sua aplicação restrita ao nível da palavra – só se aplicam no ciclo quando o domínio de aplicação é uma palavra inteira. Outras têm liberdade para se repetir em cada fase de aplicação. Note-se que o princípio de aplicação cíclica é muito intuitivo. Afirma, de fato, que há um sistema fixo de regras que determina a forma das unidades grandes, a partir da forma (ideal) de suas partes constituintes.

Podemos ilustrar o princípio de aplicação cíclica com algumas regras de atribuição de acento em inglês. Parece ser um fato que, embora as representações fonéticas para o inglês devam permitir cinco ou seis valores diferentes, com a característica distintiva de acento, todos os segmentos podem ser não marcados em relação ao acento nas estruturas de superfície – ou seja, o acento não tem função categorial (salvo muito marginalmente) como uma característica distintiva, no inglês. Os contornos complexos de acento da representação fonética são determinados por regras como 7 e 8.[17]

7 Atribuir acento primário à vogal mais à esquerda de duas vogais acentuadas primárias, nos substantivos.
8 Atribuir acento primário ao pico de acento mais à direita, onde uma vogal *V* é um pico de acento em certo domínio, se tal domínio não contiver nenhuma vogal mais fortemente acentuada do que *V*.

A regra 7 aplica-se aos substantivos com dois acentos primários; a regra 8, a uma unidade de qualquer outro tipo. As regras aplicam-se na ordem 7, 8 da maneira cíclica acima descrita. Por convenção, quando o acento primário é atribuído a certa posição, todos os outros acentos são enfraquecidos por um. Note-se que, se um domínio não contiver nenhuma vogal acentuada, a regra 8 atribuirá o acento primário à vogal mais à direita.

Para ilustrar essas regras, examinemos primeiro a estrutura superficial 6. De acordo com o princípio geral de aplicação cíclica, as regras 7 e 8 aplicam-se primeiro às unidades mais internas [N John]N, [V saw] e [N Bill]N. A regra 7 é inaplicável; a regra 8 se aplica, atribuindo acento primário à única vogal em cada caso. Os colchetes mais internos são então apagados. O próximo

1 1

ciclo lida com unidades [FN John]FN e [FN Bill]FN e simplesmente reatribui o acento primário à única vogal, pela regra 8.

17 Essas regras estão simplificadas, para fins de exposição. Ver Chomsky e Halle, *Sound Pattern of English*, para obter uma explicação mais precisa. Note-se que, nesta exposição, estamos empregando o termo "aplica-se" de forma ambígua, no sentido de "disponível para aplicação" e também no sentido de "realmente modifica a sequência em questão".

Os colchetes mais internos são então apagados e temos a uni-
1 1
dade [FV saw Bill]FV como o domínio de aplicação das regras.
A regra 7 é mais uma vez inaplicável, pois não é um substantivo;
a regra 8 atribui acento primário à vogal de "Bill", enfraquecendo o acento em "saw" para secundário. Os colchetes mais inter-
1 2 1
nos são apagados e temos a unidade [S John saw Bill]S como o
domínio de aplicação. A regra 7 é de novo inaplicável, e a regra
8 atribui acento primário a "Bill", enfraquecendo os outros acen-
2 3 1
tos e resultando em "John saw Bill", que pode ser aceita como
uma representação ideal do contorno de acento.

Examinemos agora o exemplo um pouco mais complexo "John's black-board eraser" (O apagador de lousa de John). Na primeira aplicação do ciclo, as regras 7 e 8 aplicam-se às unidades de colchetes mais internas "John", "black", "board", "erase"; a regra 7 é inaplicável, e a regra 8 atribui acento primário em cada caso à vogal mais à direita (a única vogal, nas primeiras três). O ciclo seguinte envolve as unidades "John's" e "eraser" e é vazio.[18] O domínio de aplicação para o próximo ciclo é [N
1 1
black board]N. Sendo um substantivo, essa unidade está sujeita à regra 7, que atribui um acento primário a "black", enfraquecendo o acento de "board" como secundário. Os colchetes
mais internos são apagados e o domínio de aplicação do ciclo
1 2 1
seguinte é [N black board eraser]N. Novamente a regra 7 se
aplica, atribuindo um acento primário a "black" e enfraquecendo todos os demais acentos em 1. No ciclo final, o domínio de
1 1 3 2
aplicação das regras é [FN John's black board eraser]FN. A

18 A palavra "eraser" é, nesta fase, um dissílabo.

regra 7 é inaplicável, pois esta é uma frase nominal completa. A regra 8 atribui um acento primário à vogal primária acentuada mais à direita, enfraquecendo todos os outros e dando

2 1 4 3
"John's black board eraser." Assim, uma representação fonética complexa é determinada por regras simplíssimas e independentemente motivadas, que se aplicam de acordo com o princípio geral do ciclo.

Este exemplo é característico e ilustra diversos pontos importantes. A gramática do inglês deve conter a regra 7 para explicar o fato de que o contorno de acento é descendente, no caso do substantivo "blackboard", e deve conter a regra 8, para dar conta do contorno ascendente da frase "black board" ("board which is black"). O princípio do ciclo não é, estritamente falando, parte da gramática do inglês, mas é antes um princípio de gramática universal que determina a aplicação das regras particulares do inglês ou de qualquer outro idioma, sejam quais forem essas regras. No caso em questão, o princípio geral de aplicação cíclica atribui um contorno de acento complexo, como indicado. Equipada com o princípio do ciclo e com as duas regras 7 e 8, uma pessoa saberá[19] o contorno de acento correto para "John's blackboard eraser" e inúmeras outras expressões que talvez nunca tenha ouvido antes. Esse é um exemplo simples de uma propriedade geral da linguagem; *certos princípios universais devem inter-relacionar-se com regras específicas para determinarem a forma (e o significado) de expressões linguísticas completamente novas.*

Esse exemplo também oferece apoio a uma hipótese um tanto mais sutil e de maior alcance. Pouca dúvida há de que fenômenos como os contornos de acento em inglês sejam uma realidade perceptiva; os observadores treinados, por exemplo, alcançarão

---

19 Como anteriormente, referimo-nos aqui ao "conhecimento tácito" ou "latente", que talvez possa ser trazido à consciência com a atenção apropriada, mas com certeza não se apresenta à "intuição não dirigida".

um alto grau de unanimidade no registro de novos enunciados, em suas línguas maternas. Poucas razões há, porém, para se supor que esses contornos representem uma realidade *física*. Pode muito bem ser o caso que os contornos de acento não estejam representados no sinal físico em nada semelhante ao detalhe percebido. Não há nisto nenhum paradoxo. Se apenas dois níveis de acento forem distinguidos no sinal físico, a pessoa que esteja aprendendo inglês terá dados suficientes para construir as regras 7 e 8 (dado o contraste entre "blackboard" e "black board", por exemplo). Supondo-se, então, que ela conheça o princípio do ciclo, poderá perceber o contorno de acento de "John's blackboard eraser", ainda que não seja uma propriedade física do sinal. Os dados hoje disponíveis sugerem energicamente que esta é uma descrição precisa de como o acento é percebido, em inglês.

É importante ver que nada há de misterioso nessa descrição. Não haveria problema, em princípio, em se projetar um autômato que usasse as regras 7 e 8, as regras da sintaxe inglesa e o princípio do ciclo transformacional, para atribuir um contorno de muitos níveis até um enunciado em que o acento não estivesse representado de forma nenhuma (por exemplo, uma sentença escrita na ortografia convencional). O autômato usaria as regras da sintaxe para determinar a estrutura superficial do enunciado e, em seguida, aplicaria as regras 7 e 8, de acordo com o princípio do ciclo, para determinar o contorno de muitos níveis. Tomando tal autômato como uma primeira aproximação para um modelo da percepção da fala (ver 1, p.196), podemos propor que o ouvinte use certas propriedades selecionadas do sinal físico, a fim de determinar qual sentença da língua foi produzida e para atribuir a ela uma estrutura profunda e superficial. Com muita atenção, ele poderá então "ouvir" o contorno de acento atribuído pelo componente fonológico de sua gramática, correspondendo ele ou não a alguma propriedade física do sinal apresentado. Essa explicação da percepção da fala supõe, grosso modo, que a interpretação sintática de um enunciado pode ser um pré-requisito para se "ouvir" sua representação fonética em pormenor; ela rejeita a suposição de que a percepção da fala exija uma análise completa da forma fonética, seguida de uma análise completa da estrutura sintática, seguida ainda da interpretação semântica, assim como a suposição de que a forma fonética percebida seja uma precisa representação ponto a ponto do sinal. Contudo, deve-se ter em mente que nada há que sugira que alguma das suposições recusadas esteja correta, nem tampouco há algo de misterioso na concepção que acabamos de esboçar que rejeita essas suposições. Na verdade, a concepção que acabamos de delinear é muito plausível, uma vez que pode dispensar a tese de que algumas propriedades físicas hoje indetectáveis dos enunciados sejam identificadas com uma precisão que supera tudo o que seja experimentalmente demonstrável, mesmo sob condições ideais, e ela pode explicar a percepção dos contornos de acento de novos enunciados[20] com base na simplíssima suposição de que as regras 7 e 8 e o princípio geral da aplicação cíclica estejam disponíveis ao sistema perceptivo.

Há muito mais a dizer sobre os méritos relativos dos diversos tipos de modelos perceptivos. Em vez de prosseguir nesse tema, examinemos mais a hipótese de que as regras 7 e 8 e o princípio de aplicação cíclica estejam disponíveis para o sistema perceptivo e sejam usados da maneira sugerida. Está claro como as regras 7 e 8 podem ser aprendidas a partir de exemplos simples de contorno ascendente e descendente (por exemplo, "black board", em contraste com "blackboard"). Mas surge então a questão: como uma pessoa aprende o princípio de aplicação cíclica? Antes de enfrentar essa questão, é neces-

20 E outros aspectos. O argumento é, na realidade, muito mais geral. Deve-se ter em mente que a percepção da fala é com frequência prejudicada minimamente, ou não o é de forma alguma, mesmo por distorções significativas do sinal, um fato difícil de combinar com a ideia de que a análise fonética minuciosa seja um pré-requisito da análise das estruturas sintática e semântica.

sário resolver outra, que é logicamente anterior a ela: por que supor que o princípio seja aprendido? Há muitas provas de que o princípio é usado, mas não se segue daí que ele tenha sido aprendido. Na verdade, é difícil imaginar como tal princípio poderia ser aprendido uniformemente por todos os falantes, e não é de modo algum claro que haja suficiente evidência no sinal físico, para justificar esse princípio. Por conseguinte, a conclusão mais razoável parece ser a de que o princípio não é de modo algum aprendido, mas, antes, constitui uma simples parte do equipamento conceitual de que o aprendiz se serve, na aquisição de línguas. Pode-se apresentar um argumento semelhante, com referência a outros princípios da gramática universal.

Note-se, mais uma vez, que não deveria haver nada de surpreendente nessa conclusão. Em princípio, não haveria dificuldade em se projetar um autômato que incorporasse os princípios da gramática universal e os pusesse em prática, para determinar qual das línguas possíveis é aquela à qual está exposto. *A priori*, não há mais razão para se supor que esses princípios sejam eles próprios aprendidos, do que há para supor que alguém aprende a interpretar estímulos visuais em termos de linhas, ângulos, contornos, distância, ou, aliás, que aprenda a ter dois braços. É absolutamente uma questão empírica de fato; não há informação extralinguística de nenhum tipo que possa ser usada, atualmente, para sustentar a suposição de que algum princípio da gramática universal seja aprendido, ou seja, inato ou (de alguma forma) ambos. Se os fatos linguísticos parecem sugerir que alguns princípios não são aprendidos, não há razão para se achar paradoxal ou surpreendente essa conclusão.

Voltando à elaboração dos princípios da gramática universal, parece que o componente fonológico de uma gramática consiste numa sequência de regras que se aplica de maneira cíclica, como acabamos de descrever, para atribuir uma representação fonética a uma estrutura superficial. A representação fonética é uma matriz de especificações de características fonéticas e a estrutura superficial é uma parentetização corretamente rotulada de formantes que são, eles próprios, representados em função da marcação de características distintivas. Todos os dados hoje disponíveis sustentam essas suposições; elas proporcionam a base para a explicação de muitas características curiosas do fato fonético.

É importante observar que não há necessidade *a priori* de que o componente fonológico de uma gramática tenha apenas essas propriedades. Essas suposições sobre a gramática universal limitam a classe das línguas humanas possíveis a um subconjunto muito especial do conjunto de "línguas" imagináveis. Os dados de que dispomos sugerem que essas suposições dizem respeito ao aparelho de aquisição de línguas *MA* de 3, p.199, ou seja, que eles constituem uma das partes do esquematismo que a criança aplica ao problema da aprendizagem da língua. Parece bastante óbvio que esse esquematismo deva ser muito elaborado e restritivo. Se não o fosse, a aquisição da língua, dentro dos limites conhecidos de tempo, acesso e variabilidade, seria um mistério impenetrável. Considerações do tipo mencionado na discussão anterior são diretamente relevantes para o problema de determinar a natureza desses mecanismos inatos e, portanto, merecem uma atenção e um estudo extremamente cuidadosos.

Estrutura do componente semântico

Examinemos agora o segundo componente interpretativo da gramática gerativa, o sistema de regras que converte uma estrutura profunda numa representação semântica que expressa o significado intrínseco da sentença em questão. Embora muitos aspectos da interpretação semântica permaneçam bastante obscuros, é ainda bem possível efetuar uma investigação direta da teoria das estruturas profundas e de sua interpretação, e certas propriedades do componente semântico parecem razoavelmente claras. Em especial, como observamos anteriormente, muitas condições empíricas para a interpretação semântica podem ser formuladas com clareza. Por exemplo, sabemos que à sentença 4 da p.207 devem ser atribuídas pelo menos duas representações semânticas e que uma delas deve ser essencialmente a mesma que a interpretação atribuída a 9 e 10.

9 Being disregarded by everyone disturbed John.[f]
10 The fact that everyone disregarded John disturbed him.[g] [21]

Além disso, está claro que a representação semântica de uma sentença depende da representação de suas partes, como no caso paralelo da interpretação fonética. Por exemplo, no caso de 10, é óbvio que a interpretação semântica depende, em parte, da interpretação semântica de "Everyone disregarded John" (Todos desprezavam John); se esta última fosse substituída por "Life seemed to pass John by" (A vida parecia ter ignorado John), a interpretação do todo mudaria de um modo fixo. Isso é transparente e sugere que um princípio como o de aplicação cíclica na fonologia deva existir no componente semântico.

Um exame um pouco mais atento do problema mostra que a interpretação semântica deve ser significativamente mais abstrata do que a interpretação fonológica, no que concerne à noção de "parte constituinte". Assim, a interpretação de "Everyone disregarded John" subjaz não só a 10, mas também a 9 e 4, e exatamente da mesma maneira. Porém, nem 4 nem 9 contêm "everyone disregarded John" como parte constituinte, como 10. Em outras palavras, as estruturas profundas subjacentes a 9 e 10

---

f Ser desprezado por todos perturbava John.
g O fato de que todos desprezavam John perturbava-o.
21 A última é novamente ambígua de um modo completamente diferente do de 4, dependendo da referência de "him". Suporemos o tempo todo que se refira a *John*.

devem ser ambas idênticas (ou muito semelhantes) a uma das duas estruturas profundas subjacentes a 4, apesar da grande divergência na estrutura superficial e na forma fonética. Segue-se daí que não podemos esperar que a estrutura profunda seja muito próxima da estrutura superficial, em geral.

No caso de uma sentença como 6 ("John saw Bill"), pouca diferença há entre as estruturas profunda e superficial. A interpretação semântica não estaria muito longe do alvo, neste caso, se ficasse bem paralela à interpretação fonética. Assim, a interpretação de "saw Bill" pode ser derivada da de "saw"[22] e da de "Bill", e a interpretação de 6 pode ser determinada a partir da de "John" e da de "saw Bill". Para fazer essa interpretação, devemos conhecer não só a parentetização de 6 em seus constituintes, mas também as relações gramaticais que são representadas; isto é, devemos saber que "Bill" é o *objeto direto* de "saw" e que existe a relação sujeito-predicado entre "John" e "saw Bill", em "John saw Bill". Analogamente, no caso um pouco mais complexo de "John saw Bill leave" (John viu Bill sair), devemos saber que existe a relação sujeito-predicado entre "John" e "saw Bill leave" e também entre "Bill" e "leave".

Note-se que, pelo menos nos casos simples como 6, já temos um mecanismo para representarmos as relações gramaticais do tipo preciso que são necessárias para a interpretação semântica. Suponhamos que definamos as relações *sujeito-de* como a relação existente entre uma frase nominal e uma sentença da qual ela seja um constituinte imediato,[23] e a relação *predicado-de*

22 Mas a interpretação disso depende da de "see" e de "pretérito"; portanto, esses itens separados devem ser representados na estrutura profunda, ainda que não, neste caso, na estrutura superficial.

23 Uma frase *X* é um constituinte imediato da frase *Y* que contém *X*, se não houver uma frase *Z*, que contenha *X* e esteja contida em *Y*. Assim, a frase nominal "John" é um constituinte imediato da sentença "John saw Bill" [analisada como em 6], mas a frase nominal "Bill" não o é, pois está contida na frase intermediária "saw Bill". "John saw" não é um constituinte imediato

como existente entre uma frase verbal e uma sentença da qual ela seja um constituinte imediato. A relação sujeito-predicado pode, então, ser definida como a relação existente entre o sujeito de uma sentença e o predicado dessa sentença. Assim, nesses termos, "John" é o sujeito e "saw Bill (leave)", o predicado de "John saw Bill (leave)", e existe a relação sujeito-predicado entre ambos. Da mesma forma, podemos definir a relação *objeto-direto* (em função do caráter de constituinte imediato de verbo e frase nominal na frase verbal) e outras de maneira perfeitamente adequada e satisfatória. Mas, voltando agora a 6, essa observação implica que uma *parentetização rotulada* servirá de estrutura profunda (assim como uma parentetização rotulada servirá de estrutura superficial); ela contém exatamente a informação acerca do caráter de constituinte e acerca das relações gramaticais que é necessária para a interpretação semântica.

Observamos que, em "John saw Bill leave", existe a relação sujeito-predicado entre "Bill" e "leave", bem como entre "John" e "saw Bill leave". Se 6 ou algo muito semelhante a ele – ver, por exemplo, a nota 22 – for tomado como a estrutura profunda, com as relações gramaticais definidas como anteriormente, a estrutura profunda de "John saw Bill leave" tem de ser algo como 11 (foram omitidos muitos pormenores):

11 [S [FN^{John}] FN [FV [V^{saw}] V [S [NP^{Bill}] FN [FV [V^{leave}] V] FV] S] FV] S

A parentetização rotulada 11 expressa a relação sujeito-objeto entre "John" e "saw Bill leave" e entre "Bill" e "leave", como necessário.

da sentença, pois não é uma frase; "John" não é um constituinte imediato de "John saw", pois esta última não é uma frase. Observe-se que a definição aqui proposta para funções e relações gramaticais só faz sentido quando limitada às estruturas profundas, em geral.

Passando a um exemplo um tanto mais complexo, as sentenças 9 e 10 (assim como a 4, sob certa interpretação) terão cada uma de conter algo como 12 na estrutura profunda:

12 $[S[FN^{\text{everyone}}]\ FN\ [FV\ [V^{\text{disregards}}]\ V\ [FN^{\text{John}}]\ FN\ ]\ FV\ ]S$

Se esse requisito for satisfeito, poderemos explicar o fato de que, obviamente, o significado de 4 (= "what disturbed John was being disregarded by everyone"), em uma das interpretações de 9 (= "being disregarded by everyone disturbed John"), é determinado em parte pelo fato de existir a relação de objeto direto entre "disregard" e "John" e a relação de sujeito-predicado entre "everyone" e "disregards John", apesar do fato de essas relações não serem de modo algum indicadas na estrutura superficial em 4 ou 9.

De vários desses exemplos somos levados à seguinte concepção de como funciona o componente semântico. Esse componente interpretativo da gramática gerativa completa aplica-se a uma estrutura profunda e atribui a ela uma representação semântica. A estrutura profunda é uma parentetização rotulada de elementos "portadores de significado" mínimos. As regras interpretativas aplicam-se ciclicamente, determinando as interpretações semânticas dos constituintes imediatos de *X* e a relação gramatical representada nessa configuração de *X* e suas partes.

Pelo menos superficialmente, os dois componentes interpretativos da gramática são bastante semelhantes na maneira de operar, e se aplicam a objetos de tipo essencialmente igual (parentetizações rotuladas). Todavia, a estrutura profunda de uma sentença será, em casos não triviais, bastante distinta de sua estrutura superficial.

Note-se que, se as noções de "frase nominal", "frase verbal", "sentença", "verbo" puderem receber uma caracterização independente da linguagem, dentro da gramática universal, as relações gramaticais acima definidas (analogamente, outras que possamos definir da mesma forma) também receberão uma caracterização universal. Parece que isso pode ser possível, e certas linhas gerais de abordagem de tal caracterização parecem claras (ver p.254). Poderíamos, então, levantar a questão de se o componente semântico da gramática contém regras particulares como as regras 7 e 8 do componente fonológico do inglês ou se, alternativamente, os princípios da interpretação semântica pertencem essencialmente à gramática universal. Poremos de lado, porém, estas e outras questões relativas ao componente semântico e nos voltaremos em seguida para a discussão do único componente não interpretativo da gramática – que chamamos seu "componente sintático". Observe-se que, no caso do componente fonológico, na medida em que os princípios de interpretação podem ser atribuídos à gramática universal de preferência à particular, pouca razão há para supor que eles sejam aprendidos ou possam, em princípio, sê-lo.

Estrutura do componente sintático

O componente sintático de uma gramática deve gerar (ver nota 12) pares (*P*, *S*), onde *P* é uma estrutura profunda e *S*, uma estrutura superficial associada. A estrutura superficial *S* é uma parentetização rotulada de uma sequência de formantes e junturas. A estrutura profunda *P* é uma parentetização rotulada que determina certa rede de funções gramaticais e de relações gramaticais entre os elementos e os grupos de elementos de que se compõe. Obviamente, o componente sintático deve ter um número finito de regras (ou esquemas de regras), mas estes devem ser organizados de tal maneira que possa ser gerado um número infinito de pares (*P*, *S*) de estruturas profunda e superficial, cada qual correspondendo a uma sentença interpretada (isto é, interpretada fonética e semanticamente) da língua.[24] Em princípio, há várias maneiras pelas quais tal sistema possa ser organizado. Poderia, por exemplo, consistir em regras independentes que gerassem estruturas profundas e superficiais e certas condições de compatibilidade, relacionando-as, ou em regras que gerassem estruturas superficiais combinadas com regras que mapeassem estas últimas sobre a estrutura profunda correspondente, ou em regras que gerassem estruturas profundas combinadas com regras que mapeassem estas últimas sobre as estruturas superficiais.[25] A escolha entre essas alternativas é uma questão de fato, não de decisão. Devemos perguntar qual das alternativas possibilita as generalizações mais profundas e a explicação de maior alcance de fenômenos linguísticos de vária espécie. Como com outros aspectos da gramática universal, estamos lidando aqui com um conjunto de questões empíricas; pode ser difícil obter dados cruciais, mas não podemos concluir daí que não haja, em princípio, certo e errado na matéria.

Das muitas alternativas que se podem sugerir, os dados linguísticos hoje disponíveis parecem invariavelmente apontar para a conclusão de que o componente sintático consiste em regras que geram estruturas profundas combinadas com regras que as mapeiam sobre as estruturas superficiais associadas. Chamemos esses dois sistemas de regras de componentes *básico* e *transformacional* da sintaxe, respectivamente. O sistema básico

---

24 Na verdade, podemos considerar que uma gramática atribua uma interpretação semântica a todas as sentenças possíveis (sendo esta uma noção clara, dadas as teorias da fonética e da semântica universais), inclusive as que se afastam das normas da língua. Mas não iremos mais adiante nesta questão, aqui.

25 A questão de como o componente sintático é organizado não deve ser confundida, como não raro acontece, com o problema de se desenvolver um modelo de desempenho (produção ou percepção). Na realidade, qualquer um dos tipos de organização que acabamos de descrever (e outros) poderia ser usado como base para uma teoria do desempenho de qualquer dos dois tipos.

é em seguida subdividido em duas partes: o sistema *categorial* e o *léxico*. Cada uma dessas três subpartes da sintaxe tem uma função específica a realizar, e parece haver pesadas condições universais que determinam sua forma e inter-relação. A estrutura geral de uma gramática seria, por conseguinte, como ilustrado no diagrama 13:

13

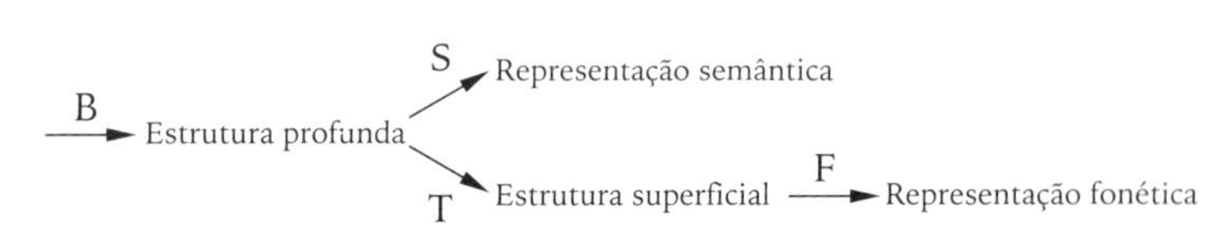

O mapeamento *S* é realizado pelo componente semântico; *T* pelo componente transformacional; e *F* pelo componente fonológico. A geração de estruturas profundas por esse sistema básico (pela operação *B*) é determinada pelo sistema categorial e pelo léxico.

O léxico é um conjunto de entradas lexicais; cada entrada lexical, por sua vez, pode ser vista como um conjunto de características de vários tipos. Dentre elas, as características fonológicas e as características semânticas, que já mencionamos brevemente. As características fonológicas podem ser concebidas como indexadas quanto à posição (ou seja, primeira, segunda etc.); além disso, cada uma é simplesmente uma indicação de marcação com relação a uma das características distintivas universais (consideradas aqui em sua função categorial) ou com relação a alguma característica diacrítica (ver p.213), em caso de irregularidade. Assim, as características fonológicas indexadas por posição constituem uma matriz de características distintivas como as entradas dadas como valores de + ou de -, como descrito acima. As características semânticas constituem uma "definição de dicionário". Como se notou acima, pelo menos algumas delas devem ser muito abstratas; além disso, pode haver ligações intrínsecas de vários tipos entre elas, designadas às vezes como "estrutura de campo". A entrada lexical, ademais, contém características sintáticas que determinam as posições em que a entrada em questão pode aparecer, e as regras que podem ser aplicadas a estruturas que a contenham, quando estas são convertidas em estruturas superficiais. Em geral, a entrada lexical contém toda a informação acerca do item em questão que não possa ser explicada por uma regra geral.

Além das entradas lexicais, o léxico contém regras de redundância que modificam o conteúdo da característica de uma entrada lexical, de acordo com regularidades gerais. Por exemplo, o fato de as vogais serem sonoras ou de os seres humanos serem animados não exige uma menção específica em entradas lexicais particulares. Boa parte da informação léxica redundante, sem dúvida, pode ser fornecida por convenções gerais (ou seja, regras de gramática universal), em vez de pelas regras de redundância do idioma.

O léxico abrange todas as propriedades, idiossincráticas ou redundantes, dos itens léxicos individuais. O componente categorial da base determina todos os outros aspectos da estrutura profunda. Parece que o componente categorial constitui o que é chamado *gramática simples ou de estrutura frasal independente do contexto*. O que esse sistema é exatamente é algo que se pode compreender muito facilmente por intermédio de um exemplo simples. Suponhamos ter as *regras* 14:

14 S $\rightarrow$ FN FV
FV $\rightarrow$ V FN
FN $\rightarrow$ N
N $\rightarrow$ Δ
V $\rightarrow$ Δ

Com essas regras, construímos a derivação 15, da seguinte maneira. Primeiro, escrevemos o símbolo *S* como a primeira linha da derivação. Interpretamos a primeira regra de 14 como uma permissão para que *S* seja substituído por FN FV, o que dá a segunda linha de 15. Interpretando a segunda regra de 14, de um modo semelhante, formamos a terceira linha da derivação 15 como FV substituída por V FN. Formamos a quarta linha de 15, aplicando a regra FN → N de 14, interpretada da mesma maneira, a ambas as ocorrências de FN na terceira linha. Por fim, formamos as duas linhas finais de 15, aplicando as regras N → Δ e V → Δ.

15 *S*
FN FV
FN V FN
N V N
Δ V Δ
Δ Δ Δ

Podemos,obviamente, representar o que é essencial na derivação 15 pelo diagrama de árvore 16.

16

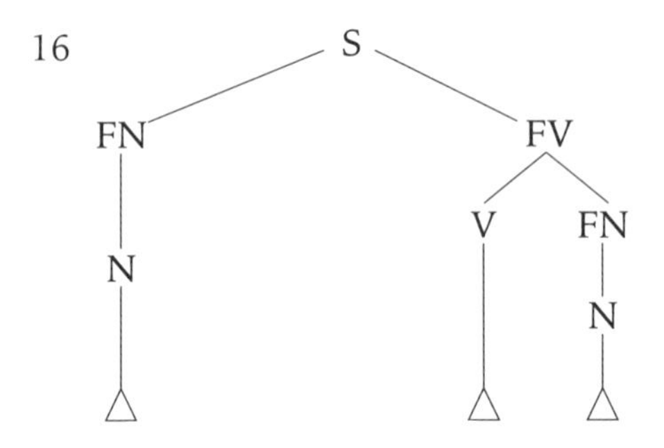

No diagrama 16, cada símbolo domina o símbolo pelo qual ele é substituído, ao formar 15. Na realidade, podemos conceber que as regras de 14 simplesmente descrevem o modo como um diagrama de árvore, como o 16, pode ser construído. Evidentemente, 16 é uma outra notação para a parentetização rotulada 17:

17 [S [FN [N$^{\Delta}$] N] FN [FV [V$^{\Delta}$] V [FN [NΔ] N] FN] FV] S

O domínio de algum elemento por um símbolo *A*, em 16 (como, por exemplo, V FN é dominado por FV), é indicado em 17 encerrando-se esse elemento nos colchetes rotulados [A], A. Se tivermos um léxico que nos diga que "John" e "Bill" podem substituir o símbolo Δ, quando esse símbolo é dominado por N (ou seja, está encerrado em [N], N) e que "saw" pode substituir Δ, quando está dominado por V, então podemos ampliar a derivação 15 para derivar "John saw Bill", com a estrutura associada que apresentamos como 6. Na verdade, 6 deriva de 17, substituindo-se a primeira ocorrência de Δ por "John", a segunda por "saw" e a terceira por "Bill".

Observe-se que as regras de 14 de fato definem relações gramaticais, onde as definições são dadas como nas p.225-26. Assim, a primeira regra de 14 define a relação sujeito-predicado e a segunda, a relação verbo-objeto. Analogamente, outras funções e relações gramaticais semanticamente significativas podem ser assim definidas por regras, interpretadas da maneira indicada.

Enunciando novamente essas noções de modo mais formal e geral, o componente categorial da base é um sistema de regras da forma $A \rightarrow Z$, onde *A* é um símbolo de categoria como S (de "sentença"), FN (de "frase nominal"), N (de *noun*, inglês para "substantivo") etc., e Z é uma sequência de um ou mais símbolos (ou seja, símbolos que não aparecem no lado esquerdo da seta em nenhuma regra de base). Dado tal sistema, podemos formas *derivações*, sendo uma derivação uma sequência de linhas que satisfazem as seguintes condições: a primeira linha é apenas o símbolo *S* (significando sentença); a última linha contém só símbolos terminais; se *X*, *Y* são duas linhas sucessivas, então *X* deve ser da forma... *A*... e *Y* da forma... *Z*..., onde $A \rightarrow Z$ é uma das regras. Uma derivação impõe uma parentetização rotulada em sua sequência terminal da maneira óbvia. Assim, dadas as linhas sucessivas $X = \ldots A \ldots$, $Y = \ldots Z \ldots$, onde Y foi derivado de X pela regra $A \rightarrow Z$, diremos que a sequência derivada de Z (ou a própria Z, se for terminal) é parentetizada por [A], A. De modo equivalente, podemos representar essa parentetização rotulada por um diagrama de árvore, em que um nó rotulado como A (neste exemplo) domina os nós sucessivos rotulados pelos símbolos sucessivos de Z.

Suponhamos que um dos símbolos terminais do componente categorial é o símbolo postiço Δ. Entre os símbolos não terminais, há vários que representam *categorias lexicais*, em particular N (por "substantivo"), V (por "verbo"), ADJ (por "adjetivo"). Uma categoria lexical A só pode aparecer no lado esquerdo de uma regra $A \rightarrow Z$, se Z for Δ. Serão, então, inseridas entradas lexicais em derivações no lugar de Δ por regras de tipo diferente, ampliando as derivações fornecidas pelo componente categorial. Além de Δ, indicando a posição em que um item do léxico pode aparecer, os símbolos terminais do componente categorial são elementos gramaticais como *be*, *of* etc. Alguns dos símbolos terminais introduzidos pelas regras categoriais terão um conteúdo semântico intrínseco.

Uma parentetização rotulada gerada por regras de base (ou seja, pelas regras de estrutura frasal do componente categorial e pela regra de inserção lexical, mencionadas no parágrafo anterior) será chamada de *marcador frasal básico*. De uma forma mais geral, usaremos aqui o termo "marcador frasal" para designar qualquer sequência de elementos corretamente parentetizados com colchetes rotulados.[26] As regras do componente transformacional modificam os marcadores frasais de certas maneiras fixas. Essas regras são arrumadas numa sequência $T1, \ldots, Tm$.

26 Pode ser que seja necessária uma noção um pouco mais geral de "marcador frasal", mas deixaremos essa questão de lado, neste texto.

Essa sequência de regras aplica-se a um marcador frasal básico de maneira cíclica. Primeiro, é aplicado a uma configuração dominada por *S* (ou seja, uma configuração [s...]s) e que não contém nenhuma outra ocorrência de S. Quando as regras transformacionais tiverem sido aplicadas a todas as configurações desse tipo, elas são em seguida aplicadas a uma configuração dominada por S e que contém apenas configurações dominadas por S a que as regras já tenham sido aplicadas. Esse processo prossegue até que as regras se apliquem ao marcador frasal completo dominado pela ocorrência inicial de S, no marcador frasal básico. Nesse ponto, temos uma estrutura superficial. Pode ser que as condições de ordenação para as transformações sejam mais frouxas – que haja certas condições de ordenação para o conjunto {*T*1,..., *Tm*} e, em determinada etapa do ciclo, uma sequência de transformações possa aplicar-se, se não violar tais condições – mas não vou tratar dessa questão aqui.

As propriedades do componente sintático podem ficar bem claras com um exemplo (que, naturalmente, deve ser muito simplificado). Consideremos uma subparte do inglês com o léxico 18 e o componente categorial 19.

18 *Léxico: it, fact, John, Bill, box, future*	(Substantivo)
dream, see, persuade, annoy	(Verbo)
sad	(Adjetivo)
will	(Modal)
the	(Determinador)

19 S → (Q) FN AUX FV
FV → be ADJ
FV → V (FN) (de FN)
FN → (DET) N (que S)
AUX → pretérito
AUX → M
N, V, ADJ, DET, M → Δ

Em 19, são usados parênteses para indicar um elemento que pode ou não estar presente na regra. Assim, a primeira linha de 19 é uma abreviação de duas regras, uma em que *S* é reescrita como *Q FN AUX FV*, a outra em que *S* é reescrita como *FN AUX FV*. Analogamente, a terceira linha de 19 é, na realidade, uma abreviação de quatro regras etc. A última linha de 19 representa cinco regras, cada uma das quais reescreve um dos símbolos categoriais da esquerda como o símbolo terminal postiço Δ.

Esse componente categorial fornece derivações como a seguinte:

20 a. S
FN AUX FV
FN AUX be ADJ
N AUX be ADJ
N pretérito be ADJ
Δ pretérito be Δ

b. S
FN AUX FV
FN AUX V FN de FN
DET N AUX V N de DET N que S
DET N M V N de DET N que S
Δ Δ Δ Δ Δ de Δ Δ que S
Δ Δ Δ Δ Δ de Δ Δ que FN FV
Δ Δ Δ Δ Δ de Δ Δ que FN AUX V
Δ Δ Δ Δ Δ de Δ Δ que N AUX V
Δ Δ Δ Δ Δ de Δ Δ que N pretérito V
Δ Δ Δ Δ Δ de Δ Δ que Δ pretérito Δ

Tais derivações são construídas da maneira que acabamos de descrever. Elas impõem parentetizações rotuladas que, para maior clareza, mostraremos na representação equivalente em forma de árvore:

21 a.

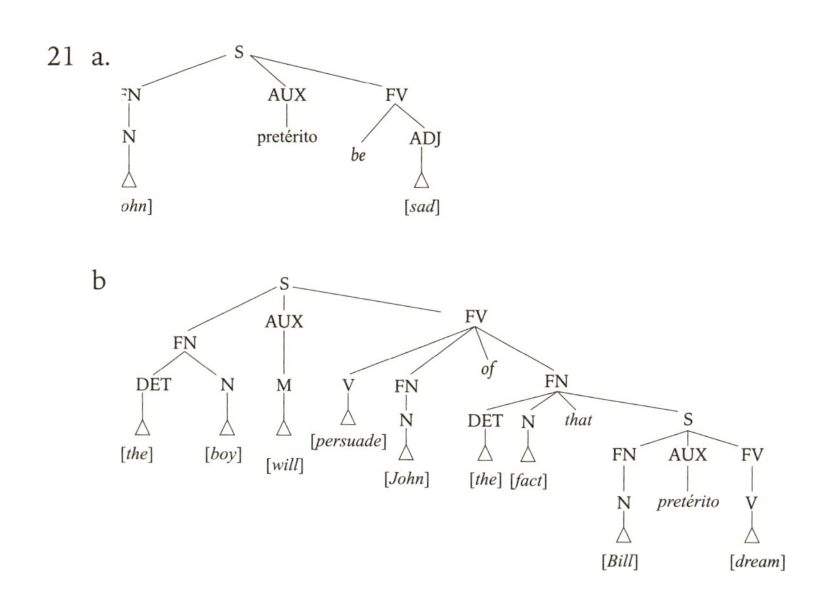

Usamos agora o léxico para completar as derivações básicas 20a e 20b. Cada entrada do léxico contém características sintáticas que identificam as ocorrências de Δ que ela pode substituir, numa derivação. Por exemplo, os itens das cinco linhas de 18 podem substituir ocorrências de Δ que sejam dominadas, nas representações em forma de árvore de 21, pelos símbolos categoriais N, V, ADJ, M, DET, respectivamente.

No entanto, as restrições são muito mais estreitas do que isso. Assim, dos verbos de 18 (linha 2), somente *persuade* pode substituir uma ocorrência de Δ dominada por V, quando essa ocorrência de V for seguida na FV por FN de FN. Podemos formar "*... persuade John of the fact*", mas não "*...dream (see, annoy) John of the fact*". Analogamente, dos substantivos presentes em 18 (primeira linha), apenas *fact* pode aparecer no contexto DET – *that* S (ou seja, "the fact that John left"); só *it*, numa FN da forma – *that* S;[27] somente *fact, boy* e *future* numa FN da for-

27 Isso pode não parecer óbvio. Voltamos ao exemplo, diretamente.

ma DET – ("the fact", "the boy", "the future") etc. Deixando de lado os detalhes, o caráter geral de tais restrições é bastante claro. Supondo, pois, que as entradas lexicais contenham as características lexicais corretas, podemos ampliar as derivações básicas de 20 para obtermos as sequências terminais de 22, inserindo os itens encerrados nos colchetes em 21.

22 a. *John pretérito be sad*
b. *the boy will persuade John of the fact that Bill pretérito dream*

Podemos também formar sequências terminais como 23, com outras escolhas nas derivações.

23 *Q the boy will dream of the future*
it that John pretérito see Bill pretérito annoy the boy
John will be sad
John pretérito see the future

Dessa maneira, formamos derivações básicas completas, usando as regras do componente categorial e em seguida substituindo as entradas lexicais por ocorrências particulares do símbolo postiço Δ, de acordo com as características sintáticas dessas entradas lexicais. Da mesma forma, temos os colchetes rotulados representados como 21, com as entradas lexicais substituídas por ocorrências de Δ das maneiras permitidas. São estes os marcadores frasais básicos.

Note-se que as regras que introduzem entradas lexicais nos marcadores frasais básicos são de caráter completamente distinto das regras do componente categorial. As regras de 19 que foram usadas para formar 20 são de tipo muito elementar. Cada uma dessas regras permite que determinado símbolo *A*, na sequência ... *A* ..., seja reescrito como certa sequência *Z*, *independentemente do contexto de A e da fonte de A, na derivação*. Mas, ao introduzir as entradas lexicais no lugar de Δ, devemos considerar os aspectos selecionados do marcador frasal em que Δ aparece. Por exemplo, uma ocorrência de Δ pode ser substituída por "John", se for dominada no marcador frasal por N, mas não por V. Assim, as regras de inserção lexical se aplicam realmente não a sequências de símbolos categoriais e terminais, como as regras do componente categorial, mas sim a marcadores frasais como 21. As regras que se aplicam aos marcadores frasais, modificando-os de um modo específico, são designadas na terminologia atual como *transformações (gramaticais)*. Assim, as regras de inserção lexical são regras transformacionais, ao passo que as regras do componente categorial são apenas regras de reescrita.

Voltemos agora aos exemplos 22a, 22b. Consideremos primeiro o 22a, com o marcador frasal básico 21a.[28] De imediato, vemos que 21 contém exatamente a informação necessária para a estrutura profunda da sentença "John was sad" (John estava triste). Obviamente, a sequência *pretérito be* é simplesmente uma representação do formante "was", assim como *pretérito see* representa "saw", *pretérito persuade* representa "persuaded" etc. Com uma regra que converte *pretérito be* no formante "was", formamos a estrutura superficial da sentença "John was sad". Além disso, se definirmos as funções e relações gramaticais da maneira descrita acima (ver p.225-26), 21 expressará o fato de que existe a relação sujeito-predicado entre *John* e *pretérito be sad*, e também conterá informações semânticas acerca dos itens portadores de significado *John, pretérito, sad*; podemos assumir, na realidade, que *pretérito* é ele próprio um símbolo de um alfabeto terminal universal com uma interpretação semântica fixa, e também se pode supor que as características semânticas das entradas lexicais de *John* e *sad* sejam selecionadas, como as

28 Supomos daqui por diante que 21a e 21b sejam ampliados como marcadores frasais completos pela inserção das entradas lexicais apropriadas, como indicado.

características fonológicas dessas entradas, em algum sistema universal de representações do tipo discutido acima. Em suma, 21a contém todas as informações necessárias para a interpretação semântica, de sorte que podemos considerá-lo a estrutura profunda subjacente à sentença "John was sad".

O que é verdade para esse exemplo também é verdade de um modo geral. Ou seja, os marcadores frasais básicos gerados pelo componente categorial e o léxico são as estruturas profundas que determinam a interpretação semântica. Neste caso simples, é necessária apenas uma regra para converter a estrutura profunda numa estrutura superficial, a saber, a regra que converte *pretérito be* no formante *was*. Uma vez que essa regra é claramente um caso especial de uma regra que se aplica também a qualquer sequência da forma *pretérito* V, é realmente uma regra transformacional muito simples (na terminologia que acabamos de dar), mais do que uma regra elementar do tipo que encontramos no componente categorial. Essa observação pode ser generalizada. As regras que convertem estruturas profundas em estruturas superficiais são regras transformacionais.

Suponhamos agora que, em vez da derivação 20a, tivéssemos formado a derivação 20, muito semelhante:

24 S
Q FN AUX FV
Q FN AUX be ADJ
Q N AUX be ADJ
Q N M be ADJ
Q Δ Δ be Δ
Q John will be sad

com seu marcador frasal associado. Entendemos o símbolo *Q* como um símbolo do alfabeto terminal universal com uma interpretação semântica fixa, a saber, que a sentença associada é uma pergunta. Suponhamos que o componente transformacional da sintaxe contenha regras que convertam marcadores frasais da forma *Q FN AUX...* nos marcadores frasais correspondentes *AUX FN...* (isto é, a transformação substitui *Q* por *AUX*, deixando o marcador frasal igual quanto ao mais). Aplicada ao marcador frasal correspondente a 24, essa regra produz a parentetização rotulada da sentença "Will John be sad?" (Estará John triste?); ou seja, ela forma a estrutura superficial para essa sentença.

Imaginemos que, no lugar de 24, tivéssemos usado a regra que reescreve AUX como *pretérito*. A transformação de pergunta do parágrafo anterior daria um marcador frasal com a sequência terminal "pretérito John be sad", assim como dá "Will John be sad?" no caso de 24. Evidentemente, devemos modificar a transformação de pergunta para que ela inverta não só *pretérito*, nesse caso, mas a sequência *pretérito be*, de sorte que derivemos finalmente "Was John sad?" Essa modificação é, na verdade, simples, quando as regras são formuladas de modo adequado.

Quer escolhamos M ou *pretérito* em 24, o marcador frasal básico gerado uma vez mais se qualifica como uma estrutura profunda. A relação gramatical de *John* para *will (pretérito) be sad* é exatamente a mesma em 24 e em 24a, com as definições propostas anteriormente, como é necessário para que haja adequação empírica. As formas superficiais, é claro, não expressam essas relações gramaticais diretamente; como vimos anteriormente, as relações gramaticais significativas raramente se exprimem na estrutura superficial.

Voltemo-nos agora para o exemplo mais complexo: 20b – 21b – 22b. Mais uma vez, o marcador frasal básico 21b de 22b exprime a informação necessária para a interpretação semântica da sentença "The boy will persuade John of the fact that Bill dreamt" (O menino persuadirá John do fato de que Bill sonhou), que deriva de 22b por uma regra transformacional que forma "dreamt", a partir de *pretérito dream*. Portanto, 21b pode servir como a estrutura profunda subjacente a essa sentença, exatamente como 21a pode servir para "John was sad" e o marcador frasal correspondente a 24, para "Will John be sad?"

Suponhamos que, ao reescrever FN, na terceira linha de 20b, tivéssemos escolhido não DET N *that* S, mas N *that* S [ver a quarta linha de 19]. O único item lexical de 18 que pode aparecer na posição dessa ocorrência de N é *it*. Portanto, em vez de 22b, teríamos derivado

25 the boy will persuade John of it that Bill pretérito dream

com relações gramaticais e conteúdo lexical, afora isso, sem modificações. Suponhamos agora que o componente transformacional da sintaxe contenha regras com o seguinte efeito:

26 a. *it* é apagado antes de *that* S
b. *of* é apagado antes de *that* S

Aplicando 26a e 26b a 25, nessa ordem, com a regra que converte *pretérito dream* em "dreamt", derivamos a estrutura superficial de "The boy will persuade John that Bill dreamt" (O menino convencerá John de que Bill sonhou). O marcador frasal básico correspondente a 25 serve de estrutura profunda subjacente a essa sentença.

Note-se que a regra 26a é muito mais geral. Suponhamos, assim, que escolhemos a FN *it that Bill pretérito dream* como o sujeito de *pretérito annoy John*, como é permitido pelas regras 18 e 19. Isso dá

27 it that Bill pretérito dream pretérito annoy John

Aplicando a regra 26a (e as regras de formação do pretérito dos verbos), derivamos "That Bill dreamt annoyed John". Alternativamente, poderíamos ter aplicado a regra transformacional com o efeito de 28:

28 Um marcador frasal da forma *it that S X* é reestruturado como o marcador frasal correspondente da forma *it X that S*.

Aplicando-se 28 a 27, derivamos "It annoyed John that Bill dreamt" (Aborreceu John que Bill dormiu). Neste caso, 26a é inaplicável. Assim, 27 subjaz a duas estruturas superficiais, uma determinada por 28 e a outra por 26a; tendo a mesma estrutura profunda, estas são sinônimas. No caso de 25, 28 é inaplicável e, portanto, temos somente uma estrutura superficial correspondente.

Podemos levar mais adiante o exemplo 25, examinando outras regras transformacionais. Suponhamos que, em vez de escolher *Bill,* na sentença encaixada de 25, tivéssemos escolhido *John* de novo. Existe uma regra transformacional muito geral, no inglês e em outras línguas, que estipula a exclusão de itens repetidos. Aplicando essa regra juntamente com outras menores, de tipo óbvio, derivamos:

29 The boy will persuade John to dream[h]

a partir de uma estrutura profunda que contém, como devido, um marcador subfrasal que expressa o fato de que *John* é o sujeito de *dream*. Na verdade, nesse caso, o marcador frasal profundo seria um pouco diferente, de um modo que não nos deve preocupar aqui, neste esboço expositivo grosseiro.

Suponhamos agora que devêssemos adicionar uma transformação que converta um marcador frasal da forma FN AUX V FN na passiva correspondente, da maneira óbvia.[29] Aplicada

---

h O menino convenceu John a dormir

29 Note-se que essa transformação modificaria o marcador frasal a que se aplica de um modo mais radical do que os examinados acima. Os princípios, porém, permanecem os mesmos.

aos marcadores frasais muito semelhantes aos de 21b, essa regra forneceria estruturas superficiais para as sentenças "John will be persuaded that Bill dreamt (by the boy))" (John será convencido de que Bill sonhou (pelo menino) [a partir de 25] e "John will be persuaded to dream (by the boy))" (John será convencido a sonhar (pelo menino) [a partir de 29]. Em cada caso, a interpretação semântica será a do marcador frasal profundo subjacente. Em determinados casos, as relações gramaticais significativas estão completamente obscurecidas, na estrutura superficial. Assim, no caso da sentença "John will be persuaded to dream" (John será persuadido a sonhar), o fato de "John" ser realmente o sujeito de "dream" não está indicado na estrutura superficial, embora a estrutura profunda subjacente, como observamos, exprima diretamente o fato.

A partir desses exemplos, podemos ver como uma sequência de transformações pode formar sentenças muito complicadas, em que relações significativas entre as partes não são representadas de maneira direta. Na verdade, é somente em exemplos artificialmente simples que as estruturas profunda e superficial se correspondem exatamente. Nas sentenças normais do dia a dia, a relação é muito mais complexa; longas sequências de transformação se aplicam para converter as estruturas profundas subjacentes à forma superficial.

Os exemplos que temos usado são empolados e pouco naturais. Com uma gramática menos rudimentar, podem ser fornecidos outros bem naturais. Por exemplo, no lugar das sentenças formadas a partir de 27 por 26 ou 28, poderíamos usar sentenças mais aceitáveis, como "That you should believe this is not surprising" (Que você deva acreditar nisso não é surpreendente), "It is not surprising that you should believe this" (Não é surpreendente que você deva acreditar nisso) etc. Na verdade, a falta de naturalidade dos exemplos que temos usado ilustra um ponto simples, mas muitas vezes negligenciado, a saber, que o significado intrínseco de uma sentença e suas outras propriedades gramaticais são determinados por uma regra, não por condições de uso, contexto linguístico, frequência das partes etc...[30] Assim, os exemplos dos últimos parágrafos talvez nunca tenham sido produzidos na experiência de algum falante (ou, aliás, na história da língua), mas seu estatuto como sentenças da língua inglesa e suas interpretações ideais fonética e semântica não serão afetados pelo fato.

Uma vez que a sequência de transformações pode provocar modificações drásticas, num marcador frasal, não devemos surpreender-nos de descobrir que uma única estrutura[31] pode resultar de duas estruturas profundas muito diferentes – ou seja, que certas sentenças são ambíguas (por exemplo, a sentença 4, da p.207). As sentenças ambíguas oferecem uma indicação especialmente clara da inadequação da estrutura superficial como uma representação de relações mais profundas.[32]

---

30 Esses fatores podem, porém, afetar o desempenho. Nesse sentido, podem afetar o sinal físico e desempenhar um papel na determinação da maneira como uma pessoa interpretará as sentenças. Tanto ao produzir como ao entender sentenças, o falante-ouvinte faz uso das interpretações fonética e semântica ideais, mas outros fatores também desempenham o seu papel. O falante pode estar interessado simplesmente em se fazer entender – o ouvinte, em determinar o que o falante quis dizer (o que pode não ser idêntico à interpretação semântica literal da sentença ou fragmento de sentença que ele produziu). Mais uma vez, devemos insistir na necessidade de distinguir desempenho de competência, se quisermos estudar seriamente qualquer um dos dois.

31 Mais precisamente, as estruturas superficiais que estão suficientemente próximas para determinarem a mesma representação fonética.

32 A linguística moderna tem feito um uso ocasional dessa propriedade da linguagem como uma ferramenta de pesquisa. A primeira discussão geral de como a ambiguidade pode ser utilizada para ilustrar a inadequação de certas concepções da estrutura sintática está no artigo de C. F. Hockett, "Two Models for Grammatical Description", *World*, v.10, 1954, p.210-31, reimpresso em M. Joos (Ed.), *Readings in Linguistics One*, 4.ed. (Chicago: University of Chicago Press, 1966).

De modo mais geral, podemos achar com facilidade sentenças acopladas com essencialmente a mesma estrutura superficial, mas relações gramaticais completamente distintas. Para citar apenas um exemplo, comparemos as sentenças de 30:

30 a. I persuaded the doctor to examine John.[i]
b. I expected the doctor to examine John.[j]

As estruturas superficiais são essencialmente as mesmas. A sentença 30a tem a mesma forma que 29. Ela deriva de uma estrutura profunda que tem aproximadamente a forma 31:

31 *I pretérito the doctor of it that the doctor AUX examine John*

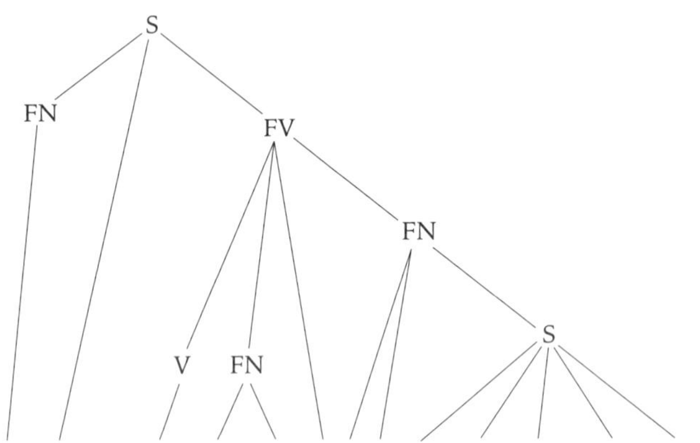

Essa estrutura profunda é em essência a mesma que 21b, e pelo processo transformacional descrito em ligação com 29, derivamos dela a sentença 30a. Entretanto, no caso de 30b, não há tais estruturas relacionadas como "I expected the doctor of

i Persuadi o médico a examinar John.
j Esperava que o médico examinasse John.

the fact that e examined John", "... of the necessity (for him) to examine John", etc., como há no caso de 30a. Por conseguinte, não há justificação para uma análise de 30b como derivado de uma estrutura como a 31. A estrutura subjacente a 30b será de preferência algo como 32 (omitindo de novo os pormenores):

32 *I pretérito expect it that the doctor AUX examine John*

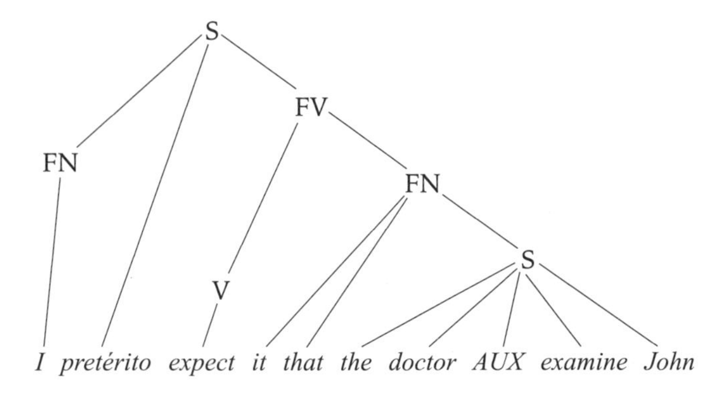

Há muitos outros fatos que dão sustentação a essa análise de 30a e 30b. Por exemplo, a partir de uma estrutura como 32, podemos formar "What I expected was that the doctor (will, should etc.) examine John" (O que eu esperava era que o médico examinasse John), pela mesma regra que forma "What I saw was the book" (O que eu vi foi o livro), a partir da estrutura subjacente FN – V – FN "I saw the book". Mas não podemos formar "What I persuaded was that the doctor should examine John", correspondente a 30a, porque a estrutura subjacente 31 não tem a forma FN – V – FN exigida pela transformação. Aplicando a regra 26a a 32, derivamos de preferência, pelo uso da mesma regra que dá 29, com "to" no lugar de "that" aparecendo com a sentença encaixada, que, neste caso, não contém nenhum outro representante da categoria AUX.

Deixando de lado os pormenores, vemos que 30a é derivada de 31 e 30b, de 32, de forma que, apesar da quase identidade de estrutura superficial, as estruturas profundas subjacentes a 30a e 30b são muito diferentes. Que deva haver tal divergência na estrutura profunda não é de modo algum óbvio.[33] Isso fica claro, porém, se considerarmos o efeito de substituir "the doctor to examine John" por sua passiva, "John to be examined by the doctor", em 30a e 30b. Assim, temos sob investigação as sentenças 33 e 34:

33 a. I persuaded the doctor to examine John [= 30a]
   b. I persuaded John to be examined by the doctor.[l]
34 a. I expected the doctor to examine John [=30b]
   b. I expected John to be examined by the doctor.[m]

A relação semântica entre as sentenças acopladas de 34 é completamente diferente da relação entre as sentenças de 33. Podemos ver isso, considerando a relação quanto ao valor de verdade. Assim, 34a e 34b têm necessariamente o mesmo valor de verdade; se eu esperava que o médico examinasse John, então eu esperava que John fosse examinado pelo médico, e inversamente. Todavia, não há nenhuma relação necessária quanto ao valor de verdade entre 33a e 33b. Se eu persuadi o médico a examinar John, não se segue daí que persuadi John a ser examinado pelo médico, ou inversamente.

Na verdade, a troca da ativa pela passiva na sentença encaixada preserva o significado, num sentido bastante claro, no caso de 30b, mas não de 30a. A explicação é imediata, a partir do exame das estruturas profundas que subjazem a essas sentenças. Substituindo a ativa pela passiva em 32, seguimos em frente então para derivar 34b da mesma maneira como 30b é derivada de

33 Parece, de fato, que este fenômeno fugiu à atenção dos gramáticos ingleses, tanto tradicionais como modernos.

l Persuadi John a ser examinado pelo médico.

m Esperava que John fosse examinado pelo médico.

32. Mas, para derivar 33b, devemos não só apassivar a sentença encaixada em 31, mas também escolher "John", em vez de "the doctor", como o objeto do verbo "persuade"; caso contrário, as condições para exclusão da frase nominal repetida, como na derivação de 29, não serão satisfeitas. Consequentemente, a estrutura profunda subjacente a 33b é muito diferente da que subjaz a 33a. Não só a sentença encaixada foi apassivada, mas o objeto "the doctor" deve ser substituído em 31 por "John". As relações gramaticais são, portanto, muito diferentes, e a interpretação semântica difere correspondentemente. Continua sendo verdade, em ambos os casos, que a apassivação não afeta o significado (no sentido de "significado" relevante, aqui). A mudança de significado em 30a, quando "the doctor to examine John" é substituído por "John to be examined by the doctor", é ocasionada pela mudança de relações gramaticais, sendo "John" agora o objeto direto da frase verbal na estrutura subjacente, em vez de "the doctor". Não há mudança correspondente no caso de 34a, de modo que o significado permanece inalterado, quando a sentença encaixada é apassivada.

Os exemplos 30a, 30b ilustram, mais uma vez, a inadequação (e, de um modo bem geral, a irrelevância) da estrutura superficial para a representação das relações gramaticais semanticamente relevantes. A parentetização rotulada que transporta a informação necessária para a interpretação fonética é em geral muito diferente da parentetização rotulada que fornece a informação necessária para a interpretação semântica. Os exemplos 30a, 30b também ilustram como pode ser difícil trazer para a consciência a "intuição linguística". Como vimos, a gramática do inglês, como uma caracterização da competência (ver p.193ss.), deve, para haver adequação descritiva, atribuir diferentes estruturas profundas às sentenças 30a e 30b. A gramática que cada falante interiorizou distingue, sim, essas estruturas profundas, como fica claro pelo fato de qualquer falante de inglês ser capaz de entender o efeito de se substituir a sentença encaixada por sua passiva, nos dois casos de 30. Mas esse fato a respeito de sua competência gramatical interiorizada pode fugir à atenção do falante nativo (ver nota 33).

Talvez exemplos como esses bastem para dar um pouco do sabor da estrutura sintática de uma língua. Resumindo as nossas observações a respeito do componente sintático, concluímos que ele contém uma parte básica e outra transformacional. A base gera estruturas profundas, e as regras transformacionais convertem-nas em estruturas superficiais. O componente categorial da base define as relações gramaticais significativas da língua, atribui uma ordem ideal às frases subjacentes e, de várias maneiras, determina quais transformações se aplicarão.[34] O léxico especifica as propriedades idiossincráticas dos itens lexicais individuais. Juntos, esses dois componentes da base parecem fornecer as informações relevantes para a interpretação semântica, no sentido em que temos usado esse termo, sujeito à qualificação acima mencionada. As regras transformacionais convertem os marcadores frasais em novos marcadores frasais, afetando vários tipos de reordenação e reorganização. São muito limitados os tipos de mudança que podem ser realizados; não entraremos, porém, nessa matéria aqui. Aplicadas em sequência, as transformações podem afetar, porém, a organização de um marcador frasal básico de modo muito radical. Assim, as transformações proporcionam uma ampla variedade de estruturas superficiais que não têm relação direta ou simples com as estruturas de base a partir das quais se originaram e que exprimem seu conteúdo semântico.

É um fato de alguma significação que o mapeamento das estruturas profundas nas superficiais não seja uma questão de uma única etapa, mas, antes, seja analisável em uma sequência de etapas transformacionais sucessivas. As transformações podem contribuir para o fato de que esse mapeamento das estruturas profundas nas superficiais pode ser combinado de muitas ma-

34 É uma questão aberta, se essa determinação é exclusiva.

neiras diferentes, dependendo da forma da estrutura profunda a que se aplicam. Uma vez que essas transformações se aplicam em sequência, cada uma deve produzir uma estrutura do tipo a que a seguinte pode aplicar-se. Essa condição é satisfeita em nossa formulação, já que as transformações se aplicam a marcadores frasais e os convertem em novos marcadores frasais. Mas há dados empíricos muito bons que indicam que as estruturas superficiais que determinam a forma fonética são, na verdade, marcadores frasais (isto é, parentetizações rotuladas de formantes). Segue-se daí, então, que as estruturas profundas a que se aplicam originalmente as transformações devem ser, elas próprias, marcadores frasais, como na nossa formulação.

Em princípio, há muitas maneiras pelas quais uma rede de relações gramaticais pode ser representada. Uma das principais razões para se escolher o método de marcadores frasais gerados pelas regras básicas é exatamente o fato de as transformações deverem aplicar-se em sequência e, portanto, deverem aplicar-se a objetos do tipo que elas mesmas produzem, em última análise, a marcadores frasais que tenham as mesmas propriedades formais que as estruturas superficiais.[35]

Observações finais

A teoria gramatical que acabamos de apresentar requer vários comentários. Indicamos acima que a gramática de uma língua deve, por motivos de adequação empírica, proporcionar o uso infinito de meios finitos, e atribuímos essa propriedade

35 Há outras razões em apoio a isso. Uma delas é que as relações gramaticais não se encontram entre as palavras ou os morfemas, mas entre as frases, em geral. Outra razão é que a investigação empírica tem mostrado unanimemente que há uma ordem ótima ideal das frases nas estruturas subjacentes, coerente com a suposição de que estas sejam geradas por um sistema básico do tipo examinado acima.

recursiva ao componente sintático, que gera um conjunto infinito de estruturas profundas e superficiais acopladas. Localizamos agora com mais precisão a propriedade recursiva da gramática, atribuindo-a ao componente categorial da base. Algumas regras básicas introduzem o símbolo inicial *S* que encabeça as derivações, por exemplo, a quarta regra de 19. Pode ser que a introdução de "conteúdo proposicional" nas estruturas profundas por esse meio seja o único dispositivo recursivo presente na gramática, além das regras envolvidas na formação de construções coordenadas, as quais levantam vários problemas que vão além do que vimos discutindo aqui.

É razoável perguntar por que as línguas humanas devam ter um plano desse tipo – por que, em particular, devem usar transformações gramaticais do tipo descrito para converter estruturas profundas à forma superficial. Por que não devem elas valer-se das estruturas profundas de um modo mais direto?[36] Duas razões se apresentam, de pronto. Já observamos que as condições da inserção léxica são essencialmente transformacionais, de preferência ligadas à estrutura da frase (ver p.239). De um modo mais geral, deparamo-nos com muitas condições não ligadas à estrutura frasal (por exemplo, as envolvidas no cancelamento de termos idênticos – ver p.242 e 249), quando estudamos com atenção uma língua. Assim, as transformações não só convertem uma estrutura profunda numa estrutura superficial, mas têm também um "efeito de filtragem", excluindo certas estruturas profundas potenciais como não bem formadas.[37] A despeito disso, estaríamos naturalmente inclinados a buscar uma expli-

36 É interessante observar, quanto a isso, que a teoria da gramática da estrutura frasal independente do contexto (ver p.125) está muito próxima de se adequar às "línguas artificiais" inventadas para diversos fins, por exemplo, para a matemática ou para a lógica ou como linguagens de computador.

37 E, portanto, em certos casos, por serem "sentenças semigramaticais" subjacentes que se afastam, do modo indicado, da norma gramatical. Isso sugere uma abordagem para o problema levantado na nota 24.

cação para o uso das transformações gramaticais nas condições empíricas que a comunicação linguística deve satisfazer. Mesmo o simples fato de o som ser irrecuperável impõe condições à fala que não precisam, por exemplo, ser impostas a um sistema linguístico planejado apenas para a escrita (por exemplo, os sistemas artificiais mencionados na nota 36). Um sistema escrito proporciona uma "memória externa" que muda o problema perceptivo de modo muito significativo. Era de se esperar que um sistema projetado para as condições de comunicação por fala sejam de alguma maneira adaptados à carga sobre a memória. Na verdade, as transformações gramaticais costumam reduzir a quantidade de estruturas gramaticais nos marcadores frasais de um modo bem definido, e pode ser que uma das consequências disso seja facilitar o problema da percepção da fala por uma memória de curto prazo de tipo um tanto limitado.[38] Essa observação sugere alguns rumos promissores para a pesquisa, mas pouco de substantivo pode ser dito com alguma segurança com base no que se compreende hoje.

Outro ponto exige esclarecimentos. Observamos, no começo, que o desempenho e a competência devem ser nitidamente distinguidos, se se quiser estudar algum deles com êxito. Discutimos agora certo modelo de competência. Seria tentador, mas completamente absurdo, considerá-lo também um modelo de desempenho. Assim, poderíamos propor que, para produzir uma sentença, o falante atravesse as etapas sucessivas da construção de uma derivação de base, linha por linha a partir do símbolo inicial *S*, em seguida inserindo os itens lexicais e aplicando as

---

38 Quanto a algumas especulações sobre essa questão e uma discussão do problema geral, ver G. A. Miller e N. Chomsky, "Finitary Models for the User", in R. D. Luce, E. Galanter e R. Bush (Eds.) *Handbook of Mathematical Psychology* (New York: Wiley, 1963), v.II. A sugestão de que as transformações possam facilitar o desempenho está implícita em V. Yngve, "A Model and a Hypothesis for Language Structure", *Proceedings of the American Philosphical Society*, 1960, p.444-66.

transformações gramaticais, para formar uma estrutura superficial, e finalmente aplicando as regras fonológicas em sua ordem dada, de acordo com o princípio cíclico examinado anteriormente. Não há a menor justificativa para qualquer dessas suposições. Na verdade, ao implicar que o falante escolhe as propriedades gerais da estrutura da sentença, antes de selecionar os itens lexicais (antes de decidir sobre o que falará), tal proposta parece não só injustificada, mas completamente contrária a quaisquer vagas intuições que se possa ter sobre os processos que subjazem à produção. Uma teoria do desempenho (produção ou percepção) terá de incorporar a teoria da competência – a gramática gerativa de uma língua – como uma parte essencial. No entanto, os modelos de desempenho podem ser construídos de muitas maneiras diferentes, de modo coerente com as suposições fixas acerca da competência sobre a qual se baseiam. Há muito que dizer sobre esse tema, mas ele ultrapassa os limites deste artigo.

Especificando com precisão as propriedades dos diversos componentes e subcomponentes de uma gramática, da maneira esboçada nesta discussão, formulamos uma hipótese muito restritiva acerca da estrutura de qualquer língua humana. Como observamos diversas vezes, está longe de ser necessário, por razões *a priori*, que uma língua deva ter uma estrutura desse tipo. Além disso, parece muito provável que condições muito pesadas possam ser impostas às gramáticas, além dessas esboçadas acima. Por exemplo, pode ser (como, na realidade, se supôs tradicionalmente) que as estruturas básicas só possam variar muito pouco de língua para língua; e, restringindo de modo suficiente a esfera possível de estruturas básicas, talvez seja possível chegar a definições muito gerais para as categorias que funcionam como "símbolos não terminais", nas regras do componente categorial. Como foi notado anteriormente, isso proporcionaria definições independentes do idioma das relações gramaticais e suscitaria a possibilidade de existirem princípios universais profundos de interpretação semântica.

Ao mencionar essas possibilidades, devemos levar em conta a ideia bastante disseminada de que as modernas investigações não só refutaram definitivamente os princípios da gramática universal tradicional, como também mostraram que a busca de tais princípios era, desde o começo, equivocada. Mas me parece que essas conclusões se baseiam numa grave má compreensão da gramática universal tradicional e numa interpretação errada dos resultados do trabalho moderno. A gramática universal tradicional tentou demonstrar, com base na informação então disponível, que as estruturas profundas variam muito pouco de língua para língua. Nunca se pôs em dúvida o fato de que as estruturas superficiais podem ser muito diferentes. Também se supunha que as categorias da sintaxe, da semântica e da fonética são universais e bastante restritas quanto à variedade. Na realidade, a "linguística antropológica" moderna forneceu poucos dados que tenham a ver com a tese da uniformidade das estruturas profundas e, no que se refere à universalidade das categorias, conclusões muito parecidas com as tradicionais são comumente aceitas na prática, no trabalho descritivo.[39]

A linguística moderna e a linguística antropológica têm se preocupado apenas marginalmente com a estrutura profunda, tanto na teoria como na prática. Uma grande diversidade de estruturas superficiais foi revelada no trabalho descritivo, como antecipado pela gramática universal tradicional. No entanto, podem-se apresentar bons argumentos a favor da conclusão de que o erro fundamental da gramática universal tradicional era o fato de não ser suficientemente restritiva quanto às condições universais que propunha para a linguagem humana – de que devem ser postuladas condições muito mais rigorosas para dar conta dos fatos empíricos.

39 As teorias tradicionais da fonética universal têm sido amplamente aceitas como base para o trabalho moderno e têm sido refinadas e amplificadas de maneira significativa. Ver as referências na nota 7.

O nosso exame da estrutura do inglês, nos exemplos ilustrativos apresentados anteriormente, foi necessariamente muito superficial e limitou-se a fenômenos muito simples. Porém, mesmo uma discussão dos temas que abordamos exige um conhecimento razoavelmente íntimo da língua e uma teoria razoavelmente bem articulada da gramática gerativa. Consequentemente, só quando os problemas do tipo mostrado são estudados seriamente, é possível oferecer alguma contribuição para a teoria da gramática universal. Sob essas circunstâncias, não é de surpreender que, mesmo hoje, as hipóteses da gramática universal que podem ser formuladas com alguma convicção são confirmadas por dados fornecidos por um número razoavelmente pequeno de estudos de muito poucas das línguas do mundo e, portanto, devem ser muito provisórias. Apesar disso, a inadequação dos dados não deve ser exagerada. Assim, é sem dúvida verdade – e nada há de paradoxal nisto – que uma única língua pode fornecer fortes argumentos para conclusões quanto à gramática universal. Isso se torna muito claro quando examinamos o problema da aquisição da linguagem (ver p.200). A criança deve adquirir uma gramática gerativa de sua língua com base numa quantidade razoavelmente limitada de dados.[40] Para explicar essa façanha, devemos postular uma estrutura interna suficientemente rica – uma teoria suficientemente restrita da gramática universal, que constitua sua contribuição para a aquisição da língua.

40 Além disso, dados de um tipo muito degradado. Por exemplo, as conclusões da criança a respeito das regras de formação de sentenças devem basear-se em dados que consistem, em boa medida, em enunciados que infringem regras, pois boa parte da fala normal é constituída de falsos inícios, frases desconexas e outros desvios da competência idealizada.
A questão aqui não é de "gramática normativa". O ponto é que a fala normal de uma pessoa se desvia de inúmeras maneiras das regras de sua própria gramática interiorizada, em razão de muitos fatores que interagem com a competência subjacente, para determinar o desempenho. Consequentemente, como um aprendiz da língua, ela adquire uma gramática que caracteriza como irregulares e anômalos boa parte dos dados em que se baseia.

Por exemplo, foi sugerido anteriormente que, para dar conta da percepção dos contornos de acento, em inglês, devemos supor que o usuário da língua esteja fazendo uso do princípio de aplicação cíclica. Também observamos que ele não poderia ter dados suficientes em favor desse princípio. Por conseguinte, parece razoável supor que esse princípio é simplesmente parte do esquematismo inato de que ele se serve para interpretar os dados limitados e fragmentários de que dispõe. Em outras palavras, é parte da gramática universal. Analogamente, é difícil imaginar quais "princípios indutivos" poderiam levar a criança infalivelmente a suposições a respeito da estrutura profunda e da organização da gramática que parecem necessárias, se quisermos explicar fatos como os que mencionamos. Tampouco uma busca desses princípios é particularmente bem motivada. Parece razoável supor que essas propriedades do inglês sejam, na realidade fatos da gramática universal. Se tais propriedades estão disponíveis para a criança, a tarefa da aquisição da linguagem se torna viável. O problema para a criança não é a claramente impossível façanha indutiva de chegar a uma gramática gerativa transformacional, a partir de dados limitados, mas sim o de descobrir a qual das línguas possíveis está sendo exposta. Assim argumentando, podemos chegar a conclusões acerca da gramática universal até a partir do estudo de uma única língua.

A criança vê-se diante dos dados e deve inspecionar hipóteses (gramáticas) de uma classe razoavelmente limitada, para determinar a compatibilidade com esses dados. Tendo escolhido uma gramática da classe predeterminada, terá, então, domínio da língua gerada por essa gramática.[41] Assim, ela saberá muita

41 Estamos apresentando um "modelo instantâneo" de aquisição de linguagem, que é certamente falso nos pormenores, mas pode muito bem ser aceito como uma razoável primeira aproximação. Isso não significa negar que o estudo refinado do aprendizado das línguas mereça atenção. A questão, pelo contrário, é a de qual pode ser a esfera de possibilidades no interior da qual a experiência é capaz de fazer o conhecimento e a crença variarem. Se a esfera

coisa sobre fenômenos a que nunca esteve exposta e que não são "semelhantes" ou "análogos" em nenhum sentido bem definido àqueles a que esteve exposta.[42] Por exemplo, ela conhecerá as relações entre as sentenças 33 e 34, apesar de sua novidade; saberá quais contornos de acento atribuir aos enunciados, apesar de sua novidade e da falta de base física para essas representações fonéticas; e assim por diante, para inúmeros outros casos semelhantes. Essa disparidade entre o conhecimento e a experiência talvez seja o fato mais impressionante sobre a linguagem humana. Explicá-lo é o problema central da teoria linguística.

A conclusão básica que parece estar despontando com clareza cada vez maior, a partir do trabalho atual em linguística, é que devem ser esboçadas suposições iniciais muito restritivas a respeito da forma da gramática gerativa, se quisermos chegar rapidamente a explicações para os fatos do uso e da aquisição da linguagem. Além disso, não existe até agora nenhum dado que sugira que seja muito grande a variedade de gramáticas gerativas para as línguas humanas. A teoria da gramática universal sugerida pelo rascunho de descrição que acabamos de apresentar sem dúvida se revelará incorreta, sob muitos aspectos. Mas não é improvável que seu defeito fundamental seja o de permitir latitude demais para a construção de gramáticas, e que os tipos de línguas que podem ser adquiridas pelos seres humanos da maneira normal sejam, na verdade, de um tipo muito mais limitado do que sugeriria essa teoria. Contudo, mesmo da maneira

---

for muito estreita (como, a meu ver, é sugerido por considerações do tipo mencionado anteriormente), uma primeira aproximação do tipo sugerido será um pré-requisito para qualquer investigação fértil da aprendizagem. Dado um modelo instantâneo que tenha boa base empírica como primeira aproximação, há muitas questões que podem ser imediatamente levantadas: por exemplo, quais são as estratégias pelas quais as hipóteses são sondadas, como o conjunto de hipóteses disponíveis numa etapa depende das que foram testadas numa etapa anterior etc.

42 Salvo, tautologicamente, no sentido de serem explicados pela mesma teoria.

como a teoria da gramática gerativa se apresenta hoje, ela impõe condições razoavelmente estreitas para a estrutura da linguagem humana. Se essa conclusão geral puder ser firmemente estabelecida – e, ademais, significativamente fortalecida – esta será uma contribuição muito sugestiva à psicologia teórica. Não está aberto à controvérsia o fato de que hoje, como no século XVII, o problema central e crítico da linguística é o de usar dados empíricos das línguas particulares para refinar os princípios da gramática universal. Neste artigo, tentei sugerir alguns dos princípios que parecem bem estabelecidos, e ilustrar algumas das considerações que estão relacionadas com esses princípios.[43]

---

43 Além dos trabalhos mencionados nas notas anteriores, os seguintes livros podem ser consultados, para ulterior desenvolvimento dos temas abordados neste artigo: N. Chomsky, *Syntactic Structures* (Haia: Mouton, 1957); N. Chomsky, *Aspects of the Theory of Syntax* (Cambridge, Mass.: MIT Press, 1965); M. Halle, *Sound Pattern of Russian* (Haia: Mouton, 1959); J. Katz e P. Postal, *An Integrated Theory of Linguistic Descriptions* (Cambridge, Mass.: MIT Press, 1964). Ver também vários artigos em J. Fodor e J. Katz (Eds.) *Structure of Language:* Readings in the Philosophy of Language (Englewood Cliffs, N.J.: Prentice-Hall, 1964). Para obter mais informações sobre os aspectos da estrutura do inglês, aqui abordados, ver também R. Lees, *Grammar of English Nominalizations* (New York: Humanities Press, 1963) e P. Rosenbaum, "Grammar of English Predicate Complement Constructions", tese de doutorado inédita (Cambridge, Mass.: MIT, 1965). Para mais materiais, ver as bibliografias das obras citadas.

6
Linguística e filosofia

Os métodos e os interesses de linguistas e filósofos são semelhantes sob tantos aspectos que seria loucura, creio eu, insistir em uma separação nítida dessas disciplinas ou, para qualquer uma das duas, manter um desprezo paroquiano pelas perspectivas alcançadas pela outra. Um sem-número de exemplos poderiam ser citados para ilustrar a possibilidade de um fértil intercâmbio entre ambas. Zeno Vendler, em seu recente livro *Linguistics and Philosophy*, chega até a afirmar que "a ciência da linguística estrutural" proporciona "uma nova técnica" para a filosofia analítica, técnica esta que "nada mais é do que a continuação natural da linha de desenvolvimento que vai dos filósofos da linguagem ordinária até J. L. Austin". Por motivos sobre os quais voltarei a falar em seguida, sou um pouco cético acerca da contribuição que a linguística possa fazer à filosofia da maneira que ele descreve, mas acho que ele mostrou que certos conceitos da linguística podem ser usados de maneira proveitosa, na investigação de problemas surgidos na filosofia analítica.

Inversamente, como a atenção dos linguistas começa a se voltar para problemas de significado e uso, não há dúvida de que eles podem aprender muito com a longa tradição de investigação filosófica de tais problemas, embora também aqui, creio, uma nota de ceticismo seja bem-vinda.

Para facilitar a discussão deste e de outros temas, permitam-me apresentar uma pequena ilustração de um problema que atualmente está na fronteira da pesquisa. No estudo descritivo de qualquer língua, uma questão central é a de formular um conjunto de regras que gere o que podemos chamar as "estruturas superficiais" de enunciados. Com o termo "estrutura superficial", designo a análise de um enunciado numa hierarquia de frases, cada uma pertencendo a uma categoria específica. Essa hierarquia pode ser representada como uma parentetização rotulada do enunciado, num sentido óbvio. Por exemplo, consideremos as duas sentenças:

1. John is certain that Bill will leave.

2. Johnn is certain to leave.[a]

As estruturas superficiais desses enunciados podem ser representadas, de um modo natural, com a seguinte parentetização rotulada:

1' $[S[FN^{John}][FV^{is}[FA^{certain}$
$[S^{that}[FN^{Bill}]FV^{will\ leave}]]]]]$

2' $[S[FN^{John}][FV^{is}[FA^{certain}][FV^{to\ leave}]]]$

Os pares de colchetes vinculam frases; o rótulo atribuído a um par de colchetes indica a categoria da frase vinculada. Assim, em 1, "certain that Bill will leave" é uma frase da categoria Frase Adjetival; tanto em 1 quanto em 2, "John" é uma frase da categoria

a Ver os exemplos 1 e 2 do capítulo 4 (N. do T.)

Frase Nominal; "will leave" é uma Frase Verbal em 1; e tanto 1 quanto 2 são frases da categoria Sentença. Podem-se questionar os pormenores dessas análises particulares, mas pouca dúvida há de que, em algum nível de descrição, elas, ou representações muito parecidas com elas, constituem um aspecto significativo da estrutura das sentenças 1 e 2, e, de um modo mais geral, de que cada sentença da língua tem uma estrutura superficial aproximadamente do mesmo tipo. Há, por exemplo, fortes indícios de que a forma fonética percebida do enunciado é determinada por regras fonológicas de considerável generalidade, a partir de representações essencialmente desse tipo.

Aceitando tudo isso, o linguista que estuda o inglês tentará formular um conjunto de regras que gere um número infinito de estruturas superficiais, uma para cada sentença do inglês. Analogamente, a teoria linguística se interessará pelo problema de como essas estruturas são geradas em qualquer língua humana e tentará formular princípios gerais que governem os sistemas de regras que exprimem os fatos de uma ou outra dessas línguas.

Com os dados que temos à disposição, hoje, parece-me razoável propor que em cada língua humana são geradas estruturas superficiais a partir de estruturas de um tipo mais abstrato, que designarei como "estruturas profundas", por certas operações formais de tipo muito especial, chamadas em geral "transformações gramaticais". Cada transformação é um mapeamento de parentetizações rotuladas sobre parentetizações rotuladas. As estruturas profundas são, elas mesmas, parentetizações rotuladas. A classe infinita de estruturas profundas é especificada por um conjunto de "regras básicas". As transformações aplicadas em sequência às estruturas profundas, de acordo com certas convenções e princípios fixos, geram enfim as estruturas superficiais das sentenças da língua. Dessa forma, um conjunto de regras básicas, que define uma classe infinita de estruturas profundas, e um conjunto de transformações gramaticais podem servir para gerar as estruturas superficiais.

À guisa de ilustração, examinemos de novo as sentenças 1 e 2. As estruturas profundas subjacentes podem ser representadas aproximadamente na forma 1'', 2'':

1'' o mesmo que 1'
2'' [S[FN[S[FN^{John}][FV$^{\text{to leave}}$]]][FV^{is}[FA^{certain}]]]

Podemos conceber essas estruturas profundas como a expressão do fato de que, em 1, predicamos de John que ele está certo de que Bill sairá, ao passo que, em 2, que é bastante semelhante a 1 quanto à estrutura superficial, predicamos da proposição de que John sai, que ela é certa, num sentido muito diferente de "certo". Não há dificuldade em definir os conceitos de Sujeito e Predicado, em termos de configurações em estruturas profundas, de modo que eles expressem a interpretação visada. A operação que deriva 2' de 2'' inclui uma operação de "extraposição", a qual, com base em uma estrutura muito parecida com 2'', produzirá a estrutura 3, e uma operação de "substituição de "it", que deriva 2' de uma estrutura quase exatamente igual a 3, mas com "to" no lugar de "will" e com "that" excluído.

3 [S[FN^{it}][FV^{is}[FA^{certain}]
[S^{that}[FN^{John}][FV$^{\text{will leave}}$]]]]

Deixando de lado os pormenores, a teoria da "gramática transformacional-gerativa" afirma que todas as estruturas superficiais são formadas pela aplicação dessas transformações – cada uma das quais mapeia parentetizações rotuladas sobre parentetizações rotuladas – a partir de estruturas profundas que são, não raro, muito abstratas. As sentenças 1 e 2 são semelhantes quanto à estrutura superficial, mas muito diferentes quanto à estrutura profunda; as sentenças 2 e 3 são muito semelhantes quanto à estrutura profunda, mas muito diferentes quanto à estrutura superficial. As estruturas profundas da linguagem são muito limitadas quanto à variedade, e parece haver condições universais que restringem em muito a classe das regras possíveis.

Consideremos agora a questão da interpretação semântica. Fica claro, a partir desses exemplos muito típicos, que as estruturas superficiais dão poucas indicações da interpretação semântica, ao passo que as estruturas profundas são bastante reveladoras sob esse aspecto. Prosseguindo nesta linha de raciocínio, poder-se-ia propor uma elaboração ulterior da teoria que acabamos de esboçar, nos seguintes termos. Suponhamos que haja um sistema de "semântica universal" que especifique a classe de representações semânticas possíveis para uma língua natural, mais ou menos da mesma maneira como a fonética universal especifica a classe de representações fonéticas possíveis, especificando uma classe de características distintivas e certas condições de sua combinação. Observe-se que seria perfeitamente razoável estudar a semântica universal, mesmo sem ter nenhuma ideia clara de quais possam ser seus elementos constitutivos, assim como se podem extrair conclusões razoavelmente convincentes a respeito da fonética universal, com base no exame do lento crescimento do número de sentenças distintas, com extensão crescente, do fenômeno da rima e da assonância, da falta de evolução lenta pelo "espaço" de sentenças sob sequências de repetição etc., ainda que sem nenhuma concepção de quais possam ser as características distintivas desse sistema. De qualquer modo, sempre supondo que esta seja uma abordagem razoável, pode-se propor que uma língua contenha regras que associem estruturas profundas com representações extraídas da semântica universal, como contém regras fonológicas que relacionam estruturas superficiais com representações retiradas da fonética universal.

Neste ponto do desenvolvimento de tal teoria, o linguista deveria voltar-se para o trabalho da filosofia analítica, em especial para muitos estudos sobre a opacidade referencial. Uma das suposições empíricas essenciais da explicação precedente é que a estrutura superficial não pode contribuir para o significado; seja qual for a contribuição que a expressão P faça para o significado da sentença XPY, ela deve ser determinada pela estrutura profunda subjacente a P. A investigação da opacidade referencial revelou grande quantidade de exemplos que evidenciam como a substituição de uma expressão por outra muda o significado, mesmo quando a ligação semântica entre ambas for muito íntima. A abordagem que acabamos de esboçar teria de assegurar que, em cada um desses casos, há uma diferença correspondente na estrutura profunda a que se pode atribuir a diferença de significado. Sem ir adiante na matéria, eu simplesmente observaria que a natureza desses exemplos faz parecer muito improvável que tal abordagem possa ter bom êxito; mas, de qualquer modo, o estudo desse aspecto da teoria linguística deve certamente levar em conta uma massa de dados que se acumulou, ao longo da investigação filosófica.

Mencionei a possibilidade de as intuições desenvolvidas ao longo da análise filosófica serem relevantes para o estudo de uma parte central da teoria linguística, e de os conceitos da linguística serem úteis para o filósofo, em seu trabalho. Parece-me, no entanto, que não se deve esperar demais de um intercâmbio desse tipo, por muitas razões. Nos casos a que me referi, o que se propõe é que subprodutos acidentais da pesquisa feita num dos campos sejam úteis para os interesses centrais de outro. Além disso, é fato que nenhum dos campos faz uso de técnicas de pesquisa de natureza sofisticada ou especializada. Assim, era de se esperar que em cada um dos campos fosse bem possível reunir e analisar diretamente as informações relevantes para seus interesses específicos. É, portanto, algo fortuito, quando um campo pode basear-se nos resultados do outro.

Por essas razões, acho que Vendler talvez esteja esperançoso demais quanto ao método que sugere, a saber, "um apelo aos fatos de linguagem já organizados pela ciência da linguística estrutural". Creio que a linguística moderna tenha a seu crédito algumas conquistas reais e que algumas delas têm, sim, relevância para as questões filosóficas. No entanto, não se deve perder de vista que esses resultados pouco devem à ciência moderna e menos ainda à tecnologia moderna. A coleta de dados é informal; houve muito pouco uso de abordagens experimentais (fora da fonética) ou de técnicas complexas de coleta e de análise de dados de um tipo que pode ser inventado com facilidade e que são muito usadas nas ciências do comportamento. Os argumentos a favor desse procedimento informal parecem-me muito convincentes; basicamente, eles giram ao redor da compreensão de que, para os problemas teóricos que hoje parecem mais críticos, não é de modo algum difícil obter uma massa de dados cruciais sem o uso dessas técnicas. Por conseguinte, o trabalho linguístico, no que acredito ser o que tem de melhor, carece de muitas das características das ciências do comportamento. Tampouco é óbvio que o desenvolvimento de teorias explicativas em linguística mereça a designação honorífica de "científico". Acho que essas construções intelectuais são não triviais e não raro esclarecedoras. Porém, além de algumas ideias devidas à lógica moderna e à matemática, não há razão para que elas não pudessem ter-se desenvolvido muitos anos atrás. Na verdade, se não fosse pela predominância de certas pressuposições empiristas de que voltarei a tratar, diretamente, suspeito que elas teriam sido desenvolvidas há muito tempo e que boa parte do que é novo e entusiasmante, na linguística de hoje, seria tido como óbvio por qualquer pessoa educada.

Há muitas perguntas sobre a linguagem que um filósofo poderia fazer, para as quais a linguística não oferece resposta nem esperança de resposta. Por exemplo, um filósofo interessado no problema do conhecimento, ou da causalidade (para tomar um exemplo de Vendler), pode muito bem estar interessado em investigar minuciosamente as propriedades das palavras "know" (saber) e "cause" (causa). Uma vez que a linguística não oferece nenhum acesso privilegiado aos dados desse tipo, seria meramente um lance de sorte se a familiaridade com a linguística oferecesse uma ajuda substancial para essa pesquisa. Uma forma linguística não tem importância para a linguística por causa do interesse do conceito ou da proposição que expressa (se é que o faz), mas sim por causa dos dados que fornece a respeito de alguma suposição sobre a natureza da linguagem. Assim, a análise das sentenças 1, 2 e 3 tem interesse para a linguística, por causa da luz que ela lança sobre a natureza das estruturas profunda e superficial e das transformações gramaticais que as ligam. Tais dados são importantes para a linguística, na medida em que podem ser explicados com base em algumas suposições interessantes a respeito da organização da gramática, e são incompatíveis com outras suposições do tipo. Em si mesmos, esses fatos não têm maior importância do que o fato de aparecerem certas marcas sobre uma placa fotográfica, na base de uma escavação de mina na África do Sul. Este último fato é crítico para a teoria das partículas elementares, pela mesma razão pelas quais os fatos relacionados com as sentenças 1-3 são importantes para a teoria da linguagem. Observações semelhantes podem ser feitas sobre a probabilidade de que as conclusões dos filósofos ou os dados que eles acumulam sejam importantes para a linguística.

Para tornarmos a questão mais concreta, consideremos de novo os exemplos 1-3. Teoricamente, essas sentenças, e outras como elas, podem ser interessantes para um filósofo interessado nos vários conceitos de certeza. Tais exemplos são interessantes para a linguística, no momento, por razões completamente diferentes. Dessa forma, é interessante que haja uma expressão nominalizada correspondente a 1, mas nenhuma expressão nominalizada correspondente a 2; 4 é uma forma nominalizada de 1, mas não podemos formar 5, correspondente a 2:

4 John's certainty that Bill would leave[b]

---

b "A certeza de John de que Bill sairia"

5 John's certainty to leave[c]

A distinção é mais geral; assim, consideremos 6 e 7:

6 John is eager to leave[d]
7 John is easy to leave[e]

Correspondente a 6, temos a frase nominal 8; mas não podemos formar 9 correspondendo a 7:

8 John's eagerness to leave[f]
9 John's easiness to leave[g]

Note-se que a sentença 6 é semelhante a 1 pelo fato de a estrutura profunda ser muito próxima da estrutura superficial; ao passo que 7 é como 2, pelo fato de a estrutura profunda ser muito diferente da estrutura superficial. Na realidade, a superfície de 7 seria formada por operações muito semelhantes às que formam 2 a partir de 2'' e 3, por uma derivação aproximada da forma 10:

10 a. [s for one to leave John] $_s$ is easy (análoga a 2'')
 b. it is easy [$_s$ for one to leave John] $_s$ (análoga a 3)
 c. John is easy to leave (= 7, análoga a 2).

A generalização exemplificada por 1, 2, 4-9 é que uma frase nominal pode ser formada correspondendo a uma estrutura básica, mas não a uma estrutura superficial. Temos, assim, 4 correspondendo a 1'' e 8 correspondendo a 6 (mais exatamente, à estrutura profunda subjacente a 6, assim como 1' subjaz a 1), mas

c "A certeza de John sair"
d "John está ansioso para sair"
e "John é fácil de sair"
f "A ansiedade de John para sair"
g "A facilidade de John para sair"

nenhuma expressão nominalizada, como 5 e 9, correspondendo às estruturas superficiais 2 e 7. Esta observação geral pode ser ilustrada por muitos outros exemplos. É interessante por causa da sustentação que ela dá à suposição de que estruturas profundas abstratas do tipo apresentado desempenhem um papel na representação mental de sentenças. Descobrimos que, quando estudamos a gramática inglesa com base nessa suposição e em outras correlacionadas, podemos caracterizar muito facilmente a classe de sentenças a que correspondem frases nominais do tipo em questão. Não há um modo natural de caracterizar essa classe segundo a estrutura superficial, uma vez que, como vimos, sentenças que são muito semelhantes quanto à estrutura superficial se comportam de modo muito diferente, com relação aos processos formais envolvidos na construção de expressões nominais. Podemos ir adiante e tentar explicar esses fatos em um nível mais profundo, formulando um princípio de gramática universal a partir do qual se seguiria que as frases nominais em questão corresponderão apenas a estruturas profundas.

Resumindo, os exemplos em pauta são importantes para o estudo da linguagem, por causa dos dados que fornecem em apoio a uma determinada teoria da estrutura linguística, não pelos diversos conceitos de certeza serem interessantes por si mesmos. O filósofo interessado na certeza muito pouco aprenderia com uma coleção de dados de muito interesse para a pesquisa linguística.

Exceto acidentalmente ou por questões de história pessoal, a linguística somente será relevante para a filosofia na medida em que suas conclusões acerca da natureza da linguagem tiverem algo a ver com as questões que interessam ao filósofo. Não podemos prever até que ponto isso será verdade no futuro; pode acontecer, por exemplo, que o estudo linguístico da estrutura semântica e sintática venha, no futuro, a proporcionar um fundamento firme para certos tipos de investigação filosófica – pense-se, por exemplo, na relevância potencial de uma classificação sistemática dos verbos que tivesse validade interlinguística. Por enquanto, isso é mais uma esperança para o futuro do que uma realidade presente, porém. Mesmo assim, acho que se pode sustentar que certas conclusões bem fundamentadas sobre a natureza da linguagem sejam relevantes para questões filosóficas tradicionais, mas de um modo completamente diferente dos anteriormente mencionados. Especificamente, acho que essas conclusões são relevantes para o problema de como é adquirido o conhecimento e de como o caráter do conhecimento humano é determinado por certas propriedades gerais da mente. O que eu gostaria de fazer no resto deste artigo é reafirmar certas propostas sobre essa matéria, que foram desenvolvidas em outro lugar,[1] e em seguida examinar uma série de problemas e objeções que foram levantadas por diversos filósofos, a respeito destas propostas.[2]

Pode-se adotar a seguinte estratégia de pesquisa, para o estudo dos processos cognitivos presentes nos seres humanos. Uma pessoa recebe um estímulo físico que ela interpreta de certa maneira. Digamos que ela constrói certo "percepto", que representa algumas de suas conclusões (inconscientes, em geral) a respeito da fonte de estimulação. Na medida em que podemos caracterizar esse percepto, podemos tratar de investigar o processo de interpretação. Podemos, em outras palavras, tratar de desenvolver um modelo de percepção que tome os estímulos como entradas (*inputs*) e conceba os perceptos como "saídas"

---

1 Vide, por exemplo, a minha contribuição ao simpósio sobre as ideias inatas publicada em *Synthese*, v.17, n.1, março de 1967, p.2-11, e as referências lá citadas, à p.11.

2 Especificamente, as contribuições de Nelson Goodman e Hilary Putnam ao simpósio, em *Synthese*, v.17, n.1, março de 1967, p. 12-28, e os artigos de recensão de Henry Hiż e Gilbert Harman, no número do *Journal of Philosophy* dedicado a "Some Recent Issues in Linguistics", v.64, n.2, 2 de fevereiro de 1967, p.67-87. Estes últimos são em boa medida dedicados à análise crítica do Capítulo 1 de meu livro *Aspects of the Theory of Syntax* (Cambridge, Mass.: MIT Press, 1965).

(*outputs*), modelo este que satisfaria certas condições empíricas dadas sobre o acoplamento real de estímulos com interpretações desses estímulos. Por exemplo, a pessoa que entende as sentenças 1 e 2 sabe (esteja ou não consciente disso) que, no caso de 2, é uma proposição que está certa e, no caso de 1, é uma pessoa que está certa de algo, num sentido muito diferente de "certa". Se estivermos interessados em estudar a percepção da linguagem – especificamente, os processos pelos quais as sentenças são entendidas – podemos começar descrevendo os perceptos de tal maneira que se revele essa diferença, como o fizemos, ao propormos que 1'' e 2'', interpretadas da maneira sugerida, são componentes essenciais do percepto. Podemos, então, perguntar como esses perceptos são construídos pelo ouvinte, dada a entrada dos estímulos 1 e 2.

Um modelo perceptivo que relacione estímulo e percepto pode incorporar certo sistema de crenças, certas estratégias que são usadas na interpretação de estímulos e outros fatores – por exemplo, a organização da memória. No caso da linguagem, o termo técnico para o sistema subjacente de crenças é "gramática" ou "gramática gerativa". A gramática é um sistema de regras que gera uma classe infinita de "perceptos potenciais", cada um dos quais com seus aspectos fonético, semântico e sintático, a classe de estruturas que constituem a língua em questão. Os próprios perceptos são constructos de primeira ordem; determinamos suas propriedades por experiências e observações. A gramática que subjaz à formação de perceptos é um constructo de segunda ordem. Para estudá-la, devemos fazer abstração de outros fatores envolvidos no uso e no entendimento da linguagem, e nos concentrar no conhecimento da língua[3] que foi de algum modo interiorizado pelo usuário da língua.

3 Uma vez que a língua não tem existência objetiva além de sua representação mental, não precisamos, neste caso, distinguir entre "sistema de crenças" e "conhecimento".

Concentrando-nos nesse sistema, podemos então investigar os meios pelos quais ele foi adquirido e a base de sua aquisição. Ou seja, podemos tentar construir um segundo modelo, um modelo de aprendizagem, que tome certos dados como entrada e dê, como "saída", o sistema de crenças que é uma das partes da estrutura interna do modelo perceptivo. A "saída", neste caso, é representada no "estado final" do organismo que adquiriu esse sistema de crenças; vamos perguntar, então, como esse estado final foi alcançado, por intermédio da inter-relação de fatores inatos, processos de amadurecimento e da interação organismo--meio-ambiente.

Em suma, podemos começar perguntando "o que é percebido" e passar daí para um estudo da percepção. Concentrando-nos no papel da crença (em nosso caso, do conhecimento da língua) na percepção, podemos tentar caracterizar "o que é aprendido" e passarmos daí para o estudo da aprendizagem. Poder-se-ia, é claro, resolver estudar algum outro tema ou proceder de maneira diferente. Assim, boa parte da psicologia moderna decidiu, por razões que não me impressionam, limitar-se ao estudo do comportamento e do controle do comportamento. Não quero ir adiante na questão, aqui, mas darei simplesmente minha própria opinião: que essa abordagem se revelou muito estéril e que é irracional limitar dessa maneira os seus objetivos. Não se pode esperar estudar a aprendizagem ou a percepção de maneira útil, aderindo a restrições metodológicas que limitam tão estreitamente o aparelho conceitual, a ponto de proibir o conceito de "o que é percebido" e o conceito de "o que é aprendido".

Acho que se pode chegar a conclusões interessantes, quando se estuda a linguagem humana pelo método acima esboçado. Pelo menos nas áreas da sintaxe e da fonética, pode-se dar uma explicação geral plausível do sistema de representação para perceptos, em qualquer língua humana. Além disso, houve um progresso substancial na construção de gramáticas gerativas que exprimem o conhecimento da linguagem que é a "saída" de um modelo de aprendizagem e um componente fundamental de um modelo perceptivo. Creio haver boas razões para afirmar que uma gramática gerativa da linguagem humana contém um sistema de regras básicas de tipo muito restrito, um conjunto de transformações gramaticais que mapeiam as estruturas profundas, formadas de acordo com as regras básicas, sobre as estruturas superficiais, e um conjunto de regras fonológicas que atribuem interpretações fonéticas, num alfabeto fonético universal, a estruturas superficiais. Além disso, há igualmente boas razões para afirmar que certos princípios muito restritivos determinam o funcionamento dessas regras, condições de ordenação e organização de tipo complexo e intricado. Existe uma literatura considerável que trata dessas matérias, e não tentarei passá-la em revista aqui. Só desejo ressaltar que não há necessidade *a priori* para que uma língua se organize da maneira muito específica proposta nessas investigações. Portanto, se essa teoria da estrutura linguística estiver correta, ou quase correta, surgem alguns problemas não triviais para a teoria da aprendizagem humana. Especificamente, devemos perguntar como, com base nos dados limitados que tem à disposição, a criança consegue construir uma gramática da espécie que somos levados a lhe atribuir, com sua seleção e arranjo particular de regras e com os princípios restritivos de aplicação dessas regras. Ou seja, qual deve ser a estrutura interna de um modelo de aprendizagem que possa duplicar essa façanha? Evidentemente, devemos tentar caracterizar a estrutura inata de tal modo que satisfaça dois tipos de condições empíricas. Primeiro, devemos atribuir ao organismo, como uma propriedade inata, uma estrutura suficientemente rica para dar conta do fato de que a gramática postulada é adquirida com base nas condições dadas de acesso aos dados; segundo, não devemos atribuir ao organismo uma estrutura tão rica que seja incompatível com a diversidade conhecida das línguas. Não podemos atribuir à criança o conhecimento do inglês como uma propriedade inata, pois sabemos que ela também pode aprender tanto o japonês quanto o inglês. Não podemos atribuir-lhe meramente a capacidade de formar associações ou de aplicar procedimentos analíticos de linguística estrutural, porque (como é fácil mostrar, quando essas propostas são tornadas precisas) as estruturas que eles produzem não são as que devemos postular como gramáticas gerativas. Dentro dos limites empíricos que acabamos de assinalar, estamos livres para elaborar teorias da estrutura inata e para testá-las por suas consequências empíricas. Dizer isso é simplesmente definir o problema. Questões substantivas apenas surgem, quando é proposta uma teoria específica.

Investigando sentenças e suas descrições estruturais, sinais de fala e os perceptos a que eles dão origem, podemos chegar a conclusões detalhadas acerca da gramática gerativa, que é um dos elementos fundamentais do desempenho linguístico, da fala e da compreensão da fala. Voltando-nos agora para o próximo nível mais alto de abstração, levantamos a questão de como essa gramática gerativa é adquirida. De um ponto de vista formal, a gramática que é interiorizada por todo ser humano normal pode ser descrita como uma teoria da sua língua, uma teoria de forma muito complexa e abstrata que determina, enfim, uma ligação entre um som e um significado, gerando descrições estruturais de sentenças ("perceptos potenciais"), cada uma das quais com seus aspectos fonético, semântico e sintático. Desse ponto de vista, pode-se descrever a aquisição do conhecimento da língua pela criança como uma espécie de construção de teoria. Apresentada a dados muito restritos, ela constrói uma teoria da linguagem da qual esses dados são uma amostra (e, na realidade, uma amostra muito degenerada, no sentido de que boa parte dela deve ser excluída como irrelevante e incorreta – assim, a criança aprende regras de gramática que identificam muito do que ela ouve como malformado, impreciso e inadequado). O conhecimento final da língua pela criança obviamente se estende muito além dos dados a ela apresentados. Ou seja, a teoria que ela de alguma forma desenvolveu tem um alcance preditivo, do qual os dados em que se baseia constituem uma parte ínfima. O uso normal da linguagem envolve caracteristicamente novas sentenças, as quais não têm uma semelhança ou analogia ponto a ponto com as presentes, na experiência da criança. Além disso, a tarefa de construir esse sistema é executada de maneira notavelmente semelhante por todos os aprendizes normais de língua, malgrado as amplas diferenças de experiência e de capacidade. A teoria da aprendizagem humana deve encarar esses fatos.

Acho que tais fatos sugerem uma teoria da inteligência humana de sabor distintamente racionalista. Para usar os termos sugeridos por Peirce, em sua conferência sobre "a lógica da abdução", o problema da teoria da aprendizagem é o de afirmar a condição que "dá uma regra à abdução e assim estabelece um limite para as hipóteses admissíveis". Se a "mente do homem tem uma adaptação natural a imaginar teorias corretas de certos tipos", então essa aquisição de conhecimento do tipo que estamos examinando é possível. O problema para o psicólogo (ou linguista) é formular os princípios que impõem um limite para as hipóteses admissíveis. Fiz algumas sugestões minuciosas a esse respeito, em outro lugar, e não vou repeti-las neste texto. Grosso modo, acho que é razoável postular que os princípios de linguística geral referentes à natureza das regras, sua organização, os princípios pelos quais funcionam, os tipos de representações a que elas se aplicam e formam, tudo isso faz parte da condição inata que "estabelece um limite para as hipóteses admissíveis". Se essa sugestão estiver correta, não há, por conseguinte, mais razão de perguntar como esses princípios são aprendidos do que de perguntar, aliás, como a criança aprende a respirar ou a ter dois braços. Em vez disso, a teoria da aprendizagem deveria tentar caracterizar as estratégias particulares usadas pela criança, para determinar que a língua que tem pela frente é uma, e não outra, das "línguas admissíveis". Quando os princípios a que acabamos de aludir são tornados precisos, constituem uma suposição empírica a propósito da base inata da aquisição de conhecimento, uma suposição que pode ser testada de vários modos. Em especial, podemos indagar se ela se adapta aos limites descritos antes; ou seja, atribui ela uma estrutura inata rica o bastante para dar conta da aquisição do conhecimento, mas uma estrutura não tão rica a ponto de ser falseada pela diversidade das línguas? Podemos também fazer muitas outras perguntas, por exemplo, como o esquema proposto como base para a aquisição do conhecimento da língua se relaciona com os princípios que "dão uma regra à abdução", em outros domínios da inteligência humana (ou animal).

O que estou sugerindo é que, se quisermos determinar a relevância da linguística para a filosofia, devemos investigar as conclusões que podem ser estabelecidas sobre a natureza da linguagem, da maneira como a linguagem é usada e entendida, a base de sua aquisição. Acho que tais conclusões têm consequências interessantes para a teoria psicológica – em especial, que dão uma forte sustentação a uma explicação dos processos mentais que é, em parte, bem conhecida desde a especulação racionalista sobre a matéria. Elas dão sustentação à conclusão de que o papel da organização intrínseca é muito grande na percepção, e um esquema inicial muito restritivo determina o que conta como "experiência linguística", e que conhecimento surge, com base nessa experiência. Acho também – e argumentei sobre isso, em outro lugar – que as doutrinas empiristas que têm prevalecido na linguística, na filosofia e na psicologia, nos últimos anos, se formuladas de maneira razoavelmente precisa, podem ser refutadas pelo estudo atento da linguagem. Se a filosofia é o que os filósofos fazem, essas conclusões são relevantes para a filosofia, em suas variedades clássica e moderna.

Gostaria aqui de voltar-me para algumas das análises críticas desse ponto de vista, que apareceram na literatura filosófica recente, em especial aos pontos mencionados na nota 2.

O tratamento dado por Goodman a essas questões me parece padecer, primeiro, de um equívoco histórico; segundo, de um fracasso em formular corretamente a natureza exata do problema da aquisição de conhecimento e, terceiro, de uma falta de familiaridade com o trabalho que levou às conclusões por ele criticadas, aquelas que são esboçadas anteriormente.

Seu equívoco histórico está ligado à disputa entre Locke e quem quer que fosse que Locke acreditava estar criticando, em sua discussão das ideias inatas. Acredita Goodman que "Locke tornou... agudamente claro" que a doutrina das ideias inatas é "falsa e carente de sentido". Não vou insistir nesse ponto, pois é um lugar-comum do estudo histórico que a crítica de Locke da doutrina das ideias inatas "a ataca em sua forma mais crua, na qual não é defendida por nenhum advogado eminente".[4] Até mesmo Lord Herbert esclarece que as noções comuns "permanecem latentes" na ausência de uma estimulação adequada, que elas são os "princípios sem os quais não teríamos nenhuma experiência", mas que obviamente não estarão sempre na consciência, mesmo para os "homens normais", e por certo não para os que são "teimosos, tolos, parvos e imprudentes", para os "loucos, bêbados e bebês" etc. E, quando essas ideias são elaboradas por Descartes e outros, é repetidas vezes ressaltado que, embora as ideias e os princípios inatos determinem a natureza da experiência e o conhecimento que dela pode advir, normalmente eles não estarão na consciência. Uma vez que os argumentos de Locke não conseguem captar a natureza "disposicional" da estrutura inata que é insistentemente sustentada pelos principais proponentes da doutrina racionalista, eles também invariavelmente erram o alvo; parece que ele deve ter-se enganado sobre as ideias reais de Herbert, Descartes, dos cartesianos menores, Cudworth e outros.

4 A. C. Fraser (Ed.). em sua edição do *Essay Concerning Human Understanding* de Locke, 1894 (reimpresso pela Dover, 1959), p.38, da edição da Dover.

É surpreendente que Goodman acuse de "sofisma" aqueles que "identificam as ideias inatas com capacidades". Goodman está livre, se assim o quiser, para usar os termos "ideia" e "ideia inata" de acordo com a má compreensão que Locke tinha da doutrina racionalista, mas não de acusar outras pessoas de "sofisma", quando estas examinam e desenvolvem essa doutrina sob a forma com que realmente se apresentava. É especialmente surpreendente ouvir Goodman falar da necessidade de se aplicar o termo "ideia" em "seu uso normal". Dificilmente se esperaria que Goodman propusesse esse tipo de "argumento de linguagem ordinária" contra o uso de um termo técnico. Além disso, como assinalou Thomas Reid, se usarmos "ideia" de maneira não técnica, não só a posição de Descartes, mas também a de Locke e de Hume, se reduzem ao absurdo – observação correta, mas que nada mais mostra do que o absurdo de se insistir em que um termo técnico deva ser entendido segundo o "uso normal" do termo homônimo, não técnico, do discurso ordinário.

Permitam-me voltar, porém, ao problema substantivo da aquisição do conhecimento, tal como Goodman o formula, no caso específico da aquisição das línguas. Muito corretamente, distingue ele dois casos: a aquisição da língua inicial e a de uma segunda língua. No entanto, sua análise dos dois casos deixa muito a desejar.

Consideremos primeiro o problema da aquisição da segunda língua. No que entendo ser a visão de Goodman,[5] a aquisição de uma segunda língua não levanta nenhum problema, pois "uma vez que uma língua esteja disponível e possa ser usada para dar explicações e instruções, as limitações [determinadas por um esquematismo inato] são superadas." Essa maneira de

5 Cf. seu artigo, no simpósio, em *Synthese*, v.17, n.1, março de 1967, p.24. Dada a forma de diálogo de seu artigo, é difícil ter certeza de não se estar deformando sua posição. Não vejo, porém, outra maneira de se interpretar essas observações.

colocar a questão interpreta mal a situação, sob dois aspectos básicos. Primeiro, é equivocado falar do esquematismo inato proposto como algo que meramente forneça "limitações" para a aquisição de línguas. Pelo contrário, o que foi proposto é que esse esquematismo *torna possível* a aquisição de um sistema rico e muito específico, com base em dados limitados. Para tomar um exemplo, o problema é explicar como os dados disponíveis a um aprendiz de uma (primeira ou segunda) língua bastam para estabelecer que as regras fonológicas (as regras que atribuem representações fonéticas às estruturas superficiais) se aplicam ciclicamente, primeiro às frases mais internas da estrutura superficial, em seguida a frases maiores etc., até se alcançar o domínio máximo dos processos fonológicos – em casos simples, a sentença inteira. Há, na verdade, boas razões para afirmar que as regras de fato se aplicam ciclicamente, mas tais razões não são do tipo que possa ser usado como base na indução dos dados fonéticos para o princípio de aplicação cíclica, por um procedimento de indução de validade geral. Em particular, boa parte dessas razões deriva de uma análise de perceptos, isto é, da investigação sobre a maneira como alguém, que já dominou a língua, interpreta os sinais de fala. Parece que a interpretação impõe certa estrutura que não é indicada no sinal de fala, por exemplo, na determinação dos contornos de acento.[6] Evidentemente, a criança não pode adquirir o conhecimento do fato de as regras fonológicas se aplicarem ciclicamente a partir de dados a que só terá acesso depois que conhecer esses princípios e deles fizer uso. Este é um exemplo extremo, mas mostra muito bem

---

6 Para alguma discussão, ver meu artigo "Explanatory Models in Linguistics". In: E. Nagel, P. Suppes e A. Tarski (Eds.) *Logic, Methodology, and Philosophy of Science* (Stanford, Calif.: Stanford University Press, 1962). Para uma discussão recente e muito mais ampla, ver N. Chomsky e M. Halle, *Sound Patterns of English* (New York: Harper & Row, 1968), e as referências ali citadas, e meu artigo "Some General Properties of Phonological Rules", *Language*, v.43, março de 1967, p.102-28.

o problema básico: explicar como uma gramática rica e muito específica é desenvolvida com base em dados limitados, compatíveis com grande número de outras gramáticas conflitantes. É proposto um esquematismo inato, correta ou incorretamente, como uma hipótese empírica para explicar a uniformidade, especificidade e riqueza de detalhe e estrutura das gramáticas que são, de fato, elaboradas e usadas pela pessoa que dominou a língua. Portanto, a palavra "limitação", presente na formulação de Goodman, é muito inadequada.

Falando mais seriamente, deve-se reconhecer que não se aprende a estrutura gramatical de uma segunda língua por meio de "explicações e instruções", para além dos mais elementares rudimentos, pela simples razão de que ninguém tem conhecimento explícito suficiente sobre essa estrutura para dar as explicações e instruções. Consideremos, por exemplo, a propriedade de nominalização em inglês observada acima, a saber, que certa classe de expressões nominais corresponde só a estruturas profundas, e não a estruturas superficiais. A pessoa que aprendeu inglês como segunda língua suficientemente bem para fazer os juízos mostrados nos exemplos 1-10, não adquiriu esse conhecimento por meio de "explicações e instruções". Até muito recentemente, ninguém, que eu saiba, tinha ciência desse fenômeno; o aprendiz da segunda língua, como o aprendiz da primeira língua, estabeleceu de algum modo os fatos por si mesmo, sem explicações ou instruções. Mais uma vez, o exemplo é bastante típico. Somente uma parte trivial do conhecimento que o aprendiz da segunda língua adquire é-lhe apresentada por instrução direta. Mesmo a mais superficial atenção aos fatos da aquisição de uma segunda língua é suficiente para estabelecer isso. Portanto, embora a aquisição de uma segunda língua deva, de fato, ser distinguida da aquisição da primeira língua, a distinção não é do tipo sugerido por Goodman. Mesmo que talvez seja verdade que "uma vez disponível alguma língua, a aquisição de outras é relativamente fácil", dar conta desse fato continua, porém, sendo um problema muito sério – não significativamente diferente do problema de explicar a aquisição da primeira língua.

Examinemos agora a questão mais importante da aquisição da primeira língua, o problema para o qual as hipóteses empíricas a propósito do esquematismo inato se direcionavam. Goodman argumenta que não há problema em se explicar a aquisição da primeira língua, porque "aquisição de uma língua inicial é a aquisição de um sistema simbólico secundário": o passo fundamental já foi dado, e os detalhes podem ser elaborados dentro de um quadro já existente. Esse argumento poderia ter alguma força, se fosse possível mostrar que algumas das propriedades específicas da gramática – digamos, a distinção entre estrutura profunda e superficial, as propriedades específicas das transformações gramaticais e das regras fonológicas, os princípios de ordenação das regras etc. – estivessem presentes nesses "sistemas simbólicos" já adquiridos. Mas não há a menor razão para acreditar que assim seja. O argumento de Goodman baseia-se num uso metafórico do termo "sistema simbólico", e desmorona tão logo tentamos dar-lhe um significado preciso. Se fosse possível demonstrar que os "sistemas simbólicos pré-linguísticos" compartilham certas propriedades significativas com a linguagem natural, poderíamos então argumentar que essas propriedades da linguagem natural são de alguma maneira adquiridas por "analogia", embora tivéssemos de enfrentar o problema de explicar como os "sistemas simbólicos pré-linguísticos" desenvolveram essas propriedades e como são estabelecidas as analogias. Contudo, a questão é acadêmica, pois, no momento, não há razão para crer que a suposição seja verdadeira. O argumento de Goodman é parecido com uma "demonstração" de que não há problema em explicar o desenvolvimento dos órgãos complexos, porque todos sabem que ocorre a mitose. Isso me parece obscurantismo, que só pode manter-se enquanto não se enfrentam os fatos reais.

Além disso, há um *non sequitur* no exame que Goodman faz da aquisição da primeira e da segunda línguas. Lembremo-nos de que ele explica a suposta facilidade da aquisição de uma segunda língua por ser possível usar a primeira língua para obter explicações e instruções. Prossegue, então, argumentando que "a aquisição de uma língua inicial é a aquisição de um sistema simbólico secundário" e, portanto, está no mesmíssimo nível da aquisição de uma segunda língua. Os sistemas simbólicos primários que ele tem em mente são "sistemas simbólicos pré-linguísticos rudimentares, em que gestos e ocorrências sensoriais e perceptivas de todo tipo funcionam como signos." Mas evidentemente esses sistemas, sejam eles o que forem, não podem "ser usados para dar explicações e instruções" *da mesma maneira como uma primeira língua pode ser usada na aquisição de uma segunda língua*. Por conseguinte, mesmo por suas próprias razões, o argumento de Goodman é incoerente.

Sustenta Goodman que "a tese que estamos discutindo não pode ser testada experimentalmente, mesmo quando temos um exemplo reconhecido de 'má' linguagem e... que a tese nem sequer foi formulada a ponto de citar uma única propriedade geral das linguagens 'más'". A primeira dessas conclusões está correta, no seu sentido de "teste experimental", a saber, um teste em que "pegamos um bebê recém-nascido, isolamo-lo de todas as influências de nossa cultura condicionada pela linguagem e tentamos inculcar-lhe uma das linguagens artificiais 'más'". Obviamente, isso não pode ser feito, exatamente como testes experimentais comparáveis não podem ser feitos em qualquer outra área da psicologia humana. Mas não há razão para desânimo com a inviabilidade de tais testes diretos. Há muitas outras maneiras – as discutidas anteriormente e de modo amplo, na literatura – em que se podem obter dados acerca das propriedades das gramáticas e em que hipóteses a respeito das propriedades gerais dessas gramáticas podem ser submetidas a testes empíricos. Qualquer uma dessas hipóteses imediatamente especifica, correta ou incorretamente, certas propriedades das linguagens "más". Faz, portanto, uma afirmação empírica que pode ser falseada encontrando-se contraexemplos em alguma língua humana, ou mostrando que, sob as condições reais da aquisição de línguas, as propriedades em questão não aparecem no sistema que é desenvolvido pelo aprendiz da língua. Em linguística, como em qualquer outro campo, é apenas por esses meios indiretos que se pode esperar encontrar dados relacionados com hipóteses não triviais. Os testes experimentais diretos do tipo que Goodman, por alguma razão, considera necessário são raramente viáveis, fato este que pode ser lamentável, mas é característico da maior parte das pesquisas.

A afirmação posterior de Goodman de que "nenhuma propriedade das linguagens 'más' foi formulada" é completamente injusta. Existem dúzias de livros e artigos que tratam da formulação de propriedades da gramática universal e com o exame de suas consequências empíricas, e cada uma dessas propriedades especifica linguagens "más", como acabamos de notar. Pode-se argumentar que essas tentativas são equivocadas, inadequadas, inconvincentes, refutadas pelos fatos etc., mas não se pode simplesmente negar que elas existam. Não vejo como evitar a conclusão de que, quando Goodman menciona a "inconvincente evidência apresentada a respeito das línguas", ele simplesmente fala por ignorância, mais do que a partir de uma análise ponderada do trabalho que tem sido feito na área.

Ao discutir as propriedades das "más" linguagens, Goodman aponta apenas um caso, a saber, o caso da linguagem artificial *Gruebleen,* que "difere do inglês comum só por conter os predicados 'grue' (por "examinado antes de *t* e verde ou examinado depois de *t* e azul") e 'bleen' (por "examinado antes de *t* e azul ou examinado depois de *t* e verde") no lugar de 'green' (verde) e 'blue' (azul)". Argumenta ele que, mesmo nesse caso, devemos estar "dolorosamente conscientes das dificuldades de responder" à pergunta sobre qual, em geral, é "a diferença entre as línguas como Gruebleen e as línguas como o inglês". Acho que este é um ponto um tanto marginal, pois foram formuladas e investigadas propriedades muito mais profundas das "línguas como o inglês", mas, já que ele apresentou esse exemplo, vale assinalar que as dificuldades a que alude são em boa medida uma consequência do caráter vago da pergunta por ele formulada. Assim, não há dificuldade em encontrar alguma propriedade de Gruebleen que não seja uma propriedade das "línguas como o inglês", até mesmo uma propriedade de alguma generalidade. Por exemplo, consideremos o predicado "match" (corresponder) entendido como no livro *Structure of Appearance* de Goodman, mas aplicando-se agora a objetos, em vez de aos *qualia*. Assim, dois objetos se correspondem (*match*), "se e somente se não forem nitidamente diferentes quando comparados".[7] Gruebleen tem a curiosa propriedade de, se um objeto A for examinado antes do tempo *t* e um objeto B for examinado depois de um tempo *t* e ambos calharem de ser *grue* (ou ambos *bleen*), então saberemos que não se correspondem (*match*). Mas não há nenhum tempo *t* tal que, dados dois objetos, um examinado antes de *t* e outro após *t*, e ambos sendo verdes (ou azuis), possamos predizer que eles não corresponderão. Talvez eles não correspondam, mas pode ser que talvez possam igualmente corresponder, se ambos forem verdes (ou azuis). Na verdade, é sem dúvida uma propriedade geral das línguas naturais serem "como o inglês" e não "como Gruebleen", neste sentido, na área dos termos referentes a cor. Assim, não há dificuldade em estabelecer uma distinção razoavelmente geral entre as línguas como Gruebleen e as línguas como o inglês, sob esse específico aspecto. Isto, é

7 N. Goodman, *Structure of Appearance*, 2.ed. (Indianapolis: Bobbs-Merrill, 1966), p.272. A distinção que estou examinando agora, entre Gruebleen e o inglês, não deve ser confundida com uma pseudodistinção, corretamente rejeitada por J. Ullian, com base num emprego diferente da noção de "match". Ver *Philosophical Review*, julho de 1961.

claro, não satisfaria as exigências de Goodman, para seu propósito especial, pois se podem elaborar outros problemas do tipo gruebleen, em que essa propriedade não seja relevante. Enquanto as vagas noções de "como o inglês" e "como Gruebleen", criadas por Goodman, permanecerem sem especificação, não haverá, é claro, possibilidade de satisfazer sua exigência de que seja afirmada uma propriedade *geral* que distinga os dois tipos de línguas, e qualquer distinção específica que seja proposta sempre dará origem a novos enigmas de indução. Este é um comentário interessante a respeito das limitações dos métodos indutivos, mas não tem maior relevância para o problema da especificação das características da gramática universal do que para qualquer outro empreendimento científico, digamos, o problema de especificar as condições genéticas que determinam que um embrião humano desenvolva pernas de preferência a asas, dadas certas condições.

Não estou, aliás, propondo que a propriedade acima citada sirva para explicar por que todo aprendiz de língua (na verdade, todo camundongo, chimpanzé etc.) usa *Green*, em vez de *grue*, como base para generalização. Sem dúvida, esta é uma simples consequência de certas propriedades do sistema sensorial, uma conclusão bastante desinteressante do ponto de vista de Goodman, mas nem por isso incorreta.

Voltando ao ponto principal, é interessante que, em uma etapa do seu argumento, Goodman observe, muito corretamente, que mesmo se "para certos fatos notáveis eu não tenha uma explicação alternativa", "isso por si só não implica a aceitação de... uma teoria intrinsecamente repugnante e incompreensível." Mas, examinemos agora a teoria das ideias inatas que provoca indignação em Goodman e perguntemos se ela é "incompreensível" e "repugnante".

Consideremos primeiramente a questão da compreensibilidade. Não me parece incompreensível que um aspecto do "estado final" de um organismo ou autômato seja também um aspecto do seu "estado inicial", anterior a toda interação com o meio ambiente, assim como não é incompreensível que esse aspecto do estado final se desenvolva por meio de processos internos, talvez desencadeados por algum tipo de interação organismo-meio ambiente. Todavia, consideremos a doutrina real desenvolvida na psicologia especulativa do racionalismo, em vez da caricatura que dela fez Locke. Descartes, por exemplo, argumentava que a ideia do triângulo é inata pelo fato de "a ideia de um triângulo verdadeiro... poder ser concebida mais facilmente por nossa mente do que a figura mais complexa do triângulo desenhado no papel", de modo que, quando uma criança vê pela primeira vez a figura mais complexa, ela "apreenderá não essa figura mesma, mas sim o triângulo autêntico". Conforme Cudworth, que desenvolveu essa ideia, "todo triângulo irregular e imperfeito [é] tão perfeitamente aquilo que é quanto o mais perfeito triângulo", mas interpretamos as imagens sensoriais segundo uma noção de "figura regular" que tem sua origem na "regra, padrão e exemplar" gerados pela mente como uma "antecipação", assim como interpretamos todos os dados sensoriais segundo certos conceitos de objeto e de relações entre objetos, certas noções de causa e efeito, propriedades de *gestalt*, funções num "espaço" de ações humanas possíveis etc. Nem essa ideia, nem sua elaboração na psicologia moderna são incompreensíveis, embora possam, é claro, estar equivocadas ou incorretas. Analogamente, não há dificuldade em compreender a proposta de que existem certas condições inatas sob a forma de gramática que determinam o que constitui a experiência linguística e qual conhecimento surgirá, com base nessa experiência. Mais uma vez, pode-se facilmente projetar um autômato que funcione dessa maneira, de forma que, embora a proposta possa estar errada, ela não é incompreensível.

Sejam quais forem as atitudes de Goodman ante essas formulações, é interessante que ele pareça bastante propenso, pelo menos nesse artigo, a aceitar a perspectiva de que, em certo sentido, a mente madura contenha ideias; é obviamente não incompreensível, então, que algumas dessas ideias sejam "implantadas na mente como equipamento original", para usar a terminologia dele. Seu argumento é dirigido não contra a noção de que as "ideias estão na mente", mas antes contra a suposição de que elas estejam "na mente" antes da experiência, e certamente se uma das suposições é compreensível, a outra também o é (embora nenhuma das duas, como foi observado, faça justiça à ideia racionalista clássica ou às suas variantes modernas). Por outro lado, essa abordagem do problema da aquisição do conhecimento será, sem dúvida, "repugnante" para alguém que considere a doutrina empirista imune à dúvida ou ao desafio. Entretanto, isso é tratar as doutrinas empiristas como artigos de fé religiosa. Certamente, não é razoável estar tão preso a uma tradição a ponto de recusar-se a examinar o mérito de ideias conflitantes acerca da aquisição do conhecimento.

Permitam-me tratar da contribuição de Hilary Putnam ao mesmo simpósio. Embora seu artigo aborde mais diretamente os pontos de fato em questão, mesmo assim me parece que os seus argumentos são inconclusivos, sobretudo por causa de certas suposições errôneas a propósito da natureza das gramáticas adquiridas. Especificamente, ele subestima muitíssimo, e em parte descreve mal, a riqueza de estrutura, as propriedades particulares e detalhadas da forma e da organização gramaticais que devem ser explicadas por um "modelo de aquisição de línguas", as quais são adquiridas pelo falante-ouvinte normal e parecem ser uniformes, entre os falantes e também entre as línguas.

Para começar, Putnam supõe que, no nível da estrutura sonora, a única propriedade que possa ser proposta na gramática universal é que a língua tem "uma lista curta de fonemas". Essa uniformidade entre as línguas, argumenta ele, não exige uma hipótese explicativa elaborada. Ela pode ser explicada simplesmente segundo "parâmetros como a duração e a capacidade da memória" e nenhum "puro behaviorista" negaria que estas sejam propriedades inatas. Na verdade, porém, foram propostas hipóteses empíricas muito fortes a respeito da escolha das características distintivas universais, da forma das regras fonológicas, da ordenação e da organização dessas regras, da relação da estrutura sintática com a representação fonética, nenhuma das quais pode ser explicada em função de limitações da memória. Putnam baseia muito a sua explicação em meu artigo "Explanatory Models in Linguistics" (ver nota 6), que examina com alguma minúcia o princípio da aplicação cíclica das regras fonológicas, um princípio que, se correto, levanta alguns problemas bastante sérios. Devemos perguntar como a criança adquire o conhecimento desse princípio, uma façanha especialmente notável, uma vez que – como já foi observado – boa parte dos dados que levam o linguista a propor o princípio é retirada do estudo dos perceptos e, assim, não está sequer disponível para a criança. Colocam-se questões semelhantes a respeito de muitos outros aspectos da fonologia universal. De qualquer modo, se as propostas que foram elaboradas acerca da estrutura sonora estiverem corretas ou quase corretas, as semelhanças entre as línguas, nesse nível, e a riqueza do conhecimento adquirido pela criança serão realmente fatos notáveis, que exigem uma explicação.

Acima do nível da estrutura sonora, Putnam supõe que as únicas propriedades significativas da linguagem são que as línguas têm nomes próprios, que a gramática contém um componente de estrutura frasal e que há regras que "abreviam" as sentenças geradas pelo componente de estrutura frasal. Alega ele que o caráter específico do componente de estrutura frasal é determinado pela existência de nomes próprios; que a existência de um componente de estrutura frasal se explica pelo fato de que "todas as medidas naturais de complexidade de um algoritmo... conduzem ao... resultado" de que os sistemas de estrutura frasal fornecem os "algoritmos 'mais simples' para virtualmente qualquer sistema de computação", portanto também "para 'sistemas de computação' evoluídos naturalmente"; e que nada há de surpreendente no fato de as línguas conterem regras de abreviação. Portanto, conclui ele, as únicas condições inatas que devem ser postuladas são as que se aplicam a todos os "sistemas de computação" razoáveis, e nenhum behaviorista deve sentir qualquer surpresa com isso.

Cada uma das três conclusões, porém, é viciada por uma suposição falsa. Primeiro, é óbvio que existem muitas gramáticas de estrutura frasal diferente, coerentes com a suposição de que uma das categorias seja a dos nomes próprios. Na verdade, há muita discussão atualmente sobre as propriedades gerais do sistema básico subjacente às línguas naturais; a discussão não é minimamente resolvida pela existência de nomes próprios como uma categoria primitiva em muitas línguas.[8]

Quanto ao segundo ponto, simplesmente não é verdade que todas as medidas de complexidade e de velocidade de computação levem a regras de estrutura frasal como o "algoritmo mais simples possível". Os únicos resultados existentes que têm pelo menos uma relevância indireta para essa questão são os relacionados com as gramáticas de estrutura frasal independentes do contexto e com a sua interpretação baseada na teoria dos autômatos. As gramáticas independentes do contexto são um modelo razoável para as regras que geram estruturas profundas, quando excluímos os itens lexicais e as condições de distribuição que satisfazem. Mas, mesmo deixando de lado essa discrepância fundamental, os únicos resultados existentes relacionam as gramáticas independentes do contexto com uma classe de autômatos chamados "autômatos não deterministas de memória de pilha (*pushdown storage*)", e estes não têm propriedades especialmente impressionantes no que concerne à velocidade ou à complexidade de computação, e certamente

8 Não, aliás, em todas. Embora isso seja pouco importante aqui, parece que muitas línguas não têm nomes próprios como categoria primitiva, mas antes formam os nomes próprios por processos recursivos de tipo elaborado. Vide, por exemplo, G. H. Matthews, *Hidatsa Syntax* (Haia: Mouton, 1965), p.161ss.

não são "naturais", desse ponto de vista. Em termos de condições espaciais e temporais da computação, o conceito algo semelhante mas não formalmente relacionado de automação determinista em tempo real parece ser muito mais "natural". Em suma, não há resultados que demonstrem que as gramáticas de estrutura frasal sejam ótimas em algum sentido computacional (nem tampouco, certamente, há resultados que tratem da noção muito mais complexa de estrutura básica com uma gramática de estrutura frasal independente do contexto e um léxico, com propriedades muito mais ricas, como componentes).

Entretanto, não tem sentido prosseguir nesta questão, uma vez que o que está em jogo, de qualquer forma, não é a "simplicidade" das gramáticas de estrutura frasal, mas sim das gramáticas transformacionais com um componente de estrutura frasal, desempenhando este último um papel na geração de estruturas profundas. E não há absolutamente nenhum conceito matemático de "facilidade de cálculo" ou de "simplicidade de algoritmo" que venha a sugerir que tais sistemas possam ter alguma vantagem sobre os vários tipos de autômatos que têm sido investigados desse ponto de vista. Na verdade, esses sistemas nunca foram realmente examinados num contexto estritamente matemático, embora haja tentativas iniciais interessantes de se estudarem algumas de suas propriedades formais.[9] A origem da confusão é um equívoco da parte de Putnam quanto à natureza das transformações gramaticais. Estas não são, como ele supõe, regras que "abreviam" sentenças geradas pelas regras de estrutura frasal. Pelo contrário, são operações que formam estruturas superficiais a partir de estruturas profundas subjacentes, que são geradas, em parte, por regras de estrutura frasal. Embora

9 Ver, por exemplo, S. Peters e R. Ritchie, "On the Generative Capacity of Transformational Grammars", *Information Sciences* (no prelo); e J. P. Kimball, "Predicates Definable over Transformational Derivations by Intersection with Regular Languages", *Information and Control*, v.2, 1967, p.177-95.

tenha havido uma evolução considerável da teoria, desde que as noções de gramática gerativa transformacional foram propostas pela primeira vez, um dos pressupostos que permaneceram constantes é o de que as regras de estrutura frasal geram apenas estruturas abstratas, que são em seguida projetadas sobre as estruturas superficiais pelas transformações gramaticais – sendo estas últimas operações dependentes da estrutura de um tipo especial que nunca foram estudadas fora da linguística, em particular, nem tampouco em algum ramo da matemática com que eu esteja familiarizado. Para mostrar que as gramáticas transformacionais são as "mais simples possíveis", dever-se-ia demonstrar que um sistema de computação ótimo tomasse uma sequência de símbolos como entrada e determinasse a sua estrutura superficial, a estrutura profunda subjacente e a série de operações transformacionais que se relacionam com essas duas parentetizações rotuladas. Nada do que é conhecido sobre facilidade ou velocidade de computação oferece alguma razão para supor que isso seja verdade; na realidade, a questão jamais foi sequer levantada. Pode-se pensar em certos tipos de organização da memória que poderiam ser bem adaptados às gramáticas transformacionais, mas essa é uma questão completamente diferente.[10] Eu, naturalmente, suporia que há uma base mais geral na estrutura mental humana para o fato (se for um fato) de que as línguas têm gramáticas transformacionais; uma das principais razões científicas para o estudo da linguagem é que tal estudo pode oferecer algumas ideias sobre as propriedades gerais da mente. Dadas essas propriedades específicas, podemos então demonstrar que as gramáticas transformacionais são "naturais". Isso constituiria um progresso real, uma vez que nos permitiria

10 Para algumas especulações sobre essa questão, ver G. A. Miller e N. Chomsky, "Finitary Models of Language Users", Parte II. In: R. D. Luce; R. Bush; E. Galanter (Eds.) *Handbook of Mathematical Psychology*, New York: Wiley, 1963, v.II.

agora propor o problema das condições inatas para a aquisição de conhecimentos e crenças, dentro de um quadro mais geral. Mas é preciso ressaltar que, ao contrário do que afirma Putnam, não há nenhuma base para se supor que os "sistemas de computação razoáveis" naturalmente se organizarão da maneira específica sugerida pela gramática transformacional.

Creio que isso destrói o principal argumento de Putnam, qual seja, de que não há "nada de surpreendente", mesmo para um behaviorista, nos universais linguísticos que vêm sendo agora propostos e investigados. Permitam-me tratar agora do seu segundo argumento, de que mesmo se existissem os surpreendentes universais linguísticos, eles poderiam ser explicados por uma hipótese mais simples do que a de uma gramática universal inata, a saber, a hipótese da origem comum das línguas. Essa proposta deforma o problema em pauta. Como foi notado anteriormente, o problema empírico que enfrentamos é o de conceber uma hipótese acerca da estrutura inicial suficientemente rica para dar conta do fato de que uma gramática específica é adquirida, sob condições dadas de acesso aos dados. Para esse problema, a questão da origem comum das línguas é completamente irrelevante. A gramática tem de ser descoberta pela criança com base nos dados que ela tem à disposição, pelo uso das capacidades inatas de que é dotada. Para sermos concretos, examinemos de novo os dois exemplos discutidos acima: a associação de frases nominais com estruturas básicas e a aplicação cíclica de regras fonológicas. A criança domina esses princípios (se estivermos corretos, em nossas conclusões acerca da gramática) com base em certos dados linguísticos; ela nada sabe sobre a origem da língua e não poderia usar essa informação, se a tivesse. As questões de origem comum somente são relevantes para os problemas empíricos que estamos discutindo pelo fato de as línguas existentes poderem não ser uma "amostra razoável" das "línguas possíveis", e neste caso, poderíamos ser levados erradamente a propor um esquema estreito demais para a gramática universal. Não devemos perder de vista essa possibilidade, é claro, mas me parece ser uma consideração um tanto remota, dado o problema realmente presente, que é encontrar um esquema suficientemente rico para explicar o desenvolvimento das gramáticas que parecem empiricamente justificadas. A descoberta de tal esquema pode dar uma explicação para as propriedades universais da linguagem empiricamente determinadas. A existência dessas propriedades, porém, não explica como uma gramática específica é adquirida pela criança.

O exame feito por Putnam da facilidade da aprendizagem das línguas parece-me irrelevante. A questão de se existe um período crítico para a aprendizagem da língua é interessante,[11] mas tem pouca importância para o problema em discussão. Suponhamos que Putnam estivesse correto, ao acreditar que "certamente... 600 horas [de método de instrução direta] permitirão a qualquer adulto falar e ler uma língua estrangeira com facilidade." Enfrentaríamos, então, o problema de explicar como, com base nesses dados restritos, o aprendiz foi bem-sucedido na aquisição do conhecimento específico e pormenorizado que lhe permite usar a língua com facilidade, e produzir e entender uma série de estruturas das quais os dados apresentados a ele constituem uma amostra insignificante.

Por fim, examinemos a abordagem alternativa que Putnam sugere para o problema da aquisição das línguas. Argumenta ele que, em vez de postular um esquematismo inato, deveríamos tentar explicar essa façanha em função de "estratégias gerais de aprendizagem com múltiplos propósitos". São estas que devem ser inatas, não as condições gerais para a forma do conhecimento que é adquirido. Evidentemente, essa é uma questão empírica. Seria puro dogmatismo afirmar que qualquer uma dessas propostas (ou alguma combinação delas) *deva* estar cor-

11 Ver de E. H. Lenneberg, *Biological Foundations of Language* (New York: Wiley, 1967), para obter dados relevantes para a questão.

reta. Putnam está convicto – por que razão, ele não diz – de que a base inata para a aquisição das línguas deve ser idêntica à que serve para se adquirir qualquer outra forma de conhecimento, de que nada há de "especial" na aquisição das línguas. Pode-se levar adiante uma abordagem não dogmática de tal problema, por meio da investigação de áreas específicas da competência humana, como a linguagem, seguida da tentativa de conceber uma hipótese que dê conta do desenvolvimento dessa competência. Se descobrirmos que as mesmas "estratégias de aprendizagem" estão envolvidas numa série de casos e que estas bastam para explicar a competência adquirida, teremos boas razões para crer que a hipótese empírica de Putnam esteja correta. Se, por outro lado, descobrirmos que devem ser postulados sistemas inatos diferentes (envolvendo esquemas ou heurística), teremos então boas razões para acreditar que uma adequada teoria da mente inclua "faculdades" separadas, cada uma das quais com propriedades exclusivas ou potencialmente exclusivas. Não consigo ver como se possa insistir enfaticamente numa das duas conclusões, à luz dos dados de que dispomos agora. Mas uma coisa está muito clara: Putnam não tem nenhuma justificativa para sua conclusão final, de que "invocar o 'inatismo' apenas posterga o problema da aprendizagem; não o resolve".[12] Invocar

12 Ou para esta suposição de que as "funções de ponderação", propostas na gramática universal, constituem o "tipo de fato... [que] ... a teoria da aprendizagem tenta explicar; *não* a explicação que se procura." Ninguém diria que a base genética do desenvolvimento de braços de preferência a asas, no embrião humano, seja "o tipo de fato que a teoria da aprendizagem tenta explicar", em vez de a base para a explicação de outros fatos sobre o comportamento humano. É empírica a questão de se a função de ponderação é aprendida ou é a base da aprendizagem. Não há a mínima razão para supor, *a priori*, que deva ser explicada pela aprendizagem ou pela dotação genética ou por alguma combinação das duas. Há outros pontos menores, na análise de Putnam, que pedem comentário. Por exemplo, afirma ele que uma vez que certas ambiguidades "exigem treinamento para serem detectadas", segue-se daí que "a afirmação de que a gramática 'explica a capacidade de reconhecer ambiguidades'... carece da força que Chomsky acredita que ela tenha." Mas

uma representação inata da gramática universal resolve, sim, o problema da aprendizagem (pelo menos em parte), neste caso, se na realidade for verdade que ela seja a base (ou parte da base) para a aquisição de línguas, como pode muito bem ser o caso. Se, por outro lado, existirem estratégias gerais de aprendizagem que expliquem a aquisição de conhecimento gramatical, a postulação de uma representação inata da gramática universal não "postergará" o problema da aprendizagem, mas oferecerá uma solução incorreta para o problema. Trata-se de uma questão empírica de verdade ou falsidade, não de uma questão metodológica de etapas de investigação. No momento, a única proposta concreta totalmente plausível, em minha opinião, é a esboçada acima. Quando se sugere uma "estratégia geral de aprendizagem", podemos considerar a adequação relativa dessas alternativas, do ponto de vista empírico.

A recensão crítica de Henry Hiż trata sobretudo da distinção entre competência e desempenho. É possível tentar explicar os conceitos técnicos desse tipo de dois modos diferentes. Num nível pré-sintático, pode-se tentar indicar, de uma forma necessariamente frouxa, um tanto vaga e apenas sugestiva, exatamen-

---

ele interpreta mal a afirmação, que está relacionada com a competência, não com o desempenho. O que a gramática explica é por que "o tiro dos caçadores" (o exemplo por ele citado) pode ser entendido com caçadores como sujeito ou objeto, mas em "o crescimento do milho" só podemos entender "milho" como sujeito (a explicação, neste caso, gira ao redor da relação de nominalização das estruturas profundas, assinalada acima). A questão do treinamento é irrelevante. O que está em questão é a correlação inerente som-significado, envolvida no desempenho, mas apenas como um fator dentre muitos. Putnam também formula mal o argumento, por supor que a relação ativo-passivo seja transformacional. Não é simplesmente que o falante saiba que eles estão correlacionados. Obviamente, isso seria absurdo; o falante também sabe que "John partirá amanhã" e "John partirá três dias depois de anteontem" estão relacionados, mas isso não implica que haja uma relação transformacional entre ambos. Argumentos sintáticos são apresentados em muitos lugares da literatura. Vide, por exemplo, o meu *Syntactic Structures* (Haia: Mouton, 1957); *Aspects of the Theory of Sintax*.

te qual o papel que o conceito deve desempenhar num quadro mais geral, e por que essa parece ser uma ideia útil de se tentar desenvolver. Nesse nível, a discussão é completamente legítima, mas deixa muito espaço para equívocos. Num segundo nível, pode-se desenvolver o conceito de maneira precisa como o estado da disciplina o permite, não se levando em consideração a motivação ou as implicações gerais. Nesse nível, o problema é determinar não o que seja o conceito em questão, mas por que há interesse em desenvolvê-lo.

No nível pré-sistemático, tentei explicar o que entendo por "competência linguística" segundo os modelos de uso e aquisição da linguagem, da maneira esboçada antes. No nível sistemático, a competência é expressada por uma gramática gerativa que enumera recursivamente as descrições estruturais de sentenças, cada qual com seus aspectos fonético, sintático e semântico. Dificilmente será necessário ressaltar que qualquer gramática desse tipo que pudermos de fato apresentar, hoje, será incompleta, não só em razão de o nosso conhecimento das línguas particulares ser deficiente, mas também porque a nossa compreensão da representação fonética e semântica e dos tipos de estruturas e regras que mediam entre elas é limitado e insatisfatório, sob muitos aspectos.

Voltando-nos para o artigo de Hiż, há, o que não é surpreendente, certo grau de desentendimento entre nós no nível pré-sistemático. Hiż sugere que o meu emprego da noção de "competência" "deva ser compreendido como afirmando que a introspecção é uma fonte de conhecimento linguístico". Eu concordo que a introspecção seja uma excelente fonte de dados para o estudo da linguagem, mas essa conclusão não se segue da decisão de estudar a competência linguística. Poder-se-ia (irracionalmente, em minha opinião) rejeitar o uso desse tipo de dados e, mesmo assim, tentar descobrir a gramática gerativa que representa "o que é aprendido" e desempenha um papel fundamental, no uso da linguagem. Essa decisão seria fora de propósito, mais ou menos como a recusa, por parte de um astrônomo, numa fase da ciência, de usar como dados o que vê pelo telescópio, mas a decisão nada tem a ver com a distinção entre competência e desempenho. Não tenho dúvidas de que seria possível conceber procedimentos operacionais e experimentais que pudessem substituir com poucos prejuízos a confiança na introspecção, mas me parece que, no presente estado da matéria, isso seria simplesmente perda de tempo e de energia. Evidentemente, qualquer procedimento do tipo teria primeiro de ser testado contra os dados introspectivos. Se se devesse propor um teste de, digamos, gramaticalidade, que não faça corretamente as distinções observadas, ter-se-ia pouca confiança no procedimento enquanto teste de gramaticalidade. Parece-me que a pesquisa atual não esteja muito tolhida por falta de dados precisos, porém antes por nossa incapacidade de explicar de modo satisfatório dados que não estão em questão. Quem tiver uma opinião diferente pode sustentar seu ponto de vista, demonstrando as vantagens de perspectiva e compreensão que possam ser alcançadas com refinamentos nas técnicas de coleta e análise de dados, digamos, por técnicas operacionais de estabelecer a gramaticalidade, técnicas estas que foram já avaliadas pelo teste anterior de intuição e se revelaram suficientemente válidas, para que se possa confiar nelas, nos casos difíceis e obscuros. De qualquer forma, toda essa questão nada tem a ver com a decisão de estudar a competência linguística.

Hiż considera "paradoxal" afirmar, como eu o fiz, que a linguística "tenta especificar o que o falante realmente sabe, não o que ele possa relatar acerca do seu saber". Considera este um "sentido estranho de 'saber'". Para mim, este parece um sentido um tanto comum e um emprego não paradoxal. Uma pessoa que sabe inglês pode apresentar todo tipo de relatos incorretos acerca do saber que, na verdade, tem e de que faz um uso constante, sem ter consciência disso. Como foi notado antes, quando estudamos a competência – o conhecimento que o falante-ouvinte tem de sua língua – podemos valer-nos desses relatos e de seu comportamento como dados, mas devemos ter cuidado para não confundir "dados" com os construtos abstratos que desenvolvemos com base em evidências e tentamos justificar, em termos de dados. Assim, eu rejeitaria definitivamente três das cinco condições que, sugere Hiż, as regras devem satisfazer, se quiserem constituir uma explicação da competência no meu sentido, a saber, que o falante nativo sinta que as sentenças geradas pela regra estão em sua língua, que elas têm as estruturas atribuídas e que o que o falante sente é verdadeiro. Uma vez que o desempenho – em particular, os juízos sobre as sentenças – obviamente envolve muitos fatores, além da competência, não se pode aceitar como um princípio absoluto que os juízos do falante deem uma explicação precisa de seu saber. Surpreende-me que Hiż tenha apresentado essa interpretação de minhas ideias imediatamente após ter citado a minha afirmação de que os relatos do falante sobre a sua competência podem estar errados.

Pelo menos para fins de discussão, Hiż está disposto a aceitar a ideia de que uma gramática gerativa, um sistema de regras que atribuem estruturas a sentenças, pode servir para caracterizar a competência. Em seguida, aponta, muito corretamente, que o linguista é guiado em sua escolha da gramática por certos "princípios gerais acerca da linguagem enquanto tal", e essa teoria geral – gramática universal – terá valor explicativo, se escolher corretamente as gramáticas particulares. Em seguida, ele atribui a mim, incorretamente, a ideia de que a gramática universal deve ser identificada como "uma teoria da aquisição de línguas". A minha ideia, pelo contrário, é de que a gramática universal é um dos elementos de tal teoria, assim como a competência é um dos elementos de uma teoria do desempenho. Certamente, há muitos outros fatores implicados na aquisição de línguas além do esquematismo e da função de ponderação que – se minha sugestão estiver correta – desempenham certo papel, na determinação da natureza da competência adquirida.

Essa má interpretação de minha proposta referente à relação entre a gramática universal e a aquisição de línguas é paralela à má interpretação de minha proposta concernente à relação entre competência e desempenho; em ambos os casos, o que é omitido é a referência a outros fatores que devem estar envolvidos. No caso da aquisição de línguas, além disso, deve-se ressaltar que o modelo que estou sugerindo só pode, na melhor das hipóteses, ser considerado uma primeira aproximação da teoria da aprendizagem, uma vez que se trata de um modelo instantâneo e não tenta capturar a interação entre as hipóteses provisórias que a criança pode elaborar, os novos dados interpretados segundo essas hipóteses, as novas hipóteses baseadas nessas interpretações etc., até se estabelecer um sistema relativamente fixo de competência. Acho que um modelo instantâneo seja uma primeira aproximação razoável, mas esta, como qualquer outro aspecto da estratégia de pesquisa, deve em última análise ser avaliada segundo o seu êxito em fornecer explicações e perspectivas.

Hiż examina a referência às formulações clássicas dos problemas da linguagem e a reprova como "bagagem histórica confusa e enganosa". Discordo de tal juízo, mas nada tenho a acrescentar aqui, além do que já escrevi em outras ocasiões.[13] Meu sentimento é de que as contribuições da psicologia e da linguística racionalistas são interessantes por si mesmas e muito relevantes para os problemas atuais, mais do que boa parte do trabalho do século passado, na verdade. Alguém que ache "confusas e enganosas" essas incursões pela história intelectual pode muito bem desconsiderá-las: não vejo problema nisso.

Antes de deixar para trás esse ponto, devo mencionar que Hiż comete uma imprecisão, ao afirmar que Herbert de Cher-

13 Em meus livros *Current Issues in Linguistic Theory* (Haia: Mouton, 1964), Seção 1; *Aspects of the Theory of Syntax*, Capítulo 1; *Cartesian Linguistics* (New York: Harper & Row, 1966; tradução brasileira *Linguística Cartesiana*, Petrópolis: Vozes, 1972).

bury se limitou ao "conhecimento religioso". Tampouco se pode referir a Thomas Reid como um dos que se interessaram em desenvolver uma doutrina dos universais inatos. Além disso, é com certeza enganoso dizer que eu "peço" a Descartes e a outros "que apóiem" minha "posição sobre os universais inatos". O fato de eles advogarem uma posição semelhante não constitui "apoio". Pelo contrário, estou sugerindo que suas contribuições foram mal apreciadas e que ainda podemos aprender bastante com um estudo atento delas.

Hiż faz objeções ao fato de minhas propostas acerca da gramática universal se basearem num exame minucioso de umas poucas línguas, em vez de no "exame de muitos casos". Certamente concordo que se deva estudar o maior número possível de línguas. Mesmo assim, deve-se acrescentar um *caveat*. Seria muito fácil apresentar enormes massas de dados de diversas línguas que são compatíveis com todas as concepções da gramática universal formuladas até agora. Não há razão para se fazer isso. Se alguém estiver interessado nos princípios da gramática universal, tentará descobrir aquelas propriedades das gramáticas particulares que tenham algo a ver com esses princípios, deixando de lado grande quantidade de material que, na medida em que o pode determinar, nada tem a ver com isso. É apenas mediante estudos intensivos das línguas particulares que podemos esperar encontrar dados cruciais para o estudo da gramática universal. Desse ponto de vista, um estudo como o de Matthews sobre o idioma hidatsa (ver nota 8) vale mil estudos superficiais de diversas línguas. Se alguém sente que a base de dados é estreita demais, o que deve fazer é mostrar que um material omitido refuta os princípios formulados. Caso contrário, sua crítica não tem mais força do que uma crítica da genética moderna por basear suas formulações teóricas na investigação minuciosa de alguns organismos apenas.

Hiż também argumenta que os princípios da gramática universal, ainda se verdadeiros, apenas indicam "a origem histórica comum das línguas". Já demonstrei por que essa hipótese carece de força explicativa.

Hiż afirma que as decisões sobre partes particulares da gramática (tomadas pelo linguista) são "determinadas não por uma teoria geral, mas pela utilidade interna dentro de uma gramática particular", e objeta que não deixo isso claro. Uma vez que não tenho a mínima ideia do que signifique "utilidade interna", nada tenho a dizer sobre isso. A questão fica confusa por sua má interpretação de meu uso da noção de "simplicidade". Quando falo de "simplicidade da gramática", estou-me referindo a uma "função de ponderação", empiricamente determinada, que escolhe uma gramática da forma permitida pelo esquematismo universal em meio a outras que também têm a forma certa e são compatíveis com os dados empíricos. Não estou usando o termo "simplicidade" para designar aquela propriedade mal compreendida das teorias que leva o cientista a escolher uma de preferência a outra. A medida de avaliação que define a "simplicidade das gramáticas" é parte da teoria linguística. Devemos tentar descobrir essa medida empiricamente, examinando as relações reais entre os dados de entrada e as gramáticas adquiridas. Assim, a noção de "simplicidade da gramática" desempenha um papel análogo ao de uma constante física; devemos estabelecê-la empiricamente, e não existe uma intuição *a priori* em que possamos confiar. Os problemas de definir "simplicidade das teorias" num contexto geral de epistemologia e filosofia da ciência são completamente irrelevantes para a questão de determinar empiricamente as propriedades das gramáticas que levam à escolha de uma de preferência a outra, na aquisição da língua. Esse aspecto foi repetidas vezes ressaltado. Ver, por exemplo, *Aspects* [Aspectos], Capítulo 1, Seção 7.

Um comentário final. Hiż sugere que "deveria ser mais fácil explicar por que atribuímos uma estrutura tal e tal a uma sentença indicando como essa sentença muda as leituras das sentenças vizinhas do que fazendo referência a ideias universais inatas e à realidade mental." Aqui ele está confundindo dois tipos completamente diferentes de explicação. Se eu quiser explicar por que, ontem à tarde, às três horas, John Smith entendeu "the shooting of the hunters" [o tiro dos caçadores] como designando o ato de atirar nos caçadores, em vez de o ato de atirar dos caçadores, levarei, é claro, em consideração o contexto situacional (não me limitando às "leituras das sentenças vizinhas"). Se eu estiver interessado em explicar por que essa frase é suscetível dessas duas interpretações, mas a frase "the growth of corn" [o crescimento do milho] é suscetível de apenas uma (a saber, o crescimento do milho e não o ato ou processo de fazer crescer o milho), apelarei primeiro para a gramática particular do inglês e, mais profundamente, aos universais linguísticos que levam à construção dessa gramática por uma criança exposta a certos dados. Uma vez que estão sendo explicadas coisas completamente diferentes, não tem sentido afirmar que uma das maneiras de explicar seja "mais fácil" do que a outra.

A crítica de Harman concerne igualmente à questão da competência e do desempenho. Começa atribuindo a mim uma ideia que nunca tive e que rejeitei explicitamente, em numerosas ocasiões, qual seja, de que "a competência [é] o conhecimento de que a linguagem é descrita pelas regras da gramática" e de que uma gramática descreve essa "competência". Obviamente, é absurdo supor que o falante da língua conheça as regras no sentido de ser capaz de enunciá-las. Tendo atribuído a mim essa posição absurda, Harman prossegue combatendo todo tipo de supostas confusões e dificuldades de interpretação. Mas nada cita que possa com alguma plausibilidade ser considerado um fundamento para me atribuir aquela ideia, embora cite observações em que eu explicitamente a rejeito. Portanto, não vou discutir essa parte de sua argumentação.

No quadro conceitual de Harman, há dois tipos de saber: saber que e saber como. Com certeza, saber uma língua não é uma questão de "saber que". Portanto, segundo ele, deve ser uma questão de "saber como". Um falante típico "sabe como entender outros falantes"; sua competência é a sua capacidade "de falar e entender a língua descrita pela gramática" que descreve a língua. Não sei o que Harman quer dizer com a locução "sabe como entender", mas claramente emprega o termo "competência" de um modo diferente do que propus, no trabalho que ele está examinando. No meu sentido de "competência", a capacidade de falar e entender a língua implica não só "competência" (ou seja, o domínio da gramática gerativa da língua, conhecimento tácito da língua), mas também muitos outros fatores. No meu modo de usar o termo, a gramática é uma representação formal do que chamei "competência". Não tenho objeções contra o fato de Harman usar o termo de maneira diferente, todavia, quando ele insiste em supor que o seu uso é o meu, naturalmente, isso só pode provocar confusão. Mais uma vez, não vejo razão para rastrear em pormenor as diversas dificuldades a que essa má interpretação o leva.

Segundo Harman, a "competência para falar e entender a língua" é uma habilidade análoga à habilidade de um ciclista. Dada a sua insistência em que saber a língua é uma questão de "saber como" (uma vez que naturalmente não é um "saber que"), essa não é uma conclusão inesperada. Mas ele não sugere nenhum aspecto pelo qual a capacidade de usar uma língua (sem falar da competência, no meu sentido, que constitui um elemento dessa capacidade) seja como a capacidade de andar de bicicleta, nem eu vejo nenhum. A conclusão correta, então, seria a de que não há razão para supor que saber uma língua possa ser caracterizado em função do "saber como". Não vejo, pois, nenhum sentido na analogia por ele sugerida. Saber uma língua não é uma habilidade, um conjunto de hábitos, nem nada do gênero. Não vejo nada de surpreendente na conclusão de que a linguagem não possa ser discutida de maneira útil ou informativa, nesse quadro conceitual empobrecido. Em geral, não me parece verdade que os conceitos de "saber como" e "saber que" constituam categorias exaustivas para a análise do saber. Tampouco é surpreendente que Harman ache difícil entender as minhas observações, ou de qualquer outra pessoa que se interesse pelo conhecimento da linguagem, já que ele insiste em se limitar a esse quadro.

Harman tenta mostrar que há uma incoerência fundamental em minha proposta de que, ao adquirir ou usar o conhecimento de uma língua (ao desenvolver "uma representação interna de um sistema gerativo" ou ao fazer uso dele, ao falar ou entender a fala), a criança empregue um esquematismo inato que restringe a escolha de gramáticas (no caso da aquisição) ou uma gramática interiorizada (no caso do uso da língua). Seu argumento parece-me obscuro. Tal como o compreendo, parece proceder da seguinte maneira. Argumenta ele que esse sistema interiorizado deve ser apresentado em "outra língua mais básica", que a criança deve vir a entender antes de poder fazer uso da gramática para entender a fala. Mas isso, alega ele, leva a um círculo vicioso ou a uma regressão ao infinito. Assim, se devêssemos dizer que a criança sabe diretamente a "língua mais básica", sem aprendizagem, então por que não dizer também que ela sabe "diretamente a língua que fala" sem aprendizagem; um círculo vicioso. Ora, se dissermos que ela deve aprender a língua mais básica, isso levanta a questão de como é aprendida a língua mais básica, e leva a uma regressão ao infinito. Esse argumento é completamente inválido. Examinemos o caso da aquisição da língua. Mesmo se supusermos que o esquematismo inato deve ser representado numa "linguagem inata", nenhuma das duas conclusões se segue. A criança deve saber essa "linguagem inata", nos termos de Harman, mas não se segue daí que deva "falá-la e entendê-la" (o que quer que isso signifique) ou que deva aprendê-la. Tudo o que precisamos supor é que ela possa fazer uso desse esquematismo, quando aborda a tarefa de aprender uma língua. Isso quanto à regressão ao infinito. Quanto ao círculo vicioso, há uma razão muito simples pela qual não podemos supor que a criança saiba diretamente a língua que fala, sem aprendê-la, qual seja, a suposição é falsa. Não podemos afirmar que cada criança nasça com um perfeito conhecimento do inglês. Por outro lado, não há nenhuma razão pela qual não devamos supor que a criança nasça com um conhecimento perfeito da gramática universal, ou seja, com um esquematismo fixo que ela usa, da maneira descrita acima, ao adquirir uma língua. Essa suposição pode ser falsa, mas é completamente inteligível. Se alguém insistir em descrever esse conhecimento como "conhecimento direto de uma linguagem mais básica", não vejo razão para me opor, na medida em que formos claros quanto ao que queremos dizer; no entanto, simplesmente observaria que não há nenhuma razão para duvidar de que a criança tenha esse conhecimento direto. Não há, portanto, nenhum círculo vicioso nem regressão ao infinito. Analogamente, se considerarmos o caso do uso da língua, não há nem incoerência nem implausibilidade. Certamente, não há regressão ao infinito nem círculo vicioso, na suposição de que, no uso da língua (falar ou compreender), o usuário empregue uma gramática interiormente representada. Podemos com facilidade elaborar um modelo (digamos, um programa de computador) que funcione dessa maneira. Não consigo ver, portanto, qualquer fundamento para a crença de Harman de que haja uma regressão ao infinito ou um círculo vicioso inerente a essa formulação, ou mesmo sugerido por ela.

Na segunda parte de seu artigo, Harman se volta para o meu argumento de que o atual trabalho em linguística dá sustentação a uma ideia da linguagem e da mente com um sabor distintamente racionalista, e está em conflito com as ideias empiristas que dominaram recentemente o estudo da linguagem e da mente. Afirma ele que, para inferir uma gramática a partir de dados, um modelo de aprendizagem da linguagem já deve ter informações detalhadas sobre a teoria do desempenho. Esta é uma proposta interessante, e merece ser desenvolvida. Mas não posso estar de acordo com sua afirmação um tanto dogmática, não argumentada no artigo, de que essa abordagem tenha necessariamente de ser correta e que qualquer outra abordagem não deva conseguir proporcionar nenhuma perspectiva sobre o problema da aquisição das línguas. Acho que o trabalho dos últimos anos sobre a gramática universal sugere sim, na verdade, e em parte sustenta uma abordagem interessante, um tanto clássica, do problema de como o conhecimento é adquirido. Na ausência de qualquer argumento sobre a razão pela qual essa abordagem não deva poder ser esclarecedora, não vejo razão para não prosseguir com a investigação de como os princípios da gramática universal possam escolher uma determinada gramática com base nos dados disponíveis.

Voltemo-nos agora para a questão das abordagens racionalista e empirista do problema da linguagem e da mente. Como ressalta Harman, se descrevermos um esquematismo inclinado para (ou restrito a) uma forma específica de gramática como parte dos "princípios de indução usados" e se definirmos o "empirismo engenhoso" como uma doutrina que se vale de "princípios de indução" como aqueles, certamente o "empirismo engenhoso" não poderá ser refutado, "sejam quais forem os fatos sobre a linguagem [ou qualquer outra coisa]". Essa nova doutrina do "empirismo engenhoso", é claro, incluirá agora "princípios de indução" que são, ao que parece, muito específicos da tarefa de aquisição da linguagem e de nenhuma validade geral.

O conceito de "empirismo engenhoso" assim definido parece-me de pouco interesse. A questão que me preocupa é a de se há "ideias e princípios de vários tipos que determinam a forma do conhecimento adquirido de uma maneira que pode ser bastante restrita e muito organizada", ou então, de se "a estrutura do dispositivo de aquisição se limita a certos mecanismos elementares periféricos de processamento... e certos mecanismos de analíticos de processamento de dados ou princípios indutivos" (*Aspects*, p.47ss). Argumentei que "é historicamente exato e heuristicamente válido distinguir essas duas abordagens muito diferentes do problema da aquisição do conhecimento", ainda que elas, é claro, "nem sempre possam ser nitidamente distinguidas", no trabalho de determinada pessoa (ibid., p.52). Em especial, tentei mostrar que é possível formular essas abordagens de tal forma que a primeira inclua as principais ideias do racionalismo clássico, bem como a variante moderna que venho descrevendo, e que a segunda compreenda a doutrina empirista clássica, bem como as teorias da aquisição do conhecimento (ou crença ou hábito) desenvolvidas numa ampla esfera de trabalhos modernos (as noções de espaço qualitativo e de formação do conhecimento por associação e condicionamento de Quine; a abordagem de Hull, em termos de reflexos primitivos incondicionados, condicionamento e estruturas de hábito; a linguística taxionômica, com seus procedimentos analíticos de segmentação e classificação e sua concepção da linguagem como um "sistema de hábitos" etc.).[14] É escusado dizer que não há necessidade de encarar as várias tentativas de estudar a aquisição da linguagem, dentro desse quadro conceitual; só posso dizer que o acho útil e preciso. Essas alternativas podem tornar-se razoavelmente precisas e ser investigadas segundo suas consequências empíricas. A proposta de Harman de definir o "empirismo engenhoso" de tal forma que inclua ambas as abordagens

14 Observa corretamente Harman que ignoro a "enorme literatura filosófica sobre a indução" e me limito apenas a uma investigação dos procedimentos da linguística taxionômica como "as únicas propostas explícitas o bastante para admitir o estudo sério". Ele não mostra, porém, como algo presente na literatura sobre a indução esteja ligado aos problemas que venho considerando. A razão é que não há nada. A literatura sobre a indução é muito interessante, mas trata de questões completamente diferentes. Sequer alude a procedimentos de análise ou de aquisição de crenças ou confirmação que superem os problemas que venho discutindo. Não há nada na literatura sobre a indução, por exemplo, que dê alguma ideia sobre como os princípios anteriormente citados como exemplos (o ciclo de regras fonológicas ou a regra de nominalização) possam ser obtidos "por indução" a partir dos dados disponíveis. Todavia, são questões como esta que devem ser enfrentadas no estudo da aquisição da linguagem.

e seja, como observa ele, imune a qualquer descoberta factual, é meramente uma sugestão terminológica irrelevante e não pode obscurecer a diferença entre as abordagens mencionadas ou a importância de prosseguir com elas e de avaliá-las.[15]

Resumindo, duvido que a linguística possa oferecer "uma nova técnica" à filosofia analítica que seja de grande significação, pelo menos em seu presente estado de desenvolvimento. Parece-me, porém, que o estudo da linguagem possa esclarecer e, em parte, documentar certas conclusões sobre o conhecimento humano diretamente relacionadas com as questões clássicas da filosofia da mente. É nesse campo, suspeito eu, que se pode esperar uma colaboração realmente fértil entre a linguística e a filosofia, nos próximos anos.

---

15 Dois pontos menores a esse respeito. Harman vê apenas uma "ligação histórica fraca" entre os procedimentos de segmentação e classificação e a gramática da estrutura frasal. A ligação é, na verdade, muito mais íntima. Zellig Harris, em seu livro *Methods in Structural Linguistics* (Chicago: University of Chicago Press, 1951), tentou evidenciar como um uso sistemático de tais procedimentos, amplificados por uma simples etapa indutiva, levaria a um conjunto de regras que poderia ser considerado gerador de um conjunto infinito de sentenças. Um conjunto de fórmulas de "morfema a enunciado" de Harris, embora não exatamente o mesmo que uma gramática da estrutura frasal, é muito semelhante. O conceito de "gramática da estrutura frasal" foi explicitamente projetado para exprimir o mais rico sistema que se possa razoavelmente esperar, o qual resulte da aplicação, a um *corpus*, dos procedimentos do tipo dos de Harris. Harris e outros metodologistas da década de 1940 estavam desenvolvendo uma abordagem da análise linguística que se pode rastrear pelo menos até Saussure.
Segundo, Harman está absolutamente certo ao ressaltar que, na minha referência às "únicas propostas [empiristas] suficientemente explícitas para admitir o estudo sério", omiti a menção ao método de Harris e Hiż de estudar as relações de co-ocorrência. Ele acha que esse método é "semelhante em espírito aos procedimentos taxionômicos". Não vejo razão para alegar isso, de uma forma ou de outra. De qualquer maneira, não sei de nenhuma razão para supor que tais procedimentos possam levar a – ou possam fornecer provas a favor ou contra a postulação de uma gramática gerativa.

7
A biolinguística e a capacidade humana

Gostaria de dizer algumas palavras a respeito do que veio a se chamar "a perspectiva biolinguística", que começou a tomar forma meio século atrás, nas discussões de alguns estudantes de pós-graduação muito influenciados pelos desenvolvimentos em biologia e matemática, nos primeiros anos do pós-guerra, inclusive o trabalho em etologia, que estava apenas começando a ser conhecida, nos Estados Unidos. Um deles era Eric Lenneberg, cujo seminal estudo de 1967, *Biological Foundations of Language* [Fundamentos biológicos da linguagem], continua sendo um documento fundamental na área. Na época, estava ocorrendo um considerável intercâmbio, que incluía seminários interdisciplinares e conferências internacionais. A de maior alcance, em 1974, foi chamada, pela primeira vez, de "Biolinguística". Muitas das principais questões discutidas ali permanecem muito vivas hoje.

Uma dessas questões, repetidas vezes trazida à baila como "uma das perguntas fundamentais a serem feitas do ponto de vista biológico", é até que ponto os princípios aparentes da linguagem, inclusive alguns que só recentemente vieram à luz, são exclusivos desse sistema cognitivo. Uma pergunta ainda mais básica do ponto de vista biológico é a de até que ponto se pode dar à linguagem uma explicação por princípios, se se podem encontrar ou não elementos homólogos, em outros domínios ou organismos. O esforço por tornar mais precisas essas perguntas e investigá-las quanto à linguagem veio nos últimos anos a se chamar "o programa minimalista", mas as questões se colocam para qualquer sistema biológico e são independentes de convicção teórica, em linguística e em outros campos. Responder a essas perguntas não é fundamental apenas para se entender a natureza e o funcionamento dos organismos e de seus subsistemas, mas também para a investigação de seu crescimento e evolução.

A perspectiva biolinguística vê a língua da pessoa em todos os seus aspectos – som, significado, estrutura – como um estado de algum componente da mente, entendendo "mente" no sentido dos cientistas do século XVIII, que reconheceram que depois da demolição da "filosofia mecânica", baseada no conceito intuitivo de um mundo material, empreendida por Newton, não restou nenhum problema mente-corpo coerente, de sorte que somente podemos considerar aspectos do mundo "chamado mental" como o resultado de "uma estrutura orgânica como a do cérebro", como observou o químico-filósofo Joseph Priestley. O pensamento é uma "pequena agitação do cérebro", afirmou David Hume; e, como comentou Darwin um século depois, não há razão pela qual "o pensamento, sendo uma secreção do cérebro", deva ser considerado "mais maravilhoso do que a gravidade, uma propriedade da matéria". Na época, a visão mais moderada das metas da ciência que Newton introduzira se transformara em senso comum científico: a relutante conclusão de Newton de que devemos satisfazer-nos com o fato de a gravidade existir, ainda que não possamos explicá-la pela "filosofia mecânica", evidente por si mesma. Como observaram diversos comentadores, esse avanço intelectual "estabeleceu uma nova visão da ciência" em que o objetivo "não é buscar explicações últimas", mas achar a melhor explicação teórica que pudermos para os fenômenos de experiência e experimentação (I. Bernard Cohen).

As questões centrais na área do estudo da mente ainda se colocam da mesmíssima forma. Foram levantadas de modo preeminente no fim da "Década do Cérebro", que encerrou o último milênio. A Academia Americana de Artes e Ciências publicou um volume para marcar a data, resumindo o estado da arte. O tema principal foi formulado pelo neurocientista Vernon Mountcastle, em sua introdução ao volume: é a tese de que "as coisas mentais, aliás a mente, são propriedades emergentes dos cérebros, [embora] essas emergências não sejam consideradas irredutíveis, mas produzidas por princípios... que ainda não entendemos". A mesma tese, que parafraseia Prestley de perto, foi aventada nos últimos anos como uma "hipótese assombrosa" da nova biologia, uma "ideia radicalmente nova" na filosofia da mente, "a ousada asserção de que os fenômenos mentais são completamente naturais e causados pelas atividades neurofisiológicas do cérebro" etc. Contudo, isso é um equívoco. A tese decorre do colapso de qualquer conceito coerente de "corpo" ou "material" no século XVII, como logo se reconheceu. Terminologia à parte, a tese fundamental continua sendo o que foi chamado a "sugestão de Locke": que Deus pode ter escolhido "anexar à matéria uma faculdade de pensar", assim como "anexou efeitos ao movimento, que, de modo algum, podemos conceber que o movimento seja capaz de produzir".

A referência de Mountcastle a princípios redutivos que "ainda não entendemos" também foge de algumas questões interessantes, como o mostra um rápido exame da história da ciência e até mesmo da ciência muito recente. Isso faz lembrar a observação de Bertrand Russell, em 1929, que igualmente refletia crenças convencionais, de que "as leis químicas não podem hoje ser reduzidas a leis físicas". A palavra "hoje", como a palavra "ainda" de Mountcastle, exprime a expectativa de que a redução deva ocorrer no curso normal do progresso científico, talvez em breve. No caso da física e da química, ela nunca ocorreu; o que aconteceu foi a unificação de uma química virtualmente inalterada com uma física radicalmente revista. Não é necessário acrescentar que o estado de entendimento e de realização naquelas áreas, oitenta anos atrás, estava muito além de tudo o que se possa reivindicar quanto ao cérebro e às ciências cognitivas hoje. Portanto, a confiança na "redução" ao pouco que é entendido não é necessariamente apropriada.

Do leque de fenômenos que podemos, grosso modo, considerar relacionados com a linguagem, a abordagem biolinguística concentra a atenção num componente da biologia humana que participa do uso e da aquisição da linguagem, seja como for que se interprete o termo "linguagem". Chamemo-la "faculdade da linguagem", adaptando um termo tradicional a um novo uso. Esse componente está mais ou menos no mesmo nível que o sistema visual dos mamíferos, a navegação dos insetos ou outros. Em muitos desses casos, as melhores teorias explicativas disponíveis atribuem ao organismo sistemas computacionais e o que é chamado "obediência a regras", no uso informal – por exemplo, quando um texto recente sobre a visão apresenta o denominado "princípio de rigidez", como foi formulado cinquenta anos atrás: "se possível, e outras regras o permitirem, interprete os movimentos da imagem como projeções de movimentos rígidos em três dimensões". Neste caso, trabalhos posteriores proporcionaram perspectivas substanciais sobre os cálculos mentais que parecem estar envolvidos, quando o sistema visual obedece às regras, mas mesmo para os organismos muito simples, esta normalmente não é uma tarefa fácil, e relacionar cálculos mentais à análise em nível celular costuma ser um objetivo distante. Alguns filósofos fizeram objeções contra a noção de "obediência às regras" – no caso da linguagem, raramente no caso da visão. Mas creio que se trata de outro equívoco, um dos muitos, em minha opinião. Há certo interesse em comparar os receios que hoje se expressam acerca das teorias da linguagem, e de aspectos do mundo "chamado mental", de um modo mais geral, com os debates travados entre importantes cientistas, na década de 1920, sobre se a química era um mero dispositivo de cálculo para prever o resultado de experiências ou se merecia o estatuto honorífico de explicação da "realidade física", debates esses que mais tarde se revelaram inteiramente irrelevantes. As semelhanças, que examinei em outro lugar, são impressionantes e, acredito, instrutivas.

Deixando esses interessantes temas de lado, se adotarmos a perspectiva biolinguística, uma língua é um estado da faculdade da linguagem – uma língua-I, no uso técnico, onde o "I" ressalta o fato de a concepção ser internalista, individual e intensional (com "s", não com "c") – ou seja, a formulação real dos princípios gerativos, não o conjunto que ela enumera; podemos pensar esta última como uma propriedade mais abstrata da língua-I, mais ou menos como podemos pensar o conjunto de trajetórias possíveis de um cometa através do sistema solar como uma propriedade abstrata desse sistema.

A decisão de estudar a linguagem como parte do mundo nesse sentido era tomada como muito controversa, na época – e ainda o é, também – por muitos linguistas. Parece-me que os argumentos propostos contra a legitimidade da abordagem têm pouca força – uma tese fraca; e que suas suposições básicas são tacitamente adotadas, mesmo por aqueles que a rejeitam enfaticamente – uma tese muito mais forte. Não entrarei aqui nesse capítulo da história intelectual contemporânea, mas simplesmente suporei que aspectos cruciais da linguagem possam ser estudados como parte do mundo natural, no sentido da abordagem biolinguística que tomou forma meio século atrás, e tem sido intensamente praticada desde então, juntamente com outros caminhos diferentes.

A faculdade da linguagem é um dos componentes do que o cofundador da teoria evolucionária moderna, Alfred Russel Wallace, chamava "natureza intelectual e moral do homem": as capacidades humanas para a imaginação criativa, a linguagem e outros modos de simbolismo, a matemática, a interpretação e o registro de fenômenos naturais, as práticas sociais complexas e que tais, um complexo de capacidades que parece ter-se cristalizado um tanto recentemente, talvez há um pouco mais de 50.000 anos atrás, entre um pequeno grupo reprodutivo de que todos descendemos – um complexo que coloca os seres humanos nitidamente à parte dos outros animais, inclusive dos outros hominídeos, a julgar pelo registro arqueológico. A natureza da "capacidade humana", como alguns pesquisadores agora a chamam, continua sendo um mistério considerável. Foi este um dos elementos de um famoso desacordo entre os dois fundadores da teoria da evolução, com Wallace sustentando, em oposição a Darwin, que a evolução dessas faculdades não pode ser explicada somente em função da variação e da seleção natural, mas exige "alguma outra influência, lei ou poder", algum princípio da natureza ao lado da gravitação, da coesão e de outras forças, sem as quais o mundo material não poderia existir. Embora as questões sejam formuladas de modo diferente, hoje, elas não desapareceram.

Costuma-se supor que, seja o que for a capacidade intelectual humana, a faculdade da linguagem lhe é essencial. Muitos cientistas concordam com o paleontologista Ian Tattersall, que escreveu ser "quase certo que foi a invenção da linguagem" o acontecimento "súbito e inesperado" que consistiu no "estímulo desencadeante" do aparecimento da capacidade humana no registro evolucionário – o "grande salto para a frente", como Jared Diamond o chama, o resultado de algum evento genético que reestruturou os circuitos do cérebro, permitindo a origem da linguagem humana com a rica sintaxe que oferece um sem-número de modos de expressão do pensamento, um pré-requisito do desenvolvimento social e das mudanças agudas de comportamento, reveladas nos registros arqueológicos, também geralmente tidos como o gatilho do rápido périplo a partir da África, onde seres humanos modernos sob outros aspectos aparentemente estiveram presentes durante centenas de milhares de anos. A visão é semelhante à dos cartesianos, mas mais forte: eles consideravam o uso normal da linguagem a mais clara prova empírica de que outra criatura tenha uma mente como a nossa, mas não como a evidência-padrão sobre a mente e a origem da capacidade humana.

Se esse panorama tiver alguma validade, a evolução da linguagem pode ser um caso muito breve, ainda que seja um produto muito recente da evolução. Há, naturalmente, muitos precursores e eles sem dúvida tiveram uma história evolutiva bastante longa. Por exemplo, os ossos do ouvido médio são um maravilhoso sistema de amplificação do som, magnificamente projetado para a interpretação da fala, mas parecem ter migrado da mandíbula reptiliana como um efeito mecânico do crescimento do neocórtex nos mamíferos, iniciado 160 milhões de anos atrás, como consta. Sabemos pouco demais a respeito dos sistemas conceptuais para dizer muita coisa, mas é razoável supor que também eles tiveram uma longa história, após a separação dos hominídeos, produzindo resultados sem grande semelhança em nenhum outro lugar. Mas a própria questão da evolução da linguagem tem a ver com a maneira como esses diversos precursores eram organizados quanto à faculdade da linguagem, talvez por meio de algum pequeno evento genético que trouxe uma inovação crucial. Se assim for, a própria evolução da linguagem é breve, e as especulações que têm alguma ligação com o tipo de investigação sobre a linguagem provavelmente sejam produtivas.

Tattersall considera a linguagem "virtualmente sinônima de pensamento simbólico". Elaborando, um dos iniciadores do simpósio de 1974, o prêmio Nobel François Jacob, observou que "o papel da linguagem como sistema de comunicação entre indivíduos se teria produzido apenas secundariamente", talvez se referindo às discussões travadas na conferência de 1974, em que seu colega prêmio Nobel Salvador Luria foi um dos mais poderosos advogados da ideia de que as necessidades de comunicação não exerceram "nenhuma grande pressão seletiva para produzir um sistema como a linguagem" com sua relação crucial com o "desenvolvimento de pensamento abstrato ou produtivo". "A qualidade da linguagem que a torna única não parece ser tanto o seu papel na comunicação de diretrizes para a ação" ou outras características comuns da comunicação animal, prossegue Jacob, mas, antes, "seu papel na simbolização, na evocação de imagens cognitivas", em "moldar" a nossa noção de realidade e em produzir a nossa capacidade de pensamento e planejamento, por intermédio de sua exclusiva propriedade de permitir "infinitas combinações de símbolos" e, portanto, "a criação mental de mundos possíveis", ideias estas que podem ser datadas da revolução cognitiva do século XVII.

Também ressaltou Jacob o entendimento comum de que as respostas às perguntas sobre a evolução "em muitos casos... dificilmente podem ser mais do que palpites aproximados". E, na maioria dos casos, nem mesmo isso. Um exemplo, que talvez seja interessante reproduzir aqui, é o estudo da evolução do sistema de comunicação da abelha, estranho pelo fato de, em princípio, permitir a transmissão de uma gama infinita (contínua) de informação. Existem centenas de espécies de abelhas melíferas e sem ferrão, tendo algumas delas variantes dos sistemas de comunicação, outras não, embora todas elas pareçam sobreviver sem problemas. Assim, há muitas oportunidades para o trabalho comparativo. As abelhas são incomparavelmente mais fáceis de se estudar do que os seres humanos, sob qualquer aspecto. Porém, pouco é entendido. Até mesmo a literatura é escassa. A recensão recente mais ampla que vi, de autoria do entomologista Fred Dyer, observa que até mesmo os problemas computacionais básicos de codificação da informação espacial para os controles motores, e o contrário, no caso das abelhas seguidoras, continuam sendo "enigmáticos", e "que é desconhecido o tipo de eventos neurais que possa estar por trás desses diversos processos de mapeamento", enquanto as origens evolutivas vão pouco além da especulação. Não há nada como a imensa literatura e as declarações confiantes acerca da linguagem humana – algo que se pode achar também um pouco "enigmático".

Podemos acrescentar outra ideia da filosofia dos séculos XVII e XVIII, com raízes tão antigas quanto a análise feita por Aristóteles do que, mais tarde, seria interpretado como entidades mentais: que mesmo os mais elementares conceitos da linguagem humana não se ligam a objetos independentes da mente por alguma relação de tipo referencial entre os símbolos e as características físicas identificáveis do mundo exterior, como parece ser universal no caso dos sistemas de comunicação animal. Ao contrário, eles são criações dos "poderes cognitivos" que nos proporcionam meios ricos de nos referirmos ao mundo exterior, com base em certas perspectivas, mas são individuados por operações mentais que não podem ser reduzidas a uma "natureza peculiar pertencente" à coisa de que estamos falando, como Hume resumiu um século de investigações. A "teoria aitiacional da semântica" de Julius Moravcsik é um desenvolvimento recente de algumas dessas ideias, a partir de suas origens aristotélicas e com ricas implicações para a semântica da linguagem natural.

Estas são observações críticas a respeito da semântica elementar da linguagem natural, as quais sugerem que seus elementos mais primitivos estejam relacionados com o mundo independente da mente, assim como os elementos da fonologia o estão, não por uma relação de tipo referencial, mas como parte de uma espécie consideravelmente mais complexa de concepção e ação. Não posso tentar elaborar isto aqui, mas acho que tais considerações, se levadas adiante com seriedade, revelam que é ocioso tentar fundamentar a semântica da linguagem natural em algum tipo de relação "palavra-objeto", qualquer que seja a complexidade da noção construída de "objeto", bem como seria ocioso fundamentar a fonética da linguagem natural numa relação "símbolo-som", em que os sons sejam considerados eventos físicos construídos – talvez constructos quadridimensionais indescritíveis, baseados nos movimentos das moléculas, com outras questões despachadas para o departamento de física ou, se se quiser tornar o problema ainda mais irremediável, também para o departamento de sociologia. Todos concordam que esses procedimentos estão errados para o estudo do lado sonoro da linguagem, e acredito que as conclusões são igualmente razoáveis, no que se refere ao lado do significado. Para cada enunciado há um evento físico, contudo isso não implica que tenhamos de procurar alguma relação mítica entre um objeto interior, como a sílaba [ta], e um evento identificável independente da mente; e, para cada ato de referência, há algum aspecto complexo do mundo experimentado ou imaginado sobre o qual a atenção é concentrada por esse ato, mas isso não quer dizer que uma relação de referência exista para a linguagem natural. Eu acho que não existe, mesmo no nível mais primitivo.

Se até aqui estivermos no caminho certo, surgem pelo menos dois problemas básicos, quando consideramos as origens da faculdade da linguagem e seu papel no aparecimento repentino da capacidade intelectual humana: primeiro, a semântica nuclear dos elementos mínimos portadores de significado, incluindo o mais simples deles; e, segundo, os princípios que permitem combinações ilimitadas de símbolos, hierarquicamente organizadas, que proporcionam os meios para o uso da linguagem em seus múltiplos aspectos. Analogamente, a teoria nuclear da linguagem – gramática universal, GU – deve oferecer, primeiro, um inventário estruturado dos itens lexicais possíveis que estão relacionados com ou talvez sejam idênticos aos conceitos, que são os elementos dos "poderes cognitivos"; segundo, meios para se construir a partir desses itens lexicais a infinita variedade de estruturas internas que entram no pensamento, na interpretação, no planejamento e em outros atos mentais humanos, e às vezes são exteriorizadas – um processo secundário, se as especulações anteriormente analisadas se revelarem corretas. Acerca do primeiro problema, o aparato conceitual-lexical aparentemente específico dos seres humanos, existem trabalhos penetrantes sobre as noções relacionais ligadas às estruturas sintáticas e sobre os objetos parcialmente interiores à mente que parecem desempenhar um papel crucial (eventos, proposições etc.). Mas pouco há além de observações descritivas sobre o aparato referencial nuclear que é usado para se falar sobre o mundo. O segundo problema foi central na pesquisa linguística por meio século, com uma longa história anterior, sob diferentes aspectos.

A abordagem biolinguística adotou desde o começo o ponto de vista que o neurocientista cognitivo R. G. Gallistel chama de "a norma em neurociências", hoje, a "visão modular da aprendizagem": a conclusão de que, em todos os animais, a aprendizagem se baseia em mecanismos especializados, "instintos de aprender" de determinadas maneiras. Sugere ele que concebamos esses mecanismos como "órgãos dentro do cérebro", alcançando estados em que executam tipos específicos de computação. Afora os "ambientes extremamente hostis", eles mudam de estado sob o efeito desencadeante e formativo de fatores externos, mais ou menos reflexivamente e de acordo com um plano interno. Esse é o "processo de aprendizagem", embora "desenvolvimento" talvez fosse um termo mais adequado, evitando conotações enganosas da palavra "aprendizagem". Poder-se-iam relacionar essas ideias com o enciclopédico trabalho de Gallistel sobre a organização do movimento, fundamentado em "condições estruturais" que estabelecem "limites para os tipos de solução que um animal encontra numa situação de aprendizagem".

A visão modular da aprendizagem não implica, é claro, que os componentes do módulo sejam exclusivos dele: em algum nível, todos supõem que não o sejam – a célula, por exemplo. A questão do nível de organização em que surgem as propriedades exclusivas continua sendo fundamental, de um ponto de vista biológico, como o era na conferência de 1974. As observações de Gallistel fazem lembrar o conceito de "canalização", introduzido na biologia evolucionária e do desenvolvimento por C. H. Waddington, sessenta anos atrás, para designar os processos "regulados de forma tal que produzam um resultado final definido, malgrado as pequenas variações das condições no decorrer da reação", garantindo assim "a produção do tipo normal, ou seja, ótimo, diante dos riscos inevitáveis da existência". Essa parece ser uma descrição razoável do desenvolvimento da linguagem no indivíduo. Um problema central do estudo da faculdade da linguagem é o de descobrir os mecanismos que limitam os resultados aos "tipos ótimos".

Reconheceu-se desde as origens da moderna biologia que as condições de desenvolvimento exteriores ao organismo e os princípios arquitetônico-estruturais participam não só do desenvolvimento dos organismos, mas também de sua evolução. Num clássico artigo contemporâneo, Maynard Smith e associados rastreiam a versão pós-darwiniana até Thomas Huxley, o qual se impressionou com o fato de que parece haver "linhas predeterminadas de modificação" que levam a seleção natural a "produzir variedades de tipo e número limitado" para cada espécie. Examinam eles uma série dessas condições presentes no mundo orgânico e descrevem como "as limitações da variabilidade fenotípica" são "causadas pela estrutura, pelo caráter, pela composição ou pela dinâmica do sistema de desenvolvimento". Também assinalam que "essas condições de desenvolvimento sem dúvida desempenham um papel significativo na evolução", embora haja "pouco consenso sobre sua importância, quando comparada com a seleção, a variação e outros fatores semelhantes, na formação da história evolucionária". Mais ou menos na mesma época, Jacob escrevia que "as regras que controlam o desenvolvimento do embrião", quase inteiramente desconhecidas, interagem com outros fatores físicos para "limitarem as possíveis mudanças de estruturas e funções" no desenvolvimento evolutivo, proporcionando "restrições arquitetônicas" que "limitam o alcance adaptativo e canalizam os padrões evolutivos", para citar uma resenha recente. As mais conhecidas entre as figuras que dedicaram boa parte de seu trabalho a esses temas são D'Arcy Thompson e Alan Turing, que adotaram uma concepção muito forte sobre o papel central desses fatores, na biologia. Nos últimos anos, tais considerações foram aduzidas para um amplo leque de problemas de desenvolvimento e evolução, desde a divisão celular nas bactérias até a otimização de estruturas e funções das redes corticais, e mesmo até propostas de que os organismos tenham "os melhores de todos os cérebros possíveis", como foi alegado pelo neurocientista computacional Chris Cherniak. Os problemas são a fronteira da investigação, mas sua significação não é controversa.

Admitindo que a faculdade da linguagem tenha as propriedades gerais de outros sistemas biológicos, deveríamos, portanto, estar à procura de três fatores que participam do desenvolvimento da linguagem, no indivíduo:

(1) Fatores genéticos, aparentemente quase uniformes para as espécies, o tema da GU. A dotação genética interpreta parte do meio ambiente como experiência linguística, uma tarefa não trivial que o bebê executa reflexivamente, e determina o curso geral do desenvolvimento da faculdade da linguagem para as línguas em questão.
(2) Experiência, que leva à variação, dentro de um intervalo razoavelmente estreito, como no caso de outros subsistemas da capacidade humana e do organismo em geral.
(3) Princípios não específicos da faculdade da linguagem.

O terceiro fator compreende princípios de arquitetura estrutural que restringem os resultados, inclusive princípios de computação eficiente, os quais era de se esperar fossem de especial significação para os sistemas computacionais como a linguagem, que determinam o caráter geral das línguas envolvidas.

Podemos rastrear o interesse por esse terceiro fator até a intuição galileana de que a "natureza é perfeita", desde as marés até o voo dos pássaros, e é tarefa do cientista descobrir exatamente em que sentido isso é verdade. A confiança de Newton em que a Natureza devesse ser "muito simples" reflete a mesma intuição. Por mais obscura que possa ser, essa intuição sobre o que Ernest Haeckel chamava de "propensão ao belo" da Natureza ("Sinn fuer das Schoene") tem sido um tema dominante da ciência, desde suas origens modernas.

Os biólogos tenderam a pensar de modo diferente a propósito dos objetos de sua investigação, adotando a imagem criada por Jacob da natureza como um remendão que faz o melhor que pode com o material à mão – não raro um trabalho muito ruim, como a inteligência humana parece decidida a demonstrar acerca de si mesma. O geneticista britânico Gabriel Dover capta a ideia dominante, quando conclui que a "biologia é um negócio estranho e confuso e 'perfeição' é a última palavra que usaríamos para descrever como funciona o organismo, sobretudo em algo produzido por seleção natural" – embora produzido somente em parte por seleção natural e, conforme ressalta ele, como todo biólogo sabe, e numa medida que não pode ser quantificada pelas ferramentas disponíveis. Essas expectativas têm sentido para sistemas com uma história evolucionária longa e complexa, com muitos acidentes, efeitos persistentes da história evolucionária que levaram a soluções não ótimas de problemas etc. Entretanto, a lógica não se aplica ao surgimento relativamente repentino, que poderia muito bem levar a sistemas que não se parecem com os resultados complexos de milhões de anos de "bricolage" jacobiana, talvez mais como flocos de neve, ou a filotaxia, ou a divisão da célula em esferas de preferência a cubos, ou os poliedros como materiais de construção, ou muitas outras coisas que encontramos, no mundo natural. O programa minimalista é motivado pela suspeita de que algo desse tipo pode de fato ser verdade, no caso da linguagem humana, e acho que os trabalhos recentes têm dado razões para se acreditar que a linguagem é, sob muitos aspectos, uma solução ótima para as condições que deve satisfazer, em muito maior medida do que poderia parecer, poucos anos atrás.

Voltando aos velhos tempos, dentro dos quadros estruturalistas/behavioristas da década de 1950, os análogos mais próximos da GU eram as abordagens procedimentais desenvolvidas por Troubetzkoy, Harris e outros, concebidas para determinar unidades linguísticas e seus padrões, a partir de um *corpus* de dados linguísticos. Na melhor das hipóteses, elas não podiam ir muito longe, por maior que fosse o *corpus* e por mais futuristas que fossem os aparelhos computacionais utilizados. Até mesmo os elementos formais elementares portadores de significado, os morfemas, não têm o caráter de "contas de um colar" exigido para as abordagens procedimentais, mas se relacionam de modo muito mais indireto com a forma fonética. Sua natureza e propriedades são fixadas dentro do sistema computacional mais abstrato que determina a esfera ilimitada de expressões. As primeiras abordagens da gramática gerativa, portanto, supunham que a dotação genética ofereça um formato para os sistemas de regras e um método de seleção da sua aplicação ótima, em função dos dados da experiência. Foram feitas propostas específicas, na época e nos anos seguintes. Em princípio, elas propunham uma solução possível para o problema da aquisição da linguagem, mas envolviam cálculos astronômicos e, por conseguinte, não colocavam seriamente as questões.

As preocupações centrais naqueles anos eram muito diferentes, como ainda o são. Pode ser difícil acreditar hoje, mas cinquenta anos atrás se costumava supor que a tecnologia básica para a descrição linguística já estava disponível e que a variação das línguas era tão livre que provavelmente nada de muita generalidade seria descoberto. Tão logo foram feitos esforços para dar explicações razoavelmente explícitas das propriedades das línguas, imediatamente ficou óbvio quão pouco se conhecia, em qualquer área. Cada proposta específica produzia uma mina de ouro de contraprovas, exigindo sistemas de regras complexos e variados até mesmo para se chegar a uma limitadíssima aproximação da adequação descritiva. Isso era muito estimulante para a pesquisa sobre a linguagem, mas também deixava um sério dilema, uma vez que as considerações mais elementares levavam à conclusão de que a GU deve impor restrições acentuadas para os resultados possíveis, a fim de explicar a aquisição das línguas, a assim chamada tarefa de conseguir "adequação explicativa". Às vezes, estes também são chamados problemas de "pobreza de estímulo" no estudo da linguagem, embora o termo seja enganoso, pois é apenas um caso especial das questões fundamentais que surgem universalmente sobre o desenvolvimento orgânico, inclusive o desenvolvimento cognitivo, uma variante de problemas reconhecidos desde os tempos de Platão.

Numerosos caminhos foram trilhados na tentativa de resolver a tensão. Os mais bem-sucedidos acabaram sendo os esforços por formular princípios universais, atribuídos à GU – ou seja, à dotação genética – deixando um resíduo bastante reduzido de fenômenos que de alguma forma resultassem da experiência. Essas abordagens obtiveram certo êxito, mas as tensões básicas permaneciam não resolvidas, na época da conferência de 1974.

Em poucos anos, o panorama mudou consideravelmente. Em parte, isso decorreu de uma vasta gama de novos materiais fornecidos por estudos de profundidade muito maior do que os anteriores, em parte da abertura de novos temas de investigação. Cerca de 25 anos atrás, boa parte desse trabalho cristalizou-se numa abordagem radicalmente diferente da GU, o quadro dos "Princípios e Parâmetros" (P&P), que, pela primeira vez, dava esperanças de se superar a tensão entre as adequações descritiva e explicativa. Essa abordagem procurava eliminar completamente a estrutura do formato e com ela a concepção tradicional das regras e construções, que havia sido em boa medida adotada na gramática gerativa. Sob esse aspecto, tratava-se de um desvio muito mais radical da rica tradição de 2.500 anos do que a primeira gramática gerativa. O novo quadro P&P levou a uma explosão de pesquisas sobre línguas das mais variadas tipologias, conduzindo a novos problemas antes não imaginados, por vezes a respostas e ao revigoramento das disciplinas vizinhas interessadas na aquisição e no processamento, sendo suas principais questões agora reestruturadas em termos de definição de parâmetros dentro de um sistema fixo de princípios de GU. Ninguém familiarizado com esse campo tem hoje qualquer ilusão de que os horizontes de pesquisa estejam sequer visíveis, para não falar de estarem à mão.

O abandono da estrutura do formato também teve um impacto significativo no programa biolinguístico. Se, como foi suposto, a aquisição for uma questão de seleção dentre as opções disponibilizadas pelo formato fornecido pela GU, o formato deve ser rico e muito articulado, permitindo relativamente poucas opções; caso contrário, a adequação explicativa fica fora de alcance. A melhor teoria da linguagem deve ser muito insatisfatória de outros pontos de vista, com uma série complexa de condições específicas da linguagem humana que restringem os casos possíveis. A questão biológica fundamental da explicação por princípios mal poderia ser contemplada e, correspondentemente, eram poucas as perspectivas de uma investigação séria da evolução da linguagem; evidentemente, quanto mais variadas e complexas as condições específicas da linguagem, menor a esperança de uma explicação razoável das origens evolucionárias da GU. Estas são algumas das questões levantadas no simpósio de 1974 e em outros da época; elas, porém, foram abandonadas como problemas aparentemente insolúveis.

O quadro P&P oferecia também perspectivas de solução dessas tensões. Na medida em que esse quadro se revele válido, a aquisição será uma questão de definição de parâmetros e, portanto, estará inteiramente divorciada do formato de gramática restante: os princípios da GU. Já não há uma barreira conceitual para a esperança de que a GU possa ser reduzida a uma forma muito mais simples e de que essas propriedades básicas dos sistemas computacionais de linguagem possam ter uma explicação por princípios, em vez de serem estipuladas de acordo com um formato de gramática muito restritivo e específico das línguas. Voltando aos três fatores do plano da linguagem, a adoção de um quadro P&P supera uma difícil barreira conceitual, passando o ônus da explicação do fator (1), a dotação genética, para o fator (3), os princípios da arquitetura estrutural e da eficiência computacional independentes da linguagem, dando com isso algumas respostas às questões fundamentais da biologia da linguagem, da sua natureza e uso e, talvez, da sua evolução.

Superadas as barreiras conceituais impostas pela estrutura de formato, podemos tentar de maneira mais realista precisar a questão do que constitui uma explicação por princípios das propriedades da linguagem, e voltarmo-nos para uma das mais fundamentais questões da biologia da linguagem: até que ponto a linguagem se aproxima de uma solução ótima para condições que ela deve satisfazer, a fim de ser de algum modo utilizável, dada a arquitetura estrutural extralinguística? Essas condições levam-nos de volta à caracterização tradicional da língua desde Aristóteles, como um sistema que une som e significado. Em nossos termos, as expressões geradas por uma língua devem satisfazer duas condições ligadas: aquelas impostas pelo sistema sensório-motor e pelo sistema intencional-conceitual que participa da capacidade intelectual humana e da variedade de atos de fala.

Podemos considerar uma explicação das propriedades da linguagem como sendo uma explicação *por princípio*, na medida em que possa ser reduzida a propriedades dos sistemas de interface e a considerações gerais de eficiência computacional e análogas. Independentemente, os sistemas de interface podem ser estudados por si mesmos, incluindo o estudo comparativo que tem estado produtivamente em andamento. E o mesmo é verdade dos princípios da computação eficiente, aplicados à linguagem em trabalhos recentes de muitos investigadores, com resultados importantes, e talvez também passíveis de pesquisa comparativa. De muitas maneiras, portanto, é possível esclarecer e abordar alguns dos problemas básicos da biologia da linguagem.

Teríamos, neste ponto, de passar a uma discussão mais técnica do que aqui é possível, mas algumas observações informais podem ajudar a esboçar um panorama, pelo menos.

É um fato elementar a respeito da faculdade de linguagem que se trata de um sistema de infinitude discreta, rara no mundo orgânico. Qualquer sistema desse tipo se baseia numa operação primitiva que toma objetos já construídos e constrói a partir deles um objeto novo: no caso mais simples, o conjunto que os contém. Chamemos Fusão a essa operação. A Fusão ou um seu equivalente é um requisito mínimo. Estando a Fusão disponível, temos instantaneamente um sistema ilimitado de expressões hierarquicamente estruturadas. A mais simples explicação do "Grande Salto para a Frente", na evolução dos seres humanos, seria que o cérebro teve seus circuitos reconfigurados, talvez por uma pequena mutação, para oferecer a operação Fusão, ao mesmo tempo estabelecendo uma parte central da base para o que se encontra nesse momento dramático da evolução humana: pelo menos em princípio; unir os pontinhos está longe de ser um problema trivial. Existem especulações sobre a evolução da linguagem que postulam um processo muito mais complexo: primeiro, uma mutação que permite expressões de duas unidades, talvez produzindo uma vantagem seletiva, ao reduzir a carga de memória para os itens lexicais; em seguida, outras mutações permitirão expressões maiores; e, por fim, o Grande Salto que produz a Fusão. Talvez as etapas iniciais realmente tenham ocorrido, embora não haja argumentos empíricos ou conceituais sérios a favor dessa crença. Uma especulação mais parcimoniosa é a de que essas fases não ocorreram, e o Grande Salto foi realmente instantâneo, num único indivíduo, que foi instantaneamente dotado de capacidades intelectuais muito superiores às dos outros, transmitiu-as aos descendentes e veio a predominar. Na melhor das hipóteses, um palpite razoável, como todas as especulações sobre essas matérias, porém próximo do mais simples imaginável e não incoerente com algo conhecido ou conjecturado com plausibilidade. É difícil ver que explicação da evolução humana não adote pelo menos isso, de uma ou de outra forma.

Surgem questões semelhantes acerca do desenvolvimento da linguagem no indivíduo. Costuma-se supor que haja uma etapa de duas palavras, uma etapa de três palavras e assim por diante, com um Grande Salto para a Frente final para a geração ilimitada. Isso é observado no desempenho, mas é igualmente verificado que, numa primeira fase, a criança entende expressões muito mais complexas, e que modificações aleatórias de expressões mais longas – mesmo mudanças simples, como a colocação de palavras funcionais de um modo não conforme à GU ou à linguagem adulta – levam à confusão e à má interpretação. Pode ser que a Fusão ilimitada, e qualquer outra coisa que esteja envolvida na GU, se faça presente imediatamente, mas se manifeste apenas de maneira limitada, por razões extrínsecas, limitação da memória e da atenção ou algo semelhante; trata-se de pontos discutidos no simpósio de 1974 e que agora podem ser investigados de modo muito mais sistemático e produtivo.

O caso mais restritivo de Fusão aplica-se a um único objeto, formando um conjunto unitário. A restrição a esse caso produz a função sucessora, a partir da qual o resto da teoria dos números naturais pode ser desenvolvido da maneira habitual. Isso sugere uma possível resposta a um problema que inquietou Wallace, no fim do século XIX: em suas palavras, que "o gigantesco desenvolvimento da capacidade matemática fique completamente inexplicado pela teoria da seleção natural e deva estar ligado a uma causa completamente distinta", que mais não seja por permanecer sem uso. Uma das possibilidades é que os números naturais resultem de uma restrição simples à faculdade da linguagem, portanto não tenham sido dados por Deus, segundo o famoso aforismo de Kronecker, embora o resto seja criado pelo homem, como prosseguiu ele. Não são desconhecidas especulações sobre a origem da capacidade matemática como uma abstração de operações linguísticas. Há problemas aparentes, inclusive dissociação com lesões e diversidade de localização, mas a significação de tais fenômenos é obscura por muitas razões (inclusive a questão da posse vs. uso da capacidade). Pode haver algo nessas especulações, talvez do mesmo gênero que acabamos de indicar.

Considerações elementares de eficiência computacional impõem outras condições para a solução ótima da tarefa de unir som e significado. Há hoje uma vasta literatura que explora problemas desse tipo, e acho razoável dizer que houve um considerável progresso na passagem para a explicação por princípios. É ainda mais claro que esses esforços satisfizeram um primeiro requisito de um programa de pesquisa sensato: estimular a investigação que foi capaz de superar alguns velhos problemas, ao mesmo tempo em que ainda mais rapidamente revelava outros novos, antes não reconhecidos e até dificilmente formuláveis, e de enriquecer em muito os desafios empíricos da adequação descritiva e explicativa que devem ser enfrentados; e de, pela primeira vez, abrir uma perspectiva realista de superar significativamente a adequação explicativa, na direção da explicação por princípios, conforme as linhas que acabei de indicar.

A busca da explicação por princípios enfrenta tarefas atemorizantes. Podemos formular os objetivos com razoável clareza. Não podemos, é claro, saber de antemão quão bem eles possam ser atingidos – ou seja, até que ponto os estados da faculdade da linguagem são atribuíveis a princípios gerais, que possivelmente existem até para os organismos de um modo geral. Com cada passo na direção desse objetivo, conseguimos uma compreensão mais clara das propriedades centrais específicas da faculdade da linguagem, deixando ainda completamente sem solução problemas que têm sido propostos durante centenas de anos. Dentre eles está a questão de como as propriedades "chamadas mentais" se relacionam com "a estrutura orgânica do cérebro", problemas de solução ainda distante, mesmo para o caso dos insetos, e com aspectos únicos e profundamente misteriosos, quando consideramos a capacidade humana e suas origens evolutivas.

Índice

SOBRE O LIVRO

Formato: 14 x 21 cm
Mancha: 23 x 44 paicas
Tipologia: Iowan Old Style 10/14
Papel: Off-white 80 g/m² (miolo)
Cartão Supremo 250 g/m² (capa)
3ª edição: 2009

EQUIPE DE REALIZAÇÃO

Edição de Texto
Rony Farto Pereira (copidesque)
Página 3 – Assessoria de Comunicação (preparação)
Geisa Mathias de Oliveira e Rosani Andreani (revisão)

Editoração Eletrônica
Estúdio Bogari (Diagramação)

Assistência Editorial
Olivia Frade Zambone

Rua Xavier Curado, 388 • Ipiranga - SP • 04210 100
Tel.: (11) 2063 7000 • Fax: (11) 2061 8709
rettec@rettec.com.br • www.rettec.com.br